Présentation des auteurs

Richard BALME est professeur de science politique à l'IEP de Lyon et membre du CERIEP.

Sylvain BROUARD est allocataire de recherche au CERVL et moniteur d'enseignement à l'IEP de Bordeaux.

François BURBAUD est diplômé de l'Ecole supérieure de commerce de Bordeaux et titulaire d'un DEA «Gouvernement local et Administrations locales» de l'Institut d'études politiques de Bordeaux. Il est actuellement conseiller de développement au Conseil général de la Dordogne.

Le groupe de recherche «Coopération inter-régionale en Europe» de l'université Justus Liebig de Gießen est dirigé par le Prof. Dr. Dieter EIßEL et rassemble Dr. Udo BULLMANN, Dr. Ralf SÄNGER, Heiko BENNEWITZ, Olga DOBREV, Alexander GRASSE, Björn PAESCHKE.

Michael KEATING est professeur au département de science politique de *l'University of Western Ontario*. Il est l'un des animateurs du groupe permanent sur le régionalisme au sein de *l'European Consortium for Political Research* et co-édite la revue *Regional and Federal Studies*.

Pierre KUKAWKA est chargé de recherche à la Fondation nationale des sciences politiques, IEP de Grenoble-CERAT.

Jean-Philippe LERESCHE est maître-assistant à la Faculté des sciences sociales et politiques de l'université de Lausanne et chercheur à l'IREC, Ecole polytechnique fédérale de Lausanne.

John LOUGHLIN est professeur de politique européenne et titulaire de la chaire Jean Monnet d'économie politique européenne, *University of Cardiff in Wales*. Il est l'un des animateurs du groupe permanent sur le régionalisme au sein de *l'European Consortium for Political Research* et co-édite la revue *Regional and Federal Studies*.

Jörg MATHIAS est doctorant et assistant de recherche, *School of European Studies, University of Cardiff in Wales*.

Francesc MORATA est professeur à la Faculté de science politique de l'université autonome de Barcelone.

Claude OLIVESI est maître de conférence à l'université de Corse.

Jacek WÓDZ est professeur et directeur de l'Ecole internationale des sciences politiques de Katowice, université de Silésie.

LES POLITIQUES
DU
NÉO-RÉGIONALISME

APTER David, *Pour l'Etat contre l'Etat.*

BADIE Bertrand, *Culture et politique*, 3e éd. *Le développement politique*, 5e éd.

BON F. (textes réunis et présentés par SCHEMEIL Y.), *Les discours de la politique.*

CHARLOT Monica, *L'effet Thatcher.*

CRÊTE J. et FAVRE P. (sous la direction de), *Générations et politique.*

DOGAN Mattei et PÉLASSY Dominique, *Sociologie politique comparative.*

HERMET Guy, *Sociologie de la construction démocratique.*

HERMET Guy (sous la direction de), *Totalitarismes.*

HOFFMAN Stanley, *Le dilemme américain : suprématie ou ordre mondial.*

INGLEHART Ronald, *La transition culturelle dans les sociétés industrielles avancées.*

KAZANCIGIL Ali (sous la direction de), *L'Etat au pluriel – Perspectives de sociologie historique.*

KRIESI Hanspeter, *Les démocraties occidentales – Une approche comparée.*
Le système politique suisse.

LECA Jean et PAPINI Roberto, *Les démocraties sont-elles gouvernables ?*

MERLE Marcel, *La crise du Golfe et le "Nouvel ordre international".*

ROBIN Maurice, *Histoire comparative des idées politiques.*

SEILER Daniel-Louis, *Comportement politique comparé.*

SEILER Daniel-Louis, *De la comparaison des partis politiques.*

VANDELLI Luciano, *Pouvoirs locaux.*

Collection Politique comparée
dirigée par Gérard CONAC

Richard BALME

LES POLITIQUES
DU
NÉO-RÉGIONALISME

ACTION COLLECTIVE
RÉGIONALE ET GLOBALISATION

ECONOMICA

49, rue Héricart, 75015 Paris

Sommaire

Avant-propos

Cet ouvrage s'inscrit dans le prolongement d'une étude réalisée pour la *DATAR* sur les régions du littoral atlantique, dont certains textes présentent les résultats. Son aboutissement doit beaucoup à cette recherche initiale qui nous a permis de collecter une partie significative des données empiriques, et a suscité l'opportunité de s'engager dans une démarche comparative. A cet égard, nous remercions vivement Serge Wachter et Jacques Beauchard. Les enquêtes de terrain et leurs analyses ont été conduites dans le cadre *du Centre d'étude et de recherche sur la vie locale* de *l'Institut d'études politiques de Bordeaux*, qui nous a offert les meilleures conditions de travail, particulièrement par le soutien de son directeur Jacques Palard, et par la compétence et la disponibilité de Jeanne Capdeville, Maryse Ducournau et Christiane Pucheu.

Les réflexions tirées de ces premières études ont motivé notre désir de les confronter à d'autres observations, impliquant la collaboration avec des sociologues ou des politologues étrangers. Les chercheurs pratiquant ces coopérations internationales n'ignorent ni les difficultés de communication, ni le temps nécessaire à ce type d'entreprise. Nous avons bénéficié pour la réalisation de ce livre d'un réseau amical dont l'existence doit beaucoup au travail assidu de John Loughlin et de Michael Keating, en particulier pour la revue *Regional and Federal Studies* et pour le *Standing Group* sur le régionalisme qu'ils animent au sein de l'*European Consortium for Political Research*. Qu'ils trouvent ici l'expression de notre reconnaissance et de notre plaisir à travailler en leur compagnie.

Enfin, la préparation définitive de cet ouvrage s'est opérée au *CERIEP* de *l'Institut d'études politiques de Lyon*. Nous remercions Marie-Claude Plantin et Stéphanie Lautard pour leur concours dans la traduction de certains textes, Geneviève Delorme pour la mise en page du manuscrit et Nathalie Robin pour la qualité de ses corrections éditoriales. Björn Paeschke de l'université de Gießen a considérablement contribué à la préparation de la contribution sur l'Allemagne et à sa rédaction en français. Sans la patience et la qualité du travail de tous, cet ouvrage serait encore imaginaire.

Introduction
Pourquoi le gouvernement change-t-il d'échelle ?

par *Richard Balme*

Le régionalisme n'est plus ce qu'il était. Dans un monde où les échanges et les communications se développent rapidement, où les identités sont en pleine mutation, où l'action publique se renouvelle profondément, les régions entreprennent et rivalisent d'initiative. C'est souvent par la coopération inter-institutionnelle, avec des gouvernements locaux ou avec d'autres régions, qu'elles réalisent ces innovations. On envisage ici leurs activités dans le domaine des «affaires extérieures», plus précisément en examinant les coopérations inter-régionales de dimension transnationale. Les difficultés terminologiques pour désigner ces phénomènes indiquent que les régions sont peu attendues sur un terrain qui ne correspond ni à l'acception réaliste des relations internationales, par principe de nature inter-étatique, ni à sa variante régionaliste, qui comprend la régionalisation du système international comme une alternative à un ordre mondial, devenu improbable depuis la fin de la guerre froide[1], ni enfin à la conception juridique de la coopération décentralisée qui renvoie à la mise en œuvre concédée de politiques de développement[2]. Le *lobbying* important des collectivités territoriales

---

1. La «région» désigne alors une aire géo-politique assez vaste, comme par exemple l'Europe de l'ouest, l'Amérique du Nord ou le Sud-Est asiatique. L'émergence de régulations économiques et politiques régionales, dont la forme la plus intégrée est l'Union européenne, est dans cette perspective interprétée comme la double défaillance des Etats-nations d'une part et de l'organisation d'un ordre international, en particulier par l'ONU, d'autre part.

2. Pour des raisons de commodité, on pourra utiliser dans cet ouvrage les expressions de «relations internationales» ou de «coopération décentralisée» pour désigner ces coopérations inter-régionales, sauf indication contraire sans référence aux nuances précisées ici. On distingue cependant ces dernières des coopérations intra-régionales, pour souligner que dans la plupart des cas, l'effectivité du pouvoir régional dépend de la mobilisation locale de plusieurs niveaux institutionnels.

à Bruxelles ou l'activisme des régions les plus audacieuses, parmi lesquelles les «Quatre moteurs pour l'Europe»[3] ont néanmoins imposé, en tout cas en Europe de l'Ouest, l'image assez familière de régions entreprenantes et présentes au niveau international. Que font les régions quand elles coopèrent ? Quelle est la signification de ces nouveaux tropismes régionaux ? Quelles sont les implications de ces relations pour le pouvoir régional contemporain ? C'est à ces questions que cet ouvrage tente de répondre.

I. Entre nationalisme et action publique : le régionalisme

Malgré une image modernisée par cette dimension internationale, le régionalisme est encore couramment assimilé à des mouvements revendicatifs passéistes, arc-boutés sur la défense de particularismes culturels et énonçant une utopie politique et sociale anachronique. La caricature peut le camper sous les traits de la résistance obscurantiste des périphéries et des identités provinciales au cosmopolitisme du centre et à la grande solidarité de l'Etat-nation. Il peut apparaître comme une dangereuse survivance de la phase des constructions nationales dans les pays occidentaux, avatar de l'histoire rejouée par ses perdants. Entre insignifiance et rejet, il est souvent délaissé par l'opinion, et négligé par l'analyse politique.

Ce désintérêt est dommageable à la compréhension des changements du monde contemporain. Il témoigne d'une cécité persistante à l'égard de deux ordres de phénomènes pour lesquels le régionalisme a des implications importantes.

Le premier d'entre eux n'est ni plus ni moins que le nationalisme. Il est vrai que la production scientifique sur ce thème est florissante depuis le début des années 1990. Cependant, c'est essentiellement l'éclatement du bloc soviétique et les changements politiques induits qui génèrent ce regain d'intérêt. Dans l'espace-temps formé par les démocraties occidentales depuis 1945, la question est empiriquement et théoriquement considérée comme réglée jusqu'à très récemment. Le problème national est un problème colonial ou post-colonial, qui ne concerne que résiduellement les terres de fondation de l'Etat-nation contemporain. C'est d'ailleurs principalement dans une perspective socio-historique de longue durée que la littérature considère pendant cette période le phénomène, à la suite notamment de S. Rokkan et de R. Bendix. L'actualité oblige cependant à réévaluer ce point de vue. La guerre civile en Irlande, le séparatisme québécois, l'affirmation des autonomies dans l'Espagne démocratique, la fédéralisation de la Belgique, la percée des ligues

---

3. Cf. le chapitre qui leur est consacré dans cet ouvrage par Pierre Kukawka et les développements correspondants dans les chapitres sur l'Allemagne, la Catalogne et le Royaume-Uni.

en Italie du Nord, la partition de l'ancienne Tchécoslovaquie, la progression des droites «nationales» entendant défendre l'intégrité de l'Etat dans la plupart des pays démocratiques ne sont pas des épiphénomènes. Ces tendances politiques majeures rappellent au contraire que les structures stato-nationales sont des constructions contingentes et éventuellement fragiles. On peut penser que le problème est davantage national que régional. Mais où finit le régionalisme et où commence le nationalisme ? Par quelle distinction conceptuelle sérieuse peut-on les séparer sans légitimer l'un au détriment de l'autre ?

Le véritable problème adressé au politologue est plutôt d'analyser l'espace des relations et des identifications politiques pertinentes, qu'elles relèvent de la contrainte ou de la solidarité, de dégager leurs fondements normatifs et stratégiques et leurs dynamiques d'évolution. Comment en effet penser le nationalisme sans succomber au culturalisme, c'est-à-dire sans l'expliquer par la résurgence de comportements et d'attitudes au statut ontologique ? Cette difficulté exige de s'écarter d'une approche du nationalisme en termes de valeurs pour lui préférer une conception en termes d'espace social[4]. Autrement dit, le «sens» de l'appartenance politique réside moins dans l'adhésion consciente à des idéaux relativement explicites que dans la communication établie par des symboles partagés, tels que la langue, la monnaie ou les institutions représentatives. Cette communication permet un échange politique dont elle définit les termes et les conditions de validité, donnant ainsi à la collectivité sa dimension pertinente, celle de la cité, de la nation ou d'un régime international par exemple. L'important dans cette perspective est que l'interaction sociale précède, dans le mouvement historique autant que dans l'interprétation, l'identification aux symboles incarnant la communauté politique.

La dimension régionale des phénomènes politiques est considérée ici comme intermédiaire entre les niveaux locaux et nationaux. Elle correspond potentiellement à une spécificité culturelle et à un gouvernement différencié, mais les interactions socio-politiques peuvent adopter une configuration régionale sans que «la région» n'ait d'existence culturelle ou juridique effective. Par exemple, la région Pays-de-Loire est dotée du statut de collectivité territoriale depuis la mise en œuvre des lois de décentralisation en France, sans correspondre à une entité culturelle spécifique. A l'inverse, l'Ecosse est à l'évidence pourvue d'une identité culturelle forte, sans bénéficier d'institutions représentatives. Enfin les «systèmes productifs localisés» (Benko, Lipietz, 1992 ; Bagnasco, Sabel, 1994 ; Courlet,

---

4. On s'inscrit ici dans l'inspiration de Gellner, 1989.

Soulage, 1994) interrogés par la nouvelle économie régionale correspondent davantage à des cultures industrielles qu'à des traditions linguistiques, et sont le plus souvent en décalage avec le maillage institutionnel.

Le régionalisme peut être compris comme l'ensemble des actions destinées à constituer ou à conforter la dimension régionale des interactions socio-politiques, en particulier en affirmant leur cohérence et leurs spécificités culturelles, et en renforçant leur capacité de régulation en accédant à une forme d'autonomie politique. Ainsi conçu, le régionalisme a des implications évidentes pour la définition des espaces politiques pertinents et pour l'intégration de l'Etat-nation et ses mutations successives. En particulier, l'affirmation du pouvoir régional peut signifier l'émergence de nouvelles formes de régulations socio-politiques et le recul corrélatif de celles qui se tissaient jusqu'à présent autour de l'Etat-nation. Ces hypothèses méritent d'être examinées et seront ici longuement discutées.

Le deuxième objet de la cécité évoquée plus haut est relatif à l'action publique. Plus précisément, il concerne ce qu'on peut définir comme les conséquences des choix institutionnels, c'est-à-dire leur impact sur les jeux politiques et sur l'allocation des ressources entre les acteurs. Les institutions ne sont plus dans cette perspective considérées comme le produit construit par des rapports sociaux élaborés ailleurs et dont elles assurent la pérennité. Elles sont au contraire envisagées sous l'angle de leur contingence relative et des conséquences de leur fonctionnement. Par les politiques publiques, les institutions «agissent». Les guillemets sont ici de rigueur, pour indiquer que la représentation anthropomorphique des institutions, pensant et décidant «comme un seul homme», est une construction politique dont il convient de restituer les étapes pratiques et symboliques (Douglas, 1986). Cette construction réalisée, les usages effectifs des institutions ont des implications importantes pour la vie sociale. En particulier, les institutions politiques peuvent modifier le statut des acteurs par des politiques réglementaires, elles peuvent transformer le mode de production des ressources par des politiques distributives ou aménager leur répartition par des politiques redistributives[5]. Si les régions constituent bien un foyer d'innovations institutionnelles, il importe par conséquent d'en identifier les déterminants et d'estimer leur portée.

---

5. On adapte ici librement les catégories de Lowi, 1964.

II. Les régions dans la nouvelle économie politique internationale

Dans un monde où économie et politique sont de plus en plus interdépendantes, il est capital de comprendre comment les institutions politiques, c'est-à-dire les modes de régulation des comportements les plus spécifiquement politiques, influent sur la production et la distribution des ressources, au premier rang desquelles la croissance et l'emploi. Bien qu'elle n'en soit pas la logique exclusive, cette préoccupation guide souvent les gouvernements dans leurs politiques de réforme des institutions territoriales (Balme, Garraud et *al.*, 1994). Potentiellement, les régions jouent ici un rôle particulier selon deux dimensions différentes. Les institutions régionales peuvent prendre de l'importance en raison d'une régionalisation des interdépendances, en d'autres termes d'une régionalisation des contraintes, sinon des problèmes socio-économiques. Elles peuvent aussi s'affirmer en raison d'une régionalisation des interactions socio-politiques, des mobilisations destinées à agir collectivement sur les contraintes précédemment évoquées. Ces deux formes de régionalisation, structurelle et institutionnelle, ne sont d'ailleurs pas nécessairement concordantes, les écarts et les tensions qui les travaillent déterminant la configuration empirique de la région.

Peut-on parler d'une régionalisation des enjeux socio-économiques ? Si l'on entend par là une forme d'autarcie, de fermeture des économies régionales, la réponse est à l'évidence négative. La production, la distribution et l'emploi sont de plus en plus affectés par la mobilité, et l'idée d'un isolationnisme régional, qu'il concerne des régions riches ou des régions pauvres, est aussi fictif que son équivalent national. En revanche, certains enjeux socio-économiques voient leur dimension régionale gagner en pondération sous l'effet de tendances majeures du changement social.

En effet, dans un monde à la mobilité accrue, la localisation devient paradoxalement plus importante. La distribution spatiale des activités n'est évidemment pas aléatoire. Elle suit des processus complexes, fortement diachroniques c'est-à-dire largement déterminés par les séquences de localisation antérieures, et intégrant les contraintes (l'accès aux sources d'énergie ou aux matières premières) et les opportunités (les marchés de distribution, la proximité des réseaux de fournisseurs, la qualification de la main-d'œuvre et les relations de travail) de ces choix. Sous l'effet du changement technologique, notamment avec la tertiarisation de l'industrie et la transformation des techniques de communication, ces contraintes de localisation se sont considérablement allégées. Le paradoxe veut que si chaque agent socio-économique, entreprise, employé, consommateur, est potentiellement mobile, alors les avantages comparatifs de la localisation jouent plus fortement et sont intégrés comme un élément plus décisif dans la concurrence économique.

Les localités, principalement les communes et les villes, sont ainsi en compétition pour attirer sur leurs territoires les agents économiques nécessaires à une vie sociale prospère. En négatif, ces transitions post-fordistes, par lesquelles flexibilité et adaptation prennent le pas sur les capacités quantitatives de production, conduisent aussi les autorités locales à s'opposer ou à tenter de limiter ces mouvements. Car à l'évidence, le ballet des localisations économiques ne s'opère pas à distribution constante. Le volume d'emploi en particulier est en régression et sa répartition territoriale obéit à une tendance à la concentration[6]. Les collectivités territoriales en sont directement affectées dans leurs bases fiscales et dans la pression qui pèse sur leurs dépenses, notamment sociales[7]. Souvent, elles sont aussi atteintes dans leur identité culturelle, et dans leur cohésion sociale et morale.

Cependant les conditions de l'attractivité économique sont le plus souvent supra-communales : l'espace au sein duquel l'entreprise tisse ses principales relations d'échange, la proximité des réseaux de sous-traitance et de distribution, les marchés de consommation, le milieu de recrutement et de formation de la main-d'œuvre, la qualité du cadre de vie valorisant l'image de la firme échappent aux compétences des municipalités. Ces éléments relèvent de territoires intermédiaires entre les institutions nationales et les institutions locales. Ils correspondent aussi fréquemment aux attributions des régions. On peut ainsi noter que culture et formation professionnelle, protection de l'environnement et du cadre de vie, développement économique et aménagement du territoire sont le plus souvent de leur ressort, leur conférant ainsi une forme de pertinence fonctionnelle (Trigilia, 1991 ; Perulli, 1995)[8]. Néanmoins,

---

6. En termes de revenu mesuré par le produit intérieur brut par habitant, les disparités entre les régions, comme entre les pays de l'Union européenne, sont à peu près stables, voire en légère régression, malgré de fortes variations périodiques et géographiques (Commission européenne, 1994a ; Rodwin, Sazanami, 1991). La convergence semble réalisée par les périodes de croissance et se manifester le plus fortement dans les pays du nord et du centre de l'Union, alors que la récession aggrave les disparités dont sont surtout victimes les pays du Sud (Neven et Gouyette, 1995). En revanche, l'accroissement des disparités en termes de taux de chômage par pays et plus encore par région est explicite. Au niveau régional, cet accroissement est continu entre 1970 et 1993 à l'exception des années 1982 et 1988-1990 (Commission européenne, 1994a p. 46).
7. Les tensions dans ces mouvements d'activités et de populations et les politiques qui en résultent sont bien analysées par Peterson (1981) et Clark, Ferguson (1988).
8. La logique de constitution des compétences régionales relève d'un «bricolage institutionnel» composant les éléments socio-culturels, technocratiques et constitutionnels

ceci ne veut pas dire que les régions, lorsqu'elles existent, sont nécessairement l'expression institutionnelle de territoires socio-
économiques «réels», ou qu'elles constituent une solution adéquate
aux problèmes contemporains. En particulier, aucune nécessité
n'impose la région comme une institution territoriale fonctionnellement supérieure à ses concurrents, provinces, départements ou
agglomérations urbaines. En revanche, ces éléments établissent
qu'en configuration courante, l'intervention publique est confrontée : 1) à un problème de localisation dont les effets marginaux sont
plus sensibles que dans la phase de croissance dite «fordiste» ; 2) à
un débordement du maillage institutionnel de premier niveau qui
rend légalement impossible ou pratiquement inopérante l'action
indépendante des gouvernements locaux ; 3) à un problème d'action
collective, d'une part entre les institutions locales de premier niveau
concernées, d'autre part entre ces gouvernements locaux et la ou les
autorités intermédiaires éventuellement impliquées. Pour les régions, ce contexte définit un ensemble d'opportunités qui conforte
leur pertinence institutionnelle plutôt qu'un besoin fonctionnel.

A titre d'exemple, la fermeture de sites industriels dans le
secteur de l'armement est d'autant plus délicate aujourd'hui que
leurs localisations, pour des motifs à l'origine stratégiques, les ont
souvent éloignés des principaux centres productifs, comme c'est
classiquement le cas dans le sud-ouest français. Ils ont fréquemment fourni le pôle d'entraînement d'une mono-industrialisation
locale ou régionale qui, malgré une diversification progressive, est
devenue fragile en raison de cette spécialisation sectorielle très
marquée. La situation géographique et la structure du tissu social
et économique rendent la substitution éventuelle de ces industries
difficile, accroissant ainsi l'effet marginal de la localisation
(condition 1). La fermeture de ces sites concerne des bassins
d'emploi qui couvrent plusieurs communes, dont les territoires ne
sont pas nécessairement contigus, et pour la France plusieurs cantons qui peuvent appartenir à plusieurs départements. La capacité
d'action individuelle des maires et des conseillers généraux est donc
fortement limitée (condition 2). Une mobilisation efficace pour éviter
ou retarder la décision de fermeture, pour l'élaboration de plans
sociaux ou pour l'attraction d'autres entreprises exige par conséquent la coopération entre les communes et cantons concernés d'une
part, entre ceux-ci et les institutions territoriales intermédiaires (les
départements, la région, les administrations déconcentrées de l'Etat

---

du régionalisme au gré des circonstances politiques. On peut relever cependant qu'en
dépit d'une grande amplitude dans l'autonomie des gouvernements régionaux, ce
processus tâtonnant aboutit à une définition relativement convergente de leurs compétences sectorielles.

dans le domaine de l'emploi et de la formation...) d'autre part (condition 3).

Les régions dans leurs expressions institutionnelles n'apportent pas de solutions préconçues aux difficultés précédemment évoquées. Plus modérément, notre argument souligne que les niveaux de gouvernement intermédiaires voient leurs capacités potentielles d'intervention renforcées par les changements récents. Cette régionalisation structurelle est donc sélective, la nature des problèmes considérés étant relativement spécifique. Il ne s'agit pas d'un projet de société régionale, mais d'une dimension nécessaire (ce qui ne veut pas dire qu'elle soit optimale) pour agir politiquement sur certains enjeux sociaux dont l'importance s'accroît. En l'absence de volonté politique, cette régionalisation structurelle peut demeurer strictement virtuelle. Son actualisation reste dépendante de la capacité de mobilisation des institutions régionales.

Peut-on parler cette fois d'une régionalisation des interactions politiques, de l'émergence ou de la consolidation de mobilisations et d'actions collectives régionales ? Là encore la réponse doit être circonstanciée, mais elle est globalement affirmative. En premier lieu, l'expérience des démocraties occidentales est, depuis 1945 mais plus encore à partir des années 1980, marquée par les réformes de décentralisation créant ou renforçant ces niveaux intermédiaires. Il existe donc une tendance institutionnelle-légale à la régionalisation. En outre, on dispose aujourd'hui d'études assez fines analysant les mobilisations socio-politiques régionales, dont la figure paradigmatique reste celle de la «troisième Italie» (Bagnasco, Trigilia, 1993 ; Putnam, 1993). On en trouvera dans cet ouvrage l'illustration, notamment avec la coopération entre l'Emilie-Romagne et le Land de Hesse. Enfin, ces mobilisations sont, il est vrai, généralement plus ténues que des formes de néo-corporatisme territorial ou d'identification à une culture régionale dans le meilleur des cas en construction. Mais elles sont cependant au moins effectives à travers le mouvement de régionalisation des réseaux de politiques publiques suscité par la conjugaison des réformes de décentralisation et de l'intégration européenne (Balme et Jouve, 1995 ; Smith, 1996 ; Jouve et Négrier, 1996). Ces trois dimensions statutaire, sociale et politico-administrative concourent donc à une régionalisation tendancielle des interactions politiques.

Ce constat est relativement connu. Avant d'envisager plus précisément la coopération inter-régionale, il faut s'interroger brièvement sur ce «changement d'échelle» du politique attesté par ces phénomènes de régionalisation. Notons d'abord qu'il s'inscrit dans le contexte d'une économie de plus en plus internationalisée, qui transforme le sens de l'action publique. Les régions sont invitées à participer à la nouvelle économie politique internationale[9]. La «globalisation» signifie que les phénomènes économiques sont plus souvent internationaux ou transnationaux que nationaux ; que leur influence est souvent prépondérante par rapport à celle des Etats ; et enfin qu'ils permettent et suscitent des comportements affranchis des tutelles étatiques. On voit immédiatement comment l'affirmation d'initiatives régionales de «marketing territorial», à l'import comme à l'export, peut s'inscrire dans ce schéma.

Cependant le changement considéré n'est pas un jeu à somme nulle où les régions gagneraient ce que perdrait l'Etat en déplaçant le siège de l'intervention publique sans en modifier le sens. En effet ce double changement de périmètre et de focale des politiques publiques représente davantage qu'une translation du même mode de décision. L'idée «d'échelle» suggère en premier lieu que le gouvernement, ici assimilé à l'autorité publique, travaille sur la base d'une représentation territoriale des problèmes et des enjeux socio-économiques. Ce cadre cognitif, qu'on peut appeler paradigme territorial, peut évoluer dans ses principes constitutifs, c'est-à-dire dans le rapport établi entre les phénomènes et leurs représentations, et donc précisément changer d'échelle. Les idées du «village global», de «l'Europe des régions» ou de la «banane bleue» sont autant d'images significatives d'un tel changement de représentation des territoires pertinents pour la décision politique ou économique.

Sur un autre plan, la notion d'échelle dessine les contours du politique comme ceux d'une architecture à plusieurs niveaux et à volume variable (Cerny, 1990 et 1995). On peut ainsi noter que la régionalisation institutionnelle évoquée précédemment a pris un nouvel essor dans le contexte néo-libéral établi à partir des années 1980. Les tentatives de retrait de l'Etat engagées avec les politiques de privatisation ou de restrictions budgétaires se sont le plus souvent, à l'exception remarquable du Royaume Uni, accompagnées de réformes de décentralisation. Les raisons en sont complexes, et mêlent les stratégies de gestion fiscale et financière des gouvernements centraux à des revendications régionales plus porteuses lorsque l'Etat se trouve en déficit de légitimité. Même si la nouvelle gestion publique correspond davantage à un nouveau mode d'autorité qu'à un Etat faible (Wright, 1994), «mieux gouverner» est aujourd'hui compris comme «moins gouverner», en tout cas au centre, et le «bon gouvernement» est un gouvernement régionalisé. Cette construction à étages fait du politique une institution modulable en fonction des problèmes et au gré des circonstances. Les dispositifs d'action publique et les relations intergouvernementales qui les sous-tendent

---

9. Cf. en particulier Cox (1987), Strange (1988), Stubbs et Underhill (1994).

adoptent ainsi des configurations différentes, par exemple dans le domaine de l'environnement et dans celui de la santé, en matière de transport ou d'immigration, avant et après une alternance gouvernementale ou une échéance européenne.

Cette géométrie variable de l'action publique la distingue du gouvernement au sens classique du terme sur au moins quatre points, qu'on peut retenir comme caractéristiques de la gouvernance : 1) le développement de relations intergouvernementales verticales et horizontales et la collaboration d'acteurs privés dans l'élaboration et la mise en œuvre des politiques publiques, tendances proscrites dans un modèle de gouvernement détenteur du monopole de la puissance publique ; 2) la variation sectorielle des réseaux relationnels et leur adaptation au gré des conjonctures, la particularité et la turbulence se substituant à l'universalité et à la permanence du gouvernement ; 3) une auto-limitation de l'intervention publique qui, sans s'incarner en un Etat minimal, cherche cependant à contenir son expansion et éventuellement à la réduire, en particulier par de nouveaux agencements de ses dispositifs territoriaux ; 4) un mode d'autorité plus coopératif que hiérarchique, issu du caractère inter-organisationnel de l'action publique, et générant des problèmes de coordination et éventuellement de légitimité. Au total, si les différents niveaux de gouvernement demeurent dans une certaine mesure en concurrence, leurs relations sont dans l'ensemble plus coopératives que conflictuelles. Dans la longue durée apparaît donc une forme de socialisation et de régulation des anciens rapports centre-périphérie. Mais la signification de l'autorité politique, dans les intentions auxquelles elles répond, dans les moyens de son exercice et dans les perceptions qu'elle suscite, s'est aussi profondément transformée. Elle est en effet auto-limitée, renonçant à une puissance absolue que lui refusent les fondements normatifs de la démocratie et les réalités empiriques de l'économie politique. Elle est moins confrontée au problème d'élaboration d'un choix optimal qu'à celui des modalités efficaces de sa mise en œuvre, par les problèmes de coopération et de coordination déjà évoqués. Enfin elle est éminemment polycentrique, sous des formes qu'on tentera de préciser ici.

On peut naturellement penser que le changement d'échelle du mode territorial d'appréhension des problèmes et celui du dispositif institutionnel de l'action publique ne vont pas l'un sans l'autre. C'est-à-dire que la transformation des représentations du territoire pertinent pour le politique d'une part, et celle de l'agencement organisationnel des actions publiques d'autre part sont corrélées. Dans cette perspective, pourquoi l'échelle régionale serait-elle institutionnellement plus appropriée à la dimension globalisée de l'économie politique ?

Aux raisons et aux spécifications évoquées plus haut, il faut ajouter que les régions apparaissent sous cet angle en quelque sorte comme des «horloges» du temps mondial, au sens où elles tentent, avec une réussite évidemment discutable, de coordonner des activités qui s'inscrivent dans des horizons et des rythmes temporels différents. C'est ainsi que les temporalités respectives des flux financiers, des investissements productifs et de l'emploi varient considérablement, de la seconde à l'espace d'une génération. Ces flux sont aussi partiellement articulés par des institutions comme la régulation des marchés financiers, les politiques de crédits, les aides à l'investissement et le droit du travail. La libéralisation des échanges, en élargissant l'espace des interactions et des interdépendances économiques, accroît la probabilité et l'amplitude de la disjonction entre chacune de ces temporalités. Elle accentue également la hiérarchisation entre ces interdépendances, le temps court de l'investissement financier gagnant en pondération par rapport au moyen terme de la production et au temps long de l'emploi. Le mouvement d'ensemble peut induire des effets régionaux particulièrement dramatiques. Les exemples de l'agriculture et de la sidérurgie sont éloquents à cet égard. Dans une économie essentiellement nationale, c'est naturellement l'Etat qui coordonne ces temporalités, avec l'ensemble de ses instruments de politique économique et en particulier par sa politique budgétaire. Dans une économie internationalisée, cette faculté devient néanmoins hors de sa portée.

Les régions, sans bien sûr retrouver les capacités de régulation étatiques d'une époque révolue, sont néanmoins vivement sollicitées par ce processus. Les conséquences sociales et fiscales, alors qu'elles sont plus diffuses au niveau national, les affectent directement. Dans le contexte d'austérité budgétaire imposé par les autorités centrales, les élus locaux et régionaux sont politiquement interpellés par leurs électeurs et par la presse, et d'éventuelles conséquences électorales se font plus pressantes. Un «besoin d'agir» apparaît donc au niveau régional. C'est en région, avec la mobilisation des milieux socio-économiques, que peuvent se programmer les réglages fins des dynamiques économiques territoriales : l'ouverture d'une ligne aérienne, l'amélioration d'une infrastructure routière, l'achat d'un appareil industriel pour un réseau de PME ou de PMI, la création d'une filière de formation. A l'évidence, ces actions ne suffisent pas à inverser le cours des choses, à transformer des «régions qui perdent» en «régions qui gagnent», ni même à imposer un rythme régional à l'heure de la mondialisation. Mais les gouvernements régionaux peuvent sensiblement atténuer les externalités et les coûts de transaction induits des logiques de localisation économiques (North, 1990 ; Williamson, 1975). Ils peuvent aussi contribuer à articuler les temporalités de différents ordres d'interdépendance, telles que les durées biographiques de l'emploi, les périodes d'amortissement des investissements et les rythmes de circulation du capital financier. Ces interventions peuvent ainsi accélérer une dynamique territoriale positive ou au contraire tempérer un phénomène de déclin régional.

III. Les nouveaux tropismes régionaux : que font les régions quand elles coopèrent ?

Ces nouvelles politiques sont donc de premier intérêt si on les considère dans une perspective d'équité territoriale, mais aussi plus globalement pour comprendre l'évolution des modes d'action publique. La littérature fournit dans cette perspective de bonnes analyses sur les dynamiques endogènes des régionalismes et sur leur transformation par l'intégration européenne[10]. On espère ici contribuer à développer ces réflexions en conjuguant les perspectives d'analyse des politiques régionales avec celles des relations internationales dans une approche qu'on peut définir comme une forme d'économie politique[11].

Le parti-pris de cet ouvrage consiste à saisir les transformations du régionalisme par l'examen des coopérations interrégionales, en particulier telles qu'elles s'établissent sur une base transnationale, en élargissant le cadre de la réflexion en proposant des éléments comparatifs extra-communautaires, concernant en particulier la Suisse, les régions d'Europe centrale et orientale, et l'Amérique du Nord à travers le cas des Etats canadiens. En effet, les activités internationales puis transnationales sont sans doute l'un des secteurs les plus novateurs de la palette des compétences régionales. Les «relations internationales» apparaissent d'abord comme une politique publique parmi d'autres, suscitant la création de départements administratifs, la formation et le recrutement de personnels spécifiques. En Europe communautaire, cette phase est cependant aujourd'hui dépassée. C'est l'ensemble des compétences régionales qui sont soumises à un processus d'internationalisation, et qui conduisent généralement à placer les services spécialisés sous la responsabilité plus directe des exécutifs. Le mouvement d'européanisation des affaires régionales, par lequel les compétences en matière d'environnement, d'aménagement du territoire,

---

10. Parmi les meilleures productions récentes, on peut mentionner Scharpe (1991), Keating et Jones (1995), Rhodes (1995), Hooghe, Le Galès et Lequesne (à paraître).
11. La démarche proposée ici est globalement convergente avec celle de l'ouvrage *The Political Economy of Regionalism*, à paraître sous la direction de Keating et Loughlin.

d'aide aux entreprises, de lutte contre le chômage, d'agriculture sont soumises aux fourches caudines du droit communautaire, se double d'une régionalisation des affaires européennes avec la mise en œuvre des politiques, notamment structurelles, de l'Union. D'un point de vue communautaire, les «relations internationales» des régions sont des affaires intérieures. Elles concernent le pouvoir régional dans son ensemble et, si cette évolution est relativement récente, elles en sont aussi aujourd'hui une figure assez quotidienne.

Par ailleurs, si la globalisation doit, le cas échéant, susciter une mobilisation socio-économique autour des institutions régionales, ou si elle offre aux gouvernements régionaux des opportunités politiques pour élargir leur champ d'action et étayer leurs soutiens, c'est bien dans le domaine international que ces tendances devraient se révéler. Enfin, dans le débat entre transnationalisme et internationalisme d'une part, entre néo-fonctionnalisme et réalisme d'autre part, l'analyse des structures de coopération inter-régionale s'impose comme un test assez décisif sur le plan théorique. Comme l'atteste la multiplication des associations (cf. *infra*), les régions sont en effet, après les entreprises multinationales, les organisations non-gouvernementales et quelques groupes d'intérêt, très actives et très organisées au plan international. Il semble donc opportun de faire le point sur les modalités et sur l'impact de ces coopérations, et d'estimer leur portée pour la définition d'éventuelles «souverainetés perforées» (Duchacek, Latouche et *al.*, 1988), dans lesquelles les Etats verraient leur monopole de représentation et de décision sur la scène internationale de plus en plus entamé, dessinant ainsi les caractéristiques «post-weberiennes» du politique (Badie, 1995). Pour ce faire, tout en restant dans un contexte politique occidental, il est important de contrôler les éventuels effets d'optique, grossissants ou déformants, induits de l'intégration européenne. Les nouvelles expressions du régionalisme s'expriment-elles de la même manière dans des contextes différents ? La coopération inter-régionale est-elle un produit dérivé de l'intégration économique ? Peut-elle au contraire répondre à des logiques différentes ? L'examen des situation helvétique, centre-européenne et canadienne peut apporter d'utiles éléments de réponse à ces questions.

C'est dans cette perspective et pour évaluer ces hypothèses qu'ont été sollicitées les contributions à cet ouvrage. Leurs auteurs ont tous une expérience significative d'analyse des questions régionales et conduisent actuellement des recherches sur les coopérations inter-régionales. On a consciemment conservé une approche relativement inductive, et une présentation plus monographique que thématique, d'une part pour rassembler le matériau empirique à ce jour manquant, et d'autre part pour éviter de réduire la poly-sémie des phénomènes envisagés. Ces deux éléments paraissent indispensables à l'établissement d'un état des lieux de la coopération inter-régionale, nécessaire à d'éventuelles comparaisons plus systématiques.

Peut-on tout d'abord dresser un inventaire des coopérations inter-régionales ? Précisons d'emblée qu'en la matière, l'exhaustivité n'est pas ou n'est plus envisageable. Sans être tou-jours formalisées, ces relations sont relativement généralisées, et leurs enjeux aussi diversifiés que les contextes politiques dans les-quels elles s'inscrivent[12]. On peut néanmoins tenter d'indiquer les localisations de ces nouveaux tropismes régionaux, tout au moins pour l'Europe où ils sont manifestement les plus foisonnants[13].

Ces coopérations prennent des formes bilatérales ou multila-térales ; elles peuvent être transfrontalières ou transnationales sans contiguïté territoriale ; elles regroupent un nombre limité de ré-gions ou répondent au contraire à une vocation plus générale.

Les coopérations les plus anciennes concernent des régions en situation de contiguïté territoriale, séparées par une ou plusieurs frontières internationales, dont elles ont à gérer les effets de dis-continuité mais aussi de relation. Ces initiatives se sont surtout développées à partir des années 1970. La vallée du Haut-Rhin en fournit une bonne illustration, avec l'ouverture en 1971 d'une pre-mière collaboration entre autorités locales suisses, allemandes et françaises, entérinée par un traité international signé en 1975, et aboutissant en 1991 à la Conférence tripartite du Haut-Rhin. Cette coopération établie dans les domaines de l'économie, l'environ-nement, les transports, les communications et l'aménagement du

---

12. Mentionnons par exemple la diplomatie pacifiste, c'est-à-dire anti-nucléaire, établie par les collectivités territoriales japonaises par le biais de ces coopérations (*Courrier International*, n° 262, novembre 1995) ; les programmes transfrontaliers de l'Union européenne au Pays basque dans un contexte marqué par le terrorisme, localement comme au niveau plus global des relations franco-espagnoles (Palard, à paraître) ; les relations entre Etats fédérés de part et d'autre de la frontière entre le Mexique et les Etats-Unis en matière d'immigration ; ou si l'on admet une extension des notions de région et de régionalisation strictement heuristique, les enjeux identitaires qui se nouent souvent autour des coopérations inter-insulaires dans les géographies d'archipel, telles que Fred Constant les analyse pour la Caraïbe anglophone (Constant, 1992), ou Claude Olivesi dans cet ouvrage pour le cas de la Méditerranée occidentale. D'utiles éléments sont proposés notamment par Bach, Leresche (1995), et par la revue *Sciences de la société* (1996).
13. Un panorama peut être obtenu par la consultation des documents fournis par l'Assemblée des régions européennes (1992) ; la Commission européenne (1994b) ; le Parlement européen (1994). Les analyses les plus globales sont établies par Hbrek et Weyand (1994), et Weyand (à paraître), dont les développements suivants reprennent certains éléments.

territoire se double de multiples associations plus locales ou plus spécifiques, comme la Communauté d'intérêts moyenne Alsace-Briesgau, rassemblant représentants politiques et professionnels. L'association *SaarLorLux* entre la Sarre, la région Lorraine et le Grand Duché du Luxembourg est un autre exemple de ce type de coopération. Comme dans le cas du Haut-Rhin, on assiste à un processus de régionalisation de la coopération, qui passe d'échanges entre gouvernements locaux strictement encadrés par les gouvernements centraux à l'établissement d'institutions inter-régionales assumant beaucoup plus directement leur coopération. Un Conseil parlementaire inter-régional fut ainsi créé en 1987 entre les membres de *SaarLorLux,* La Rhénanie-Palatinat et la province belge du Luxembourg. Même lorsqu'il n'y a pas régionalisation, faute de gouvernement régional, les formes locales d'intégration transnationales peuvent être assez poussées. *L'Eurorégion* initiée à partir de 1966 entre certaines localités orientales des Pays-Bas et leurs vis-à-vis germaniques a donné lieu en 1978 à la constitution d'un Conseil délibérant à la majorité, où les positions politiques s'élaborent sur la base d'alignements partisans et non nationaux (Wolters, 1994).

Sans exagérer la portée de ces mouvements, ils sont néanmoins significatifs. On peut d'abord noter qu'ils prennent d'abord place le long du réseau urbain centre-européen, analysé par Stein Rokkan comme une zone de développement économique et de résistance relative à l'Etat-nation. Ils interviennent également sur les frontières des Etats fondateurs de l'Europe politique, c'est-à-dire les pays du Benelux, la France et l'Allemagne, l'Italie étant moins affectée par le phénomène. La paix puis le marché commun offrent l'opportunité à des territoires périphériques dans leurs Etats respectifs, adossés à l'impasse de la frontière, de s'associer pour former une «région» en position centrale dans le nouvel espace européen. Ce renversement topologique introduit par l'intégration européenne est fondamental. Son effectivité est probablement discutable, et en tout cas variable d'un site à l'autre. Mais il est en tout cas fortement revendiqué par les acteurs régionaux qui initient ces coopérations. Il témoigne de l'évolution de leurs perceptions et de leurs anticipations, et des efforts déployés pour influencer les représentations du territoire régional. Sous cet angle, «l'Europe des régions» est un avenir en construction.

Avec les progrès de la construction communautaire, notamment avec le développement de la politique régionale et des fonds structurels, ces coopérations transfrontalières ont connu une explosion dans les années 1980 et 1990. En particulier, le programme INTERREG est venu soutenir et souvent susciter les initiatives locales qui couvrent la plupart des frontières internes et externes de l'Union. Les eurorégions Nord (entre les régions Nord-Pas de Calais, Flandres, Wallonie, Bruxelles-Capitale, et le comté du Kent) et transpyrénéenne (entre la Catalogne, Midi-Pyrenées et Languedoc-Roussillon)[14] ont repris les labels et les principes inaugurés par leurs prédécesseurs[15]. L'invention, notamment juridique, des modalités de ces coopérations est particulièrement complexe et d'autant plus longue qu'elle exige la signature de traités internationaux, souvent multilatéraux, entre des Etats qui peuvent se montrer réticents. Là encore le cheminement de l'intégration communautaire débloque progressivement les situations[16]. Les sites de mises en œuvre du programme INTERREG sont aujourd'hui très diversifiés, et concernent entre autres, pour n'évoquer que quelques-uns de leurs enjeux, la frontière entre l'Eire et l'Irlande du Nord, les frontières hispano-portugaise[17], italo-slovène, gréco-turque, les échanges entre le Danemark et les Etats baltes, entre l'Allemagne et la Pologne ou la République tchèque[18].

Il est intéressant de noter que c'est la frontière, la ligne de démarcation entre les Etats, qui fournit la pierre de touche de la coopération entre les régions. Outre cette dimension transfrontalière *in situ*, l'action collective régionale emprunte aussi la voie de clubs inter-régionaux, constitués pour échanger des expériences et exprimer des intérêts relativement spécifiques. Le premier de ces forums est logiquement l'Association des régions frontalières européennes (ARFE) créée dès 1971. Il sera suivi par la Conférence des régions périphériques maritimes (CRPM), par l'Association des ré-

---

14. Cf. dans cet ouvrage l'article de F. Morata ainsi que Ndiaye (1995).
15. Parmi les autres coopérations transfrontalières, on peut signaler la *Communauté de travail des Pyrénées* (CTP, Aragon, Catalogne, Navarre, Pays basque, Aquitaine, Midi-Pyrénées, Languedoc-Roussillon et Principauté d'Andorre, fondée en 1983) ; la *Communauté de travail des Alpes occidentales* (COTRAO, Provence-Alpes-Côte d'Azur, Rhône-Alpes, Ligurie, Piémont, Vallée d'Aoste, cantons de Genève, du Valais et de Vaud, fondée en 1982) ; le *Conseil du Léman* (départements de l'Ain et de la Haute-Savoie, cantons de Genève, du Valais et de Vaud, fondé en 1987) ; la *Communauté de travail des Alpes centrales* (ARGE ALP, associant le Bade-Wurtemberg et la Bavière, les Länder autrichiens de Salzbourg, du Tyrol et du Voralberg, les provinces du Haut-Adige et du Trentin ainsi que la région de Lombardie en Italie, et les cantons suisses des Grisons, de Saint-Gall et du Tessin, fondée en 1972) ; la *Communauté de travail des Alpes orientales* (ALPE-ADRIA, associant la Bavière en Allemagne, le Burgenland, la Carinthie, la Haute-Autriche, Salzbourg et la Styrie en Autriche, les comitats hongrois de Baranya, Györ-Sopron, Somogy, Vas, Zala, les régions de Frioul-Vénitie Julienne, Lombardie, Trentin-Haut-Adige, Vénitie en Italie, le canton de Tessin en Suisse et enfin la Croatie et la Slovénie, fondée en 1978) ; La *Communauté de travail du Jura* (CTJ associant la région de Franche-Comté en France et les cantons de Berne, du Jura, de Neuchâtel et de Vaud en Suisse, fondée en 1985).
16. Mentionnons en ce sens pour indication la signature en 1995 d'un traité franco-espagnol à Bayonne et d'un traité franco-germano-luxembourgeois à Karlsruhe.
17. Cf. Covas, 1995.
18. Cf. dans cet ouvrage l'article de J. Wódz ainsi que Petit (1995).

gions de tradition industrielle (ARTI) et par l'Union des régions capitales (URC). Cette action collective, si elle est bien initiée par les régions, répond aux opportunités politiques ouvertes par le contexte de l'intégration européenne, et notamment au développement des politiques communautaires. Les régions entendent exprimer un point de vue territorial, quelque peu dilué dans le processus inter-gouvernemental d'élaboration des politiques européennes ; elles souhaitent aussi obtenir la création de programmes et la distribution de crédits pour soutenir leurs propres politiques. Plus l'intégration économique avance, plus les effets de localisation évoqués précédemment sont sensibles. Dans le même temps, plus l'intégration politique progresse, plus les opportunités politiques se déplacent du niveau national au niveau européen.

C'est par la combinaison de ces deux logiques que l'action collective inter-régionale s'organise. Assez naturellement, elle aboutit en 1985 à la constitution de l'Assemblée des régions d'Europe (ARE), qui regroupe 9 organisations inter-régionales plus spécifiques[19] et plus de 300 collectivités territoriales d'Europe. Ultérieurement, deux créations seront marquantes : celle des Quatre moteurs pour l'Europe, associant le Bade-Wurtemberg, la Lombardie, la Catalogne et Rhône-Alpes à partir de 1988 ; et l'Arc atlantique, commission émanant de la CRPM en 1989 pour rassembler les régions du littoral atlantique, dont on traitera dans les articles qui suivent. On peut cependant d'ores et déjà noter quelques éléments les concernant, qu'on peut tenir pour caractéristiques de l'évolution des coopération dans les dernières années. En premier lieu, les Quatre moteurs inaugurent une coopération entre des régions riches dépourvues de contiguïté territoriale. Celle-ci s'émancipe ainsi à la fois du contexte trans-frontalier et d'une dépendance à l'égard des programmes européens, qui n'interviennent ici que très indirectement. De même, la coopération atlantique, si elle émerge dans une large mesure pour formaliser l'attente d'un programme communautaire, surmonte avec succès la révision imposée de ses objectifs et s'institue sous une forme aujourd'hui soutenue par les fonds européens mais plus motivée par l'obtention d'interventions structurelles lourdes. Ces coopérations ne sont plus transfrontalières ; elles ne sont pas davantage des clubs définis par des problèmes sectoriels spécifiques. Elles prennent des configurations de dimension intermédiaire pour tenter d'instaurer de nouvelles relations territoriales qui contribuent à l'organisation polycentrique de l'espace social européen. La réunion des régions d'accueil des *second cities* que sont Barcelone, Milan, Lyon et dans une moindre mesure Stuttgart est révélatrice à cet égard. Mais l'Arc atlantique est aussi

---

19. ARFE, CRPM, URC, ARTI, COTRAO, ARGE ALP, ALPEN ADRIA, CTP, CTJ.

une tentative de résistance à l'attraction des flux au centre de l'Europe, donc à des processus de polarisation par la constitution de réseaux alternatifs. Chacune de ces expériences marque le dépassement de hiérarchies territoriales exclusivement stato-centriques. Dans le débat théorique sur la construction européenne, l'intégration politique apparaît bien comme un effet induit par extension (*spillover*) de l'intégration économique, soutenant dans une certaine mesure les thèses néo-fonctionnalistes (Haas 1968). Dans cette perspective, la transnationalisation économique conduit fonctionnellement à la transnationalisation politique.

IV. Les conditions de l'action collective régionale

On touche ici à la définition des conditions de l'action collective régionale. Sont-elles plutôt locales, nationales ou transnationales ? Sont-elles plutôt sociologiques, économiques ou institutionnelles ? Les données présentées dans cet ouvrage permettent d'apporter quelques éléments de réponse à ces interrogations.

Le marché est-il une condition suffisante à ces comportements coopératifs transnationaux ? L'analyse avancée par M. Keating sur les relations entre provinces canadiennes et Etats américains établit qu'au contraire, le contexte de l'ALENA, c'est-à-dire du marché transnational dépourvu d'institutions supra-gouvernementales, et en particulier de politiques publiques, l'interdépendance économique induit des comportements de concurrence plus que de coopération régionale.

Le raisonnement néo-fonctionnaliste a abondamment été critiqué, en particulier lorsqu'il conçoit le *spillover* comme un phénomène nécessaire et systématique (De Bussy et *al.* 1971 ; Keohane et Hoffmann, 1991). En négligeant le rôle des relations inter-étatiques, il demeure dans ce cas inopérant pour expliquer les stagnations et les reculs qu'a connu la construction politique de l'Europe depuis la création du marché commun. Concernant les coopérations inter-régionales, il n'éclaire de même qu'une partie du tableau. L'intégration économique fournit bien un ensemble de motifs à l'action collective régionale. Mais ces enjeux doivent être saisis par les acteurs régionaux et se révéler pertinents dans une structure d'opportunités politiques encore largement déterminée par l'organisation et la politique des Etats centraux. Les tendances suggérées ici et développées dans les articles suivants sont loin de s'imposer sans résistances ou même de voir le jour partout. Le droit exerce logiquement ses contraintes, et les Etats font respecter leurs prérogatives. Le gouvernement italien s'est ainsi opposé en janvier 1996 à l'ouverture d'un bureau de représentation commun entre la région du Haut-Adige, largement germanophone, et le Tyrol autrichien, auprès de l'Union européenne à Bruxelles, où il aurait rejoint les nombreuses agences travaillant pour les collectivités territoriales. Dans un registre différent, les relations trans-frontalières entre l'Eire et l'Irlande du Nord, en dépit de la mise en œuvre d'un programme INTERREG, demeurent atones (Tannam, 1995). Et l'on aura noté l'échec du projet de fusion entre les Länder de Berlin et du Brandebourg, concevable dans la continuité de la réunification allemande, mais rejeté par référendum en mai 1996. Ces éléments soulignent que les logiques inter-étatiques, présentes ou passées, sont vivaces et, le cas échéant, prévalent sur les logiques transnationales. Les coopérations régionales se superposent plus qu'elles ne se substituent aux relations internationales traditionnelles. Ce n'est pas en abolissant ces relations inter-étatiques qu'elles transforment la scène internationale ; c'est en mettant fin à leur monopole.

S'il n'est pas suffisant, le marché est-il néanmoins nécessaire à l'émergence de ces coopérations ? Pas davantage, puisque l'examen des pays d'Europe centrale et orientale par J. Wódz montre que ces coopérations transfrontalières s'établissent, pour des motifs conjointement politiques et économiques, en chevauchant les limites du marché unique. On peut opposer à cet argument que la coopération tend ici à préfigurer l'intégration des PECO dans l'Union européenne. Mais le cas suisse analysé par J.-P. Leresche indique clairement que ces coopérations se développent, comme pour compenser le rejet de l'adhésion à l'Union. Les coopérations régionales émergent pour instituer les échanges économiques autant que pour en gérer les effets *a posteriori*.

Ces trois cas extérieurs à l'Union européenne suggèrent donc que le libre-échange génère autant la compétition que la coopération inter-régionale, et que s'il en fournit le motif, il doit être relayé par des facteurs plus institutionnels et plus politiques pour que l'action collective devienne effective.

Ces observations montrent également le rôle des entrepreneurs politiques dans ces processus. Ces coopérations sont souvent portées sur les fonds baptismaux par de grands leaders régionaux : O. Guichard et J.-P. Raffarin sur la façade atlantique, L. Späth en Bavière, J. Pujol en Catalogne, pour n'en citer que quelques-uns. Le leadership pèse sur les déterminations de l'action collective régionale. Mais d'où vient la pertinence et la portée de celle-ci pour le pouvoir régional ?

Les régions retrouvent dans ce type d'activités d'autres acteurs comme les organismes consulaires ou les syndicats professionnels, semblant ainsi «en phase» avec des mobilisations sociopolitiques locales (Coleman et Jacek, 1989). On en trouve une illustration avec le Comité syndical inter-régional (CSI) Rhône-Alpes-

Piémont-Val d'Aoste, qui travaille sur les questions d'emploi trans-frontalier, mais s'exprime aussi sur la liaison TGV entre Lyon et Turin et souhaite être entendu par les autorités régionales dans l'élaboration de la politique alpine. Dans la même veine, on peut relever la collaboration active des Conseils économiques et sociaux (CESR) des régions françaises en matière de coopération atlantique. Doit-on comprendre les coopérations inter-régionales comme le produit de la mobilisation d'intérêts socio-économiques autour des gouvernements régionaux ? Ces leaders agissent-ils en réponse à des intérêts locaux les pressant d'intervenir au plan international ?

On relève des mobilisations relativement effectives, même si elles demeurent très sélectives. En revanche, elles sont dans l'ensemble consécutives plutôt qu'antérieures à l'établissement des coopérations. Celles-ci ne peuvent probablement pas perdurer sans susciter d'écho chez des partenaires socio-économiques, ce qui est finalement leur raison d'être. Mais l'offre précède ici une demande qui demeure souvent latente. Une exception apparaît peut-être dans ce tableau dans le cas des régions d'Europe centrale, où des groupes d'intérêt économiques entrent en quelque sorte en politique au motif de la coopération inter-régionale, ce qui s'explique à la fois par les relations économiques avec les régions de l'Union et par l'état du leadership dans la transition politique.

Si dans l'ensemble aucune pression locale ne se manifeste *a priori*, comment ces entrepreneurs politiques sont-ils motivés à s'engager dans de telles actions ? Ils peuvent d'abord anticiper ces éventuelles pressions, ou tout au moins estimer les attentes et les enjeux générés par l'internationalisation. Cette faculté d'anticipation est probablement facilitée par la proximité entre les élus et le milieu économique local. Les élus agissent alors comme les courtiers des milieux locaux, solutionnant les problèmes d'action collective des intérêts socio-économiques.

Ensuite les exécutifs régionaux et leurs responsables répondent aux incitations des politiques publiques supranationales, en l'occurrence européennes. Il s'agit d'inscrire la régions dans les projets d'élaboration des programmes communautaires et dans les schémas de répartition de leurs crédits. C'est souvent dans l'espoir d'obtenir de tels programmes que naissent les coopérations, et c'est souvent par certains d'entre eux (INTERREG) que le coût de l'action collective est supporté, au moins dans sa phase de démarrage. Le cas échéant, les lignes budgétaires accordées par Bruxelles fournissent les moyens matériels de la coopération, et bien souvent les incitations sélectives (en termes d'initiative et de marge d'action politique) nécessaires à son émergence. Le contre-exemple nord-américain est révélateur de l'importance de ce type d'opportunités politiques.

Enfin ces entrepreneurs travaillent aussi à construire et à valoriser leurs parcours et pour les plus illustres à «tenir leur rang» lorsque leurs carrières sont pour l'essentiel réalisées. Ce faisant, ils concourent à façonner des arènes politiques, c'est-à-dire des espaces ce concurrence politique, élargis à une dimension transnationale. L. Späth ou O. Guichard gèrent ainsi leur réputation alors que J.P. Raffarin ou J. Blanc, président du Comité des régions, construisent leur trajectoire politique dans un espace européen. La constitution de ces arènes transforme aussi les positions politiques en établissant des équivalences, ne seraient-elles que protocolaires, entre des élus ou des fonctionnaires dont les statuts nationaux respectifs sont très éloignés. Dans une certaine mesure, les configurations multiples des coopérations transnationales, notamment la superposition de réseaux de villes et de réseaux régionaux, reflète les joutes politiques qui prennent pour enjeu l'hégémonie des leaders locaux. La concurrence entre le président de la généralité de Catalogne J. Pujol et le maire de Barcelone P. Maragall, en Catalogne comme au sein des forums régionaux européens, en est une parfaite illustration.

Un dernier élément doit être mentionné pour spécifier ces conditions de l'action collective inter-régionale. Il s'agit de son aspect séquentiel. La contribution du Groupe de Giessen sur la «deuxième vague» de coopération en Allemagne insiste sur ce point. On peut considérer qu'en s'engageant dans ces politiques, les gouvernements régionaux agissent comme des réducteurs d'incertitude pour les territoires socio-économiques qu'ils représentent. Ils font aussi office de producteurs de bien collectif en permettant à des milieux de PME-PMI d'agir de façon sinon concertée, au moins coordonnée. Dans un monde où les relations internationales sont décisives pour les agents économiques, où les échanges sont virtuellement en nombre infini, les régions introduisent de l'ordre en sélectionnant les objectifs, les informations et les partenaires pertinents pour la coopération. Or, cette sélection s'opère de manière relativement stochastique. En effet le rang d'entrée dans la coopération est relativement contraignant pour les régions, le cas échéant privées de partenaires potentiels par les associations antérieurement établies. De même, l'importance des relations personnelles, souvent relevée par les chercheurs comme un facteur vécu comme décisif par les participants, souligne bien le caractère contingent des configurations finalement adoptées par l'action collective. Les rationalités composites en sont pour le moins perturbées par les séquences antérieures d'une part, et par les flux affectant les personnels qui en assument les tâches pratiques d'autre part.

Finalement, l'examen des conditions de l'action collective régionale conduit le raisonnement de la fonctionnalité économique à l'intentionnalité politique. Ce sont des entreprises de leadership investissant des enjeux politiques qui construisent ces coopérations. Leur émergence est le cas échéant facilitée par les incitations sélectives fournies par les institutions supranationales. Leurs configurations sont largement dépendantes de la structure formée par les opportunités politiques dans lesquelles elles s'inscrivent. Cette structure est en particulier définie par l'existence d'éventuelles arènes transnationales pertinentes pour la concurrence politique et par les agencements séquentiels de ces collaborations, dont chaque nouvelle vague restreint l'éventail des combinaisons.

V. Les politiques du néo-régionalisme

Le dernier point à considérer ici est celui de la portée des observations recueillies et présentées dans les textes qui suivent. Quelle est l'influence politique globale de ces mobilisations régionales ? Affectent-elles en profondeur la réalité du pouvoir régional, ou se contentent-elles à grand renfort de publicité d'en construire une image au goût du jour, c'est-à-dire internationale ?

La première question est celle de la pertinence des régions dans la définition des processus politiques contemporains. Après tout, l'influence des régions est manifestement limitée par rapport à celle des gouvernements nationaux, des grandes entreprises ou des partis politiques. Sous cet angle, la multiplication des bureaux représentant les collectivités territoriales à Bruxelles, la création du Comité des régions ou les mobilisations inter-régionales décrites dans les pages suivantes peuvent apparaître comme de simples opérations de communication politique.

Il est clair en effet que cet activisme régional ne marginalise en rien le pouvoir des parlements ou des administrations centrales. Comme on l'a déjà suggéré plus haut, c'est un processus de superposition plutôt que de substitution des réseaux de politiques publiques et des canaux de médiation qui est à l'œuvre. Il reste que le type d'interaction politique ainsi inauguré est inédit. D'abord parce qu'il définit un espace relationnel dont le périmètre transnational est nouveau, et ensuite parce qu'il emprunte des modalités relativement innovantes, à la fois dans les tentatives de mobilisation d'agents privés, dans la sélection relativement libre de partenaires institutionnels et dans les modes d'expression des intérêts. Le terme de *lobbying* couramment utilisé pour caractériser l'activité des collectivités territoriales à Bruxelles suggère ainsi que l'influence se négocie sur un mode marchand, par l'intervention de médiateurs professionnels. On surestime souvent la capacité d'accès à la décision fournie par ces représentations territoriales, dont la fonction est plutôt de recueillir en temps utile les informations pertinentes pour exprimer des positions par des voies plus officielles et plus effectives[20]. Si la réalité des comportements est plus tempérée que ne l'évoque l'image américanisée du *lobbying*, la banalisation de son usage, jusque dans le vocabulaire des élus, montre bien que les représentations et les pratiques de l'action publique s'expriment ici dans un registre qui n'est plus celui de l'administration bureaucratique ou de la concurrence politique régulée dans l'espace national, et qui transforme par conséquent profondément la réalité de l'Etat weberien.

On pourrait aussi relativiser cette constatation en suggérant qu'elle est relativement générale, et que les régions ne font que suivre un processus plus global. Mais il n'en est rien. Les régions paraissent au contraire relativement avancées sur un front qu'elles conquièrent de haute lutte par des mobilisations particulièrement actives. Elles provoquent la transnationalisation autant qu'elles ne la subissent. On peut mentionner par exemple l'importance de l'activité de l'Assemblée des régions d'Europe au cours de la phase préparatoire à l'établissement de l'Union européenne pour l'élaboration de certaines dispositions du traité de Maastricht. Celles-ci concernent en particulier l'affirmation du principe de subsidiarité, l'ouverture du Conseil des ministres aux représentants régionaux dans certaines conditions, et la création du Comité des régions et des autorités locales[21]. Le Comité des régions a par la suite émis des avis, par exemple pour soutenir le Livre blanc pour la croissance, la compétitivité et l'emploi élaboré par la Commission à la fin du mandat de J. Delors, appuyant ses propositions de grands travaux d'infrastructures. Plus récemment, l'ARE a formulé de nouvelles

---

20. On omet ainsi souvent de mentionner que nombre des collectivités territoriales présentes à Bruxelles sont des Etats américains soucieux de voir l'administration fédérale défendre au mieux leurs intérêts dans les accords organisant le commerce mondial, et venant donc à «la source» exprimer leur point de vue et anticiper les règlementations européennes. Les autorités locales ou régionales des Etats-membres ne font pas autre chose.

21. Certaines propositions de l'ARE comme la possibilité pour les régions et pour le Comité des régions de saisir la Cour européenne de justice pour faire respecter leurs prérogatives n'ont cependant pas été retenues par le traité. De même, l'association des autorités locales au sein du Comité des régions a été interprétée comme une dilution du pouvoir de représentation de ces dernières (Hbrek et Weyand, 1994, Weyand, 1996).

positions relatives à la Conférence intergouvernementale de 1996 sur la réforme des institutions européennes[22].

Ces indications suffisent à établir que par l'action collective, les régions participent aux débats publics et contribuent à façonner les institutions européennes. Elles ont imposé une reconnaissance des dimensions territoriales des enjeux politiques qui n'était pas acquise au départ et qui, si elle demeure consultative, est aujourd'hui significative dans le processus politique européen. L'aspect symbolique ou protocolaire de ces mobilisations, loin d'en minorer les implications, semble au contraire témoigner du travail social et de l'apprentissage collectif par lequel se constituent de nouvelles formes d'interaction politique et les représentations qui leurs sont associées.

Enfin, il est nécessaire d'envisager comment ces tendances d'évolution affectent le pouvoir régional. Il s'agit au vu des éléments rassemblés d'une mutation plus significative qu'une simple adaptation, et qui nous conduit à qualifier le phénomène considéré de néo-régionalisme. Le tableau suivant permet de schématiser les principales formes de régionalisme et d'en caractériser la variante la plus contemporaine.

	Principe de légitimité	*Modalités d'action*	*Appartenances et identifications*
Régionalisme constitutionnel	Intégration nationale	Dualisme législatif-Fédéralisme	Nationales et régionales complémentaires
Régionalisme politique	Identité culturelle	Revendications partisanes autonomistes ou séparatistes	Régionales prépondérantes
Régionalisme fonctionnel	Efficience de l'action publique	Politiques publiques intergouverne-mentales	Nationales prépondérantes
Néo-régionalisme	Internationalisation économique	Réseaux d'action collective privé/public et transnationaux.	Régionales, nationales et transnationales emboîtées.

Le néo-régionalisme se distingue en premier lieu par un principe de légitimité fondé sur l'internationalisation économique,

---

22. Celles-ci revendiquent notamment une définition plus explicite du principe de subsidiarité, l'extension des domaines impliquant obligatoirement la consultation du Comité des régions, le droit de saisine de la CJCE et l'inclusion d'une mention relative à la coopération inter-régionale dans le traité.

qui vient ici se conjuguer aux justifications plus classiques du régionalisme, que celui-ci apparaisse nécessaire à l'intégration nationale (dans le cas du fédéralisme), à l'existence d'une identité culturelle (régionalisme politique) ou à l'efficience de l'action publique (régionalisme fonctionnel). Ses modalités d'action se déplacent également du terrain législatif (fédéralisme) ou partisan (régionalisme politique) vers le registre des politiques publiques, plus proche en cela du régionalisme fonctionnel. Mais les relations intergouvernementales qui caractérisaient encore celui-ci ont cédé la place à des réseaux d'action collective, associant des acteurs privés et des autorités publiques de statuts différents dans des coopérations se jouant des frontières. On enregistre ainsi une expansion et une diversification croissante des réseaux transnationaux qui correspondent à la thèse de la globalisation[23].

C'est précisément cette expansion et cette articulation des réseaux qui tend à retourner comme un gant le régionalisme sur lui-même, en inversant son rapport au monde de la fermeture à l'ouverture. Les formes d'identification sont ici plus cumulatives qu'exclusives, et les identités régionales, nationales et transnationales tendent à s'emboîter. Il est vrai que les sentiments sont probablement plus diffus et socialement plus sélectifs dans le cas du néorégionalisme, et que l'identification passe du registre de l'appartenance à celui de l'affiliation. Ici comme ailleurs, l'identité se construit et se sélectionne autant qu'elle ne s'hérite. Mais la conjonction des réseaux régionaux internes et externes est un phénomène nouveau sous la forme décrite. Cette articulation semble d'autant plus opérante que les mobilisations intra-régionales sont effectives, et paraît conforter à son tour les dynamiques identitaires locales. On peut ainsi parler dans le cas de l'Emilie-Romagne d'une projection vers l'extérieur des réseaux régionaux par la coopération. Mais à l'inverse, le cas du Royaume-Uni montre comment l'action collective des autorités territoriales au niveau européen peut susciter et soutenir en retour une mobilisation régionale, en dépit de l'absence d'institutions correspondantes, et nourrir ainsi une dynamique politique locale et nationale. De même, la coopération inter-régionale entre les îles de la Méditerranée occidentale, se saisissant du contexte européen, en particulier relatif à la Conférence euro-méditerranéenne de Barcelone en 1995, représente une tentative d'ouverture de régionalismes relativement traditionnels et, pour la Corse, de dépassement de la crise intérieure. La Suisse voit également son fédéralisme renouvelé de manière paradoxale mais significative par le développement de la coopération trans-frontalière consécutif à son renoncement à l'adhésion à l'Union (cf. *infra*). C'est

---

23. Strange cité par Cerny, 1995, p. 620.

bien en profondeur que le régionalisme se révèle renouvelé quand on le saisit sous l'angle des coopérations transnationales.

En Europe, il est manifeste que l'issue de la Conférence intergouvernementale de 1996 et les modalités du passage à la monnaie unique affecteront sensiblement l'action collective régionale. Mais l'interdépendance établie entre les processus internes et externes de régionalisation, entre la région des internationalistes et celle des observateurs des politiques territoriales, est fermement établie. Elle rend plus que jamais nécessaires les observations et les raisonnements conduits à un niveau «méso-politique», intermédiaire entre les formes plus classiques, macro ou microsociologiques. C'est dans cette perspective qu'on peut comprendre comment le gouvernement change d'échelle et par quels processus se forment ses configurations pertinentes. Reprenant la célèbre formule d'E. Gellner à propos du nationalisme, on voudrait suggérer une perspective dans laquelle «c'est le régionalisme qui fait les régions», et non l'inverse. Les contributions rassemblées ici vont en ce sens, en espérant éclairer les réalités empiriques de la globalisation.

Bibliographie

ASSEMBLÉE DES RÉGIONS D'EUROPE (ARE), *Les régions frontalières et l'intégration européenne. Livre blanc,* Saragosse, 1992.

BACH D., LERESCHE J.-P., «Frontières et espaces transfrontaliers», *Revue Internationale de Politique Comparée*, vol. 2, 3, décembre 1995.

BADIE B., *La fin des territoires. Essai sur le désordre international et sur l'utilité sociale du respect,* Paris, Fayard, 1995.

BAGNASCO A., TRIGILIA C., *La construction sociale du marché. Le défi de la troisième Italie*, Editions de l'ENS-Cachan, 1993 (1988 pour l'édition italienne).

BAGNASCO A., SABEL C.-F. (dir.), *PME et développement économique en Europe,* La Découverte, Paris, 1994.

BALME R., GARRAUD P., HOFFMANN-MARTINOT V., RITAINE E., *Le territoire pour politiques : variations européennes,* Paris, L'Harmattan, 1994.

BALME R., JOUVE B., «L'Europe en région : les fonds structurels et la régionalisation de l'action publique en France métropolitaine», *Politiques et Management Public,* vol. 13, 2,1, juin 1995, pp. 35-58.

BENKO G., LIPIETZ A., *Les régions qui gagnent,* Paris, Presses Universitaires de France, 1992.

BUSSY M.-E. (de), DELORME H., LA SERRE F. (de), «Approches théoriques de l'intégration européenne», *Revue Française de Science Politique,* vol. 21, 3, 1971.

CERNY P.-G., *The Changing Architecture of Politics : Structure, Agency, and the Future of the State,* Londres, Sage, 1990.

CERNY P.-G., «Globalization and the Changing Logic of Collective Action», *International Organization,* 49, 4, pp. 595-625, Automne 1995.

CLARK T. N., FERGUSON L.C., *L'argent des villes,* Paris, Economica, 1988 (1983 pour l'édition américaine, Columbia University Press).

COLEMAN W. D., JACEK H. J., *Regionalism, Business Interests and Public Policy,* Londres, Sage, 1989.

COMMISSION EUROPÉENNE, *Compétitivité et cohésion : tendances dans les régions. Cinquième rapport périodique sur la situation et l'évolution socio-économiques des régions de la Communauté,* Luxembourg, Office des publications officielles des Communautés européennes, 1994a.

COMMISSION EUROPÉENNE, *Interregional and Cross-border Cooperation in Europe,* Luxembourg, Office des publication officielles des Communautés européennes, 1994b.

CONSTANT F., «Construction communautaire, insularité et identité politique dans la Caraïbe anglophone», *Revue Française de Science Politique,* 42, 4, août 1992, pp. 618-635.

COURLET C., SOULAGE B. (éd.), *Industrie, territoires et politiques publiques,* Paris, L'Harmattan, 1994.

COVAS A., «La coopération transfrontalière entre régions sous-développées. Le cas d'Alentejo (Portugal) et d'Extramadure (Espagne)», *Pôle Sud,* 3, automne 1995, pp. 72-78.

COX R. W., *Production, Power and World Order : Social Forces in the Making of History,* New York, Columbia University Press, 1987.

DUCHACEK I., LATOUCHE D., STEVENSON G., *Perforated Sovereignties and International Relations,* New York, Greenwood, 1988.

DOUGLAS M., *How Institutions Think ?,* Syracuse, Syracuse University Press, 1986.

GELLNER E., *Nations et nationalismes,* Paris, Payot, 1989 (première édition 1983).

HAAS E., *The Uniting of Europe : Political, Social and Economic Forces 1950-1957*, Stanford, Stanford University Press, 1968 (première édition 1958).

HBREK R., WEYAND S., *Betrifft : Das Europa der Regionen*, Münich, Beck, 1994.

HOOGHE L., *Structural Policy and Convergence in the European Union*, Oxford University Press, à paraître.

JOUVE B., NÉGRIER E., «Intégration européenne et échange politique territorialisé», communication au huitième Colloque international de la revue *Politiques et Management Public*, Paris, 20-21 juin 1996, 30 p.

KEATING M., JONES B., *Regions in the European Union*, Oxford University Press, 1995.

KEATING M., LOUGHLIN J., *The Political Economy of Regionalism*, Londres, Frank Cass,, à paraître.

KEOHANE R., HOFFMANN S., «Institutionnal Change in Europe in the 1980s», *in* KEOHANE R., HOFFMANN S. (éd.), *The New European Community. Decisionmaking and Institutionnal Change*, Oxford, Westview Press, 1991.

LE GALÈS P., LEQUESNE C., *Les régions en Europe*, Paris, La Découverte, à paraître.

LOWI T., «American Business, Public Policy, Case Studies, and Political Theory», *World Politics,* 16, pp. 677-715, juillet 1964.

NDIAYE P., «L'ouverture des régions sur le monde. Dix années de politique "internationale" du Conseil régional de Languedoc-Roussillon», *Sciences de la Société,* 34, février 1995.

NEVEN D., GOUYETTE C., «Regional Convergence in the European Community», *Journal of Common Market Studies,* vol. 33, 1, pp. 47-65, mars 1995.

NORTH D.C., *Institutions, Institutional Change and Economic Performance*, Cambridge University Press, 1990.

PALARD J., *L'Europe des frontières. La coopération transfrontalière entre régions d'Espagne et de France*, PUF, collection du GRAL, à paraître.

PARLEMENT EUROPÉEN, Direction de la recherche, *Organizations representing Regional and Local Authorities at the European Level*, Strasbourg, 1994.

PERULLI P., «Stato, regioni, economie di rete», *Stato e mercato,* 44, août 1995, 15 p.

PETERSON P. E., *City Limits*, Chicago, The University of Chicago Press, 1981.

PETIT D., «Mutations en Saxe : dynamisme d'une Eurorégion en recherche d'intégration», *Sciences de la Société*, 34, février 1995.

PUTNAM R., avec LEONARDI R., NANETTI R., *Making Democracy Work. Civic Tradition in Modern Italy*, Princeton M.I., Princeton University Press, 1993.

RHODES M., *The Regions and The New Europe*, Manchester, Manchester University Press, 1993.

RODWIN L., SAZANAMI H. (éd.), *Industrial Change and Economic Transformation. The Experience of Western Europe*, London, Harper Collins Academic, 1991.

SCIENCES DE LA SOCIÉTÉ, *Territoires frontaliers : discontinuité et cohésion*, Toulouse, février 1996.

SHARPE L.J. (éd.), *The Rise of Meso Government in Europe*, Londres, Sage, 1993.

SMITH A., *L'Europe au miroir du local*, Paris, L'Harmattan, 1996.

STRANGE S., *States and Markets : An Introduction to International Political Economy*, London and New York, Pinter and Basil Blackwell, 1988.

STUBBS R., UNDERHILL G.R.D., *Political Economy and the Changing Global Order*, Londres, Macmillan, 1994.

TANNAM E., «EU Regional Policy and the Irish/Northern Irish Cross-Border Administrative Relationship», *Regional and Federal Studies*, vol. 5, 1, printemps 1995, pp. 67-93.

TRIGILIA C., «The Paradox of The Region : Economic Regulation and The Representation of Interests», *Economy and Society*, vol. 20, 3, août 1991, pp. 306-327.

WEYAND S., «Inter-Regional Assocations and the European Integration Process», à paraître in *Regional and Federal Studies*, 1996, 16 p.

WILLIAMSON O. E., *Markets and Hierarchies*, New York, The Free Press, 1975.

WOLTERS M., «Euregios along the German Border», *in* U. BULLMANN (éd.), *Die Politik der dritten Ebene : Die Regionen im Europa der Union*, Baden-Baden, Nomos, 1994.

WRIGHT V, «Reshaping the State : The Implications for Public Administration». *West European Politics* ,1994.

La coopération inter-régionale atlantique et la genèse de l'espace public européen

par *Richard Balme, Sylvain Brouard et François Burbaud*

Le développement de la coopération décentralisée, et plus particulièrement de la coopération inter-régionale, est sans doute l'un des enjeux les plus forts de l'«Europe des régions». L'instauration de relations directes entre collectivités territoriales, transcendant les contiguïtés géographiques et les frontières nationales, et relativement autonomes par rapport aux administrations centrales, contribue manifestement à une redéfinition des pouvoirs régionaux dans le contexte européen. Les dispositions du Traité de Maastricht instituant le Comité des régions, officialisant une consultation des institutions locales et régionales, ou les propos d'Edouard Balladur, lors de sa visite en Alsace au début 1994, posant le principe d'une orientation de préférence nationale dans la coopération entre régions, attestent d'une tendance importante affectant le territoire de l'Union européenne. Les gouvernements locaux et régionaux s'engagent dans des formes d'action collective organisées, conjointement coopératives et concurrentielles, suscitées par les implications politiques ou économiques de l'intégration, et éventuellement porteuses d'ajustements ou de transformations des relations intergouvernementales. Ce chapitre envisage les modalités de la coopération inter-régionale et ses effets induits dans le cas des régions de la façade atlantique[1]. On tente d'en faire apparaître les dimensions de

---

1. L'enquête empirique sur laquelle repose la recherche présentée ici a été conduite sous forme approfondie sur le site de la région Aquitaine. Elle a été étendue à la région Poitou-Charentes et, dans une moindre mesure, aux Pays-de-Loire et à la Bretagne, pour explorer la fiabilité des hypothèses et recueillir le point de vue des acteurs les plus impliqués dans la coopération atlantique. Elle a également comporté un ver-

portée plus générale pour la compréhension de l'«espace public» européen, c'est-à-dire des configurations relationnelles et des représentations collectives associées aux actions publiques impliquant une dimension communautaire.

La coopération inter-régionale atlantique s'inscrit dans un contexte géographique, plus exactement dans une économie européenne dont la territorialité induit une géopolitique régionale. Les expertises et les travaux universitaires ont aujourd'hui imposé l'image d'un territoire européen polarisé autour de sa mégalopole et dont le centre de gravité se déplacerait vers l'arc méditerranéen, le «nord des Sud», puis vraisemblablement vers l'est avec la fin de la guerre froide et l'unification allemande. Une telle perspective est naturellement préoccupante pour les régions les plus occidentales de l'Europe, notamment pour les régions de l'Ouest français. A des difficultés structurelles — difficile reconversion d'une économie maritime, enclavement relatif, déclin démographique, mutations du secteur primaire, fragilité industrielle — s'ajoute aujourd'hui un mouvement centrifuge qui accentue leur caractère périphérique (Beauchard, 1993). Leur position occidentale les désavantage en effet pour bénéficier des flux libérés par la création du Marché unique et accéder à la croissance qui en est escomptée.

Alertés de cette situation, les décideurs locaux sont aussi invités à la réflexion par l'évolution des politiques régionales de l'Union européenne et la concentration de leurs objectifs, ou par la reformulation des politiques nationales d'aménagement du territoire. Les élus des régions, quelle que soit la nature de leur mandat, ont donc été conduits à rechercher de nouvelles voies pour promouvoir leur territoire et assurer la défense des intérêts les plus cruciaux pour l'économie locale. Ils ont probablement été aussi aiguillonnés par d'autres expériences, notamment celle des «quatre moteurs» associant Rhône-Alpes, la Catalogne, la Lombardie et le Bade-Wurtemberg[2]. Ces stratégies de mobilisation s'expriment donc notamment par la création d'organisations inter-régionales, dont l'Arc atlantique instauré en 1990 à l'initiative d'Olivier Guichard. Emanation de la Conférence des régions périphériques maritimes, l'Arc regroupe l'ensemble des régions littorales de l'Andalousie au Pays de Galles. D'autres organisations ont depuis vu le jour. Leur principe repose sur une base territoriale plus restreinte (la Conférence des régions du Sud-Europe atlantique), ou sur d'autres critères plus spécifiques, que ceux-ci soient d'ordre institutionnel (le

---

sant comparatif au Pays basque espagnol, ainsi qu'une observation réalisée à Bruxelles pour estimer l'impact du phénomène sur la politique régionale communautaire. Les résultats complets en sont présentés dans R. Balme, S. Brouard, F. Burbaud (1995).
2. Voir l'article de P. Kukawka.

réseau des villes de l'Ouest par exemple) ou sectoriel (tel le réseau Compostela en matière de sylviculture).

Cette évolution participe indubitablement d'une recomposition d'une partie du territoire européen. Elle adresse à la sociologie politique une double question : Quels sont les déterminants et les implications politiques du développement généralisé de la coopération inter-régionale ? Comment cette tendance se décline-t-elle dans un contexte de marginalisation, autrement dit constitue-t-elle une réponse institutionnelle susceptible d'infléchir ou d'inverser une évolution économique structurante ?

Le développement de la coopération inter-régionale peut suggérer deux interprétations alternatives. Selon le scénario le plus achevé, on assisterait à une invention du territoire dans le cadre européen, impliquant de nouvelles structures organisationnelles, de nouvelles coalitions et de nouvelles formes dans la mobilisation des intérêts locaux, invention favorisée par des caractéristiques socio-économiques, voire culturelles, communes. On pourrait alors parler d'un processus d'intégration territoriale reposant sur une mobilisation ascendante, en quelque sorte «par le bas», dont il faudrait préciser les modalités, les déterminants et les implications. Selon un scénario cette fois plus réservé, et probablement plus réaliste, la coopération inter-régionale atlantique peut se révéler plus velléitaire et apparaître davantage comme une politique de communication que porteuse de réalisations concrètes. Elle serait alors une stratégie de présentation de soi dans la constitution d'un *lobby* régional européen destiné à capter les soutiens de la politique régionale communautaire et des politiques nationales d'aménagement. On assisterait alors à une intégration territoriale «par le haut», des entreprises politiques cherchant à susciter une mobilisation descendante motivée par l'inscription dans les réseaux des politiques communautaires.

Ces deux scénarios représentent des types idéaux, des polarités analytiques probablement mêlées dans la réalité selon des combinaisons qu'on espère spécifier ici. L'aspect symbolique de la deuxième interprétation, loin d'être second, est du premier intérêt pour le politiste : il permet de faire apparaître les interactions qui génèrent le territoire comme une représentation, comme un construit culturel progressivement élaboré par des séries de tâtonnements et de ruptures, d'agréments et de désaccords (Bourdieu, 1980). On est ainsi amené à explorer le travail symbolique auquel donne lieu la construction communautaire au niveau territorial, autrement dit à analyser l'invention du territoire européen dans sa dimension cognitive.

Afin de caractériser les comportements de coopération institutionnelle sur la façade atlantique, nous envisageons dans un premier temps le degré d'homogénéité de l'espace considéré. Nous soulignons que les solidarités qui émergent sont moins la réaction à des contraintes économiques communes au littoral et héritées du passé, que l'anticipation de processus politiques dont la possibilité est introduite par l'intégration européenne. Il s'agit donc d'une construction d'opportunités politiques, d'une action sur le contexte institutionnel destinée à transformer l'état et les principes de la répartition des ressources entre les acteurs régionaux. On analyse ensuite les différentes modalités de l'accès aux politiques européennes et la formalisation du métier politique européen réalisée à cet égard par la coopération inter-régionale. L'étude des réseaux établis par ces coopérations, c'est-à-dire des relations sociales et des interactions fondées sur une interdépendance de ressources[3], fait ensuite apparaître la plasticité des configurations considérées et la sélectivité de leur pertinence. Enfin, la dynamique des structures de coopération indique que malgré un déplacement probable de leurs objectifs, elles révèlent de nouvelles modalités de l'action publique induites de la construction communautaire et appelées à perdurer au-delà de problématiques plus conjoncturelles.

I. Le matériau composite de l'économie atlantique

La question du degré d'homogénéité de la façade atlantique est essentielle pour saisir les formes de solidarité qui se développent dans le contexte européen. Reprenant les catégories classiques de la sociologie, s'agit-il de relations d'identité et de similarité ou de rapports de complémentarité, en termes weberiens d'une forme de communalisation ou de sociation ? L'intégration européenne génère-t-elle des espaces à la pertinence nouvelle se substituant aux découpages obsolètes des Etats-nations, ou donne-t-elle plus modestement une dimension supplémentaire à l'action publique, la coopération inter-régionale se superposant pragmatiquement aux réseaux existants ?

1 - Quels fondements pour une improbable unité ?

S'il existe une «communauté atlantique», elle n'est certainement pas fondée sur le statut institutionnel des régions concernées, largement diversifié entre l'Ecosse et le Portugal en passant par la France et l'Espagne, cette dernière présentant d'ailleurs des écarts sensibles d'une région à l'autre. En termes culturels, en dépit

---

3. On utilise ici le terme de réseau selon l'acception retenue dans l'analyse des politiques publiques. Cf. J. Richardson, A.G. Jordan (1979) et R.A.W. Rhodes, D. Marsh (1992).

d'éléments comme la présence de la mer ou la culture celte, parfois mais pas toujours communs, les divergences priment sur les convergences. Il est manifeste que les nations sont toujours de puissants facteurs d'intégration et que, par exemple, les différences entre le Pays de Galles et la Galice sont plus importantes que celles séparant cette dernière et n'importe quelle autre région espagnole. De façon générale, les écarts culturels *inter*-nationaux excèdent les différenciations régionales *intra*-nationales[4].

A l'heure de l'intégration européenne, l'élément qui dessine un destin commun à ces régions semble d'ordre économique. La façade atlantique, s'étendant sur une distance de 2 500 km entre Cap Wrath (Ecosse) et Cap Saint-Vincent (Algarve), se définit par rapport à ce qui constitue son unité apparente, à savoir la présence de l'océan. Cette position occidentale induit une histoire économique particulière pour le littoral marqué par les activités maritimes et leurs problèmes de reconversion, et pour les régions côtières plus largement définies, marginalisées par le déplacement vers l'est du centre de gravité de l'économie européenne. L'ensemble des régions considérées se reconnaît ou se projette dans des scénarios similaires, conjugués dans des versions plus ou moins dramatiques.

Pourtant, ces éléments ne doivent pas occulter l'importance des contrastes caractérisant la zone. L'examen détaillé du contexte économique dégage la pluralité des situations sur la façade. Au-delà d'une position périphérique relativement commune[5], les différentes régions atlantiques sont soumises à des conjonctures variables ; elles n'ont ni les mêmes points forts, ni les mêmes faiblesses ; elles ne sont que marginalement reliées entre elles et paraissent peu solidaires les unes vis-à-vis des autres.

Dans un premier temps, il convient de souligner la diversité des évolutions récentes. Ainsi, des régions telles que le South-West en Angleterre, le Pays de Galles et le nord de la dorsale portugaise ont fait preuve, au cours de la décennie 1980, d'un dynamisme certain et connaissent, par conséquent, une croissance peu commune en Europe au cours de la même période. L'emploi a, par exemple,

---

4. Dans l'espace géographique considéré, la seule région pour laquelle cet argument paraît discutable est bien sûr le Pays basque. Il faut noter que la partie française du Pays basque est loin d'un statut institutionnel équivalent à celui de la Communauté autonome espagnole, puisqu'il n'existe dans le dispositif territorial français ni département ni *a fortiori* région basque. La coopération inter-régionale s'opère donc entre le Gouvernement basque de l'*Euskadi* et l'Aquitaine, même si de nombreux projets transfrontaliers ont une dimension basque affirmée. Cette articulation problématique entre la question culturelle, voire nationale, et la coopération transfrontalière reste très spécifiquement basque, et n'est en aucun cas généralisable à la façade atlantique.
5. En termes strictement géophysiques, la marginalité de l'Irlande par exemple est difficilement comparable à celle des régions françaises.

augmenté de 11 % entre 1987 et 1991 dans le South-West qui profite, comme le Pays de Galles, du dynamisme de la métropole londonienne. De la même façon, le nord de la dorsale portugaise autour de Porto se caractérise par un taux de chômage inférieur à 4 %.

A l'inverse des régions comme l'Alentejo, l'Andalousie, l'Euskadi, les Asturies, les Pays-de-Loire, le Poitou-Charentes ou un pays comme l'Irlande connaissent une forte dégradation de leur situation économique. L'emploi total de la République d'Irlande a régressé de 2 % au cours de la décennie 1980, et son taux de chômage s'élève en 1990 à 16,9 %. Le recul de l'emploi industriel en Poitou-Charentes a atteint, entre 1980 et 1987, 4 % par an. La région Pays-de-Loire connaît une croissance continue de son taux de chômage qui atteint 15 % au début des années 1990. Les évolutions récentes se caractérisent donc par une certaine diversité, même si on peut parler majoritairement de régions affaiblies en voie de marginalisation.

2 - *Des structures économiques contrastées*

Ces évolutions contrastées répondent à des causes multiples et, au-delà, elles sont issues de types d'organisation économique différenciés. Toutes les combinaisons des secteurs et de leurs évolutions semblent coexister sur la façade atlantique (Charrie, Laborde, 1993, CEDRE, 1992).

Certaines régions comme la dorsale portugaise, l'Ecosse, l'Euskadi, les Asturies s'appuient sur des potentiels industriels importants dont les caractéristiques et les formes de mutations sont différentes. Le secteur secondaire emploie 650 000 personnes en Ecosse et se caractérise par une reconversion difficile de l'industrie de masse (chantiers navals, confection, sidérurgie) ainsi que par l'émergence, insuffisante en termes d'emploi, d'une industrie de haute technologie portée par l'investissement de firmes étrangères, particulièrement japonaises et américaines. La dorsale portugaise concentre l'essentiel des ressources économiques portugaises et s'appuie sur une structure industrielle différenciée. Au nord coexistent quelques grandes unités industrielles (chimie, pâte à papier, matériel de transport) et des entreprises compétitives et extrêmement flexibles s'appuyant sur une main-d'œuvre partageant son temps entre l'industrie et l'agriculture. Au sud, l'industrie lourde domine avec les chantiers navals, la chimie, la sidérurgie, les cimenteries et raffineries, mais se trouve aujourd'hui engagée dans un difficile processus d'adaptation. Il convient toutefois de ne pas négliger dans ces régions l'importance du secteur primaire et son corollaire, la faiblesse du secteur tertiaire. La corniche Cantabrique, qui constituait autrefois le plus puissant pôle industriel espagnol,

traverse depuis quinze ans un processus rapide de déclin et de reconversion des activités industrielles traditionnelles, qui se manifeste par des pertes d'emplois (disparition de 35 % des emplois industriels en Euskadi entre 1975 et 1986, et perte de 30 000 emplois
industriels durant la même période dans les Asturies). Ajoutons que
ces zones industrielles sont étroitement dépendantes de l'Etat du
fait de l'importance des entreprises publiques[6] et soumises aux règlements et fonds d'intervention communautaires depuis 1986. Ces
régions s'orientent vers le tertiaire, et notamment vers le tourisme
pour tenter de compenser ce déclin industriel qui affecte aussi la
pêche.

La façade atlantique compte aussi en son sein des régions
caractérisées de manière prédominante par l'importance du secteur
primaire. Globalement il s'agit d'une zone plus agricole que la
moyenne européenne : 15 % de la population européenne y réside,
mais 24 % des actifs agricoles y travaillent ; elle rassemble 23 % du
territoire communautaire mais 28 % de la surface agricole utile. Les
trois régions les plus au sud de la façade, l'Alentejo, l'Algarve et
l'Andalousie occidentale, sont par excellence des régions l'agricoles.
L'Andalousie par exemple compte 19,1 % de ses actifs dans le secteur agricole ; et l'industrie agro-alimentaire représente 27,6 % de
la valeur ajoutée brute industrielle (CEDRE, 1992). L'Irlande se
présente aussi comme une économie où les activités agricoles et
dérivées constituent une donnée essentielle, avec en 1990 un taux
d'actifs agricoles de 17 %. Les régions françaises doivent également
être évoquées car elles s'appuient de manière accentuée, par rapport à la moyenne nationale, sur les activités agricoles et leurs déri-
vés. Les taux d'actifs agricoles se situent en effet autour de 12 % et
l'industrie agro-alimentaire est un pilier de l'industrie régionale.
Les ressources sylvicoles, importantes dans le Sud-Ouest français,
ne sont que peu répandues sur l'ensemble de l'espace atlantique,
aussi bien français qu'européen. Seules les Landes, le centre-sud du
Portugal et l'Andalousie occidentale sont concernés. Dans la même
perspective, si les ports atlantiques sont prépondérants au sein de la
pêche européenne (avec 36,3 % du total des tonnages), l'activité
suscitée par cette industrie demeure concentrée dans trois zones —
Noroeste espagnol, Ecosse et Bretagne — qui représentent à elles
seules 60 % des tonnages atlantiques, et reste assez marginale en
termes d'emploi. Au total, la conjoncture engendrée par la nouvelle
politique agricole commune et les accords internationaux du GATT
semble impliquer un affaiblissement de ce secteur en termes d'emploi, d'innovation et d'effets induits.

---

6. Telles qu'ENSIDEA ou HUNOSA.

A ces deux types de «bases» économiques s'ajoutent des régions s'appuyant plus particulièrement sur le secteur tertiaire. La région Aquitaine[7] illustre bien ce type d'économie, avec un secteur tertiaire qui emploie un peu plus de 60 % des actifs. Ce sont les activités de négoce (principalement des vins), le tourisme (hôtellerie, restauration, animations et commerces estivaux) et les services aux entreprises qui représentent l'essentiel de ces emplois. Les régions du South-West et du Pays de Galles sont également des pôles touristiques fréquentés, avec l'ensemble des services associés, mais elles sont aussi très présentes dans les secteurs des services aux entreprises et dans les professions tertiaires à haute qualification.

Ainsi les régions de la façade atlantique ne constituent pas un ensemble homogène. Elles sont au contraire caractérisées par une diversité de situations, de problèmes et d'opportunités économiques, et finalement par un avenir qui s'annonce différencié. Cette image fragmentée de la façade est confirmée par l'examen des relations d'échange en son sein. L'océan Atlantique fut avec l'essor de l'Europe une zone d'échange intense, ce qui permit au littoral de tenir le rôle de porte du continent. La façade est aujourd'hui marginale dans ce rôle d'interface par rapport à la concentration du trafic en mer du Nord. Ayant perdu ce rôle vis-à-vis de l'ensemble du continent, il semble aussi que la façade atlantique n'ait pas réussi à entretenir entre ses différentes composantes des liens étroits et réguliers. On peut parler de «solidarités économiques limitées»[8]. A titre d'exemple, 45 % des exportations des trois régions françaises de l'Ouest sont destinées à l'Allemagne, à l'Italie et au Benelux. Ce qui signifie, en creux, des exportations relativement faibles vers les régions atlantiques. A cette faiblesse des échanges atlantiques s'ajoute un isolement, qui s'exprime par la comparaison entre la contribution aux exportations nationales et la contribution à la richesse nationale. Globalement, les régions atlantiques apportent une contribution deux fois supérieure, en proportion, à la richesse nationale par rapport à leur contribution aux exportations. En somme, les régions atlantiques, malgré la perpétuation de certains liens historiques (entre le Royaume-Uni et le Portugal par exemple) sont des régions qui échangent comparativement peu, et encore moins entre elles.

Les développements qui précèdent sont partiellement en contradiction avec un certain nombre d'expertises portées sur la façade. Alors que nous mettons en évidence la divergence des situa-

---

7. Pour une synthèse de la situation économique et sociale de l'ensemble des régions françaises de la façade, cf. C. Lacour, J. Le Monnier (1992), notamment p. 77 sq.
8. CEDRE, 1992.

tions régionales et de leurs évolutions, des analyses comme celles produites par les «Conseils économiques et sociaux des régions françaises de l'Arc atlantique» insistent en revanche sur la convergence des économies régionales, en soulignant les faiblesses, les tendances à la marginalisation et les potentiels communs des régions considérées. Sans polémique, notre propos ne peut que noter la faculté de ces analyses à intérioriser l'homogénéité de ces régions comme allant de soi, et leur contribution objective à la construction sociale de la cohérence atlantique, c'est-à-dire à son inscription dans l'ordre des représentations collectives.

La situation économique de la façade atlantique est donc caractérisée, en dépit de certains traits communs, par la diversité des types d'économie régionale, de leurs atouts et de leurs faiblesses, et de leurs évolutions. Dans ces circonstances, comment une action commune peut-elle se développer sur des bases objectives aussi dissemblables ? Quel peut être «l'intérêt atlantique» que la coopération inter-régionale semble chercher à promouvoir, c'est-à-dire quelles en sont les composantes et comment sont-elles agrégées ? Comment la sélection et la cohésion des éventuelles revendications sectorielles ou institutionnelles sont-elles assurées ? Quelles logiques d'action concurrentes ou complémentaires guident l'émergence de ces initiatives ? C'est dans la genèse des actions de coopération qu'il convient de chercher les réponses à ces questions. Comme nous l'avons évoqué ci-dessus, la promotion de la façade atlantique s'exerce dans un cadre de référence européen dont elle contribue à dessiner les contours. Sa figure de proue, l'Arc atlantique, se définit par opposition à l'axe industrialisé qui va de Londres à Milan, en réaction à la «banane bleue», ou plus précisément en anticipant les effets pratiques générés par l'image du territoire qui s'impose aujourd'hui. C'est la recherche de financements européens qui cristallise les intérêts des régions qui le composent. L'analyse des opérations de promotion de la façade atlantique exige dans un premier temps de restituer leur mise sur agenda au niveau des institutions ou des organisations régionales européennes. Dans un second temps, cet inventaire doit dégager et spécifier la nature réticulaire des actions de coopération considérées.

II. L'«atlantique» ou l'invention des chemins de l'Europe

L'objectivation de la notion atlantique au niveau européen s'explique par la conjugaison de plusieurs facteurs. Parmi ceux-ci, il convient de relever l'effet d'appel produit par la mise en œuvre de la politique régionale européenne, l'action collective des régions avec la création d'organisations spécifiques, l'affirmation de la représentation politique européenne avec la constitution d'un groupe de pression au Parlement de Strasbourg. Chacune de ces logiques d'action définit les modalités de l'*accès* aux politiques communautaires.

1 - L'effet d'appel de la politique régionale européenne

La politique régionale européenne s'est affirmée par étapes successives (Drevet, 1991 ; Balme, 1995). On peut distinguer d'abord une phase de maturation allant du Traité de Rome en 1959 au lancement du Fonds européen de développement régional en 1975 (FEDER). Durant ces années, malgré la création de la DG XVI (Direction générale de la politique régionale) au sein de la Commission, la politique régionale européenne connaît une gestation difficile. Le FEDER favorise par la suite son émancipation. Il constitue l'instrument financier de réduction des écarts entre les différentes régions annoncée comme objectif dès le Traité de Rome, et celui d'une plus grande autonomie de la Commission qui subordonne la délivrance de fonds communautaires à l'élaboration de plans de développement régionaux (PDR).

La réforme des fonds structurels de 1988 inaugure une période de relance de la politique régionale européenne. Le volume des fonds est notamment doublé pour la phase de mise en œuvre entre 1989 et 1993, et le principe de partenariat est instauré pour permettre une concertation entre la Commission, l'Etat-membre et les autorités désignées par celui-ci au niveau régional (en France, les conseils régionaux et généraux). Si cette réforme a entraîné l'octroi de 80 % des fonds structurels aux régions en retard de développement (zones d'objectif 1), elle a surtout créé deux instruments à même de soutenir les projets des régions : les programmes d'initiatives communautaires (PIC) et les projets-pilotes.

Les initiatives communautaires sont destinées à corriger les effets des autres politiques communautaires, à favoriser l'application des politiques communautaires à l'échelle régionale ou à apporter des solutions à des problèmes communs à des catégories de régions[9]. Les demandes de concours dans le cadre des PIC sont faites par l'Etat-membre mais les élus locaux ont rapidement appris à se rendre à Bruxelles pour rencontrer les agents instruisant les dossiers présentés par les administrations nationales. Le FEDER peut en outre contribuer au financement des projets-pilotes qui favorisent l'échange d'expériences et la coopération en matière de développement entre régions de la Communauté[10].

Formellement exclues du processus d'élaboration des cadres communautaires d'appui, les régions ont trouvé avec les instru-

9. Cf. article 3, paragraphe 2, du règlement FEDER 4254/88.
10. Cf. article 10, paragraphe 1, du règlement FEDER 4254/88.

ments de cette politique régionale une convergence d'intérêt avec la Commission pour développer leurs prérogatives face aux administrations nationales. Cependant, les études empiriques soulignent aussi que les administrations d'Etat confortent leur influence territoriale par la mise en œuvre des programmes communautaires, par exemple en France au niveau des services des préfectures de région, mais également en Grande-Bretagne ou au Portugal pour ce qui concerne la partie occidentale de l'Union européenne. Cette tendance au «retour» de l'Etat, plutôt à contre-courant des textes de la réforme, semble annoncer son prolongement pour sa seconde phase de mise en œuvre entre 1994 et 1999[11].

La politique régionale communautaire est donc loin d'instaurer une «Europe des régions» où l'application du principe de subsidiarité marginaliserait les administrations nationales. Néanmoins, l'affichage de ses objectifs, la définition de ses territoires et de ses modalités d'application suscite des enjeux nouveaux, particulièrement si l'on considère que les politiques nationales de mise en valeur du territoire sont globalement en retrait. Elle introduit l'éventualité d'une transformation des positions relatives des régions par une modification dans la distribution des ressources économiques et politiques. Elle propose aussi un répertoire de mesures qu'il appartient aux élus ou bureaucrates de revendiquer conjointement ou de mobiliser concurrentiellement. Elle offre donc aux régions un ensemble d'opportunités d'action qui semblent légitimes tant du point de vue de l'action publique que de celui de la représentation politique. La coopération inter-régionale atlantique émerge ainsi dans un contexte qui est celui de la mise en œuvre de la réforme de 1988, avec la concentration de ses moyens sur les régions les plus démunies, de la négociation du Traité de Maastricht et des conditions de l'union monétaire, et de l'unification allemande. D'importantes incertitudes pèsent sur la construction européenne, mais celle-ci introduit aussi la possibilité et la nécessité pour les régions d'affirmer leur intérêt au développement des programmes communautaires.

2 - *L'action collective inter-régionale*

Comme toutes les institutions, les régions éprouvent la nécessité de s'associer pour partager leurs expériences et faire valoir le cas échéant les intérêts qui leur sont communs. Les associations sont donc nombreuses, que leur vocation soit générale[12] ou plus

---

11. Le cadre de mise en œuvre de l'initiative LEADER II décentralise par exemple en faveur de l'Etat les décisions d'aides aux projets locaux.
12. L'Assemblée des régions d'Europe, la Conférence des pouvoirs locaux et régionaux en Europe, le Conseil des communes et régions d'Europe, l'Union internationale des autorités locales.

spécialisée[13]. Leur genèse éclaire les formes actuelles de coopération, puisque la création de la Commission de l'Arc atlantique s'inscrit dans le prolongement de tels regroupements qui répondent à des motifs politiques, sectoriels et professionnels. La Conférence des régions périphériques maritimes (CRPM) est née en 1973 à Saint-Malo où le CELIB (Comité d'études et de liaison des intérêts bretons) avait invité une trentaine de régions à discuter du handicap que représentait pour elles l'éloignement des centres industriels de la CEE. Vingt-trois régions participèrent à la création de cette organisation dont, quelques mois plus tard, au moment où se négociait le lancement du FEDER, le président de la Commission des communautés européennes recevait une délégation (CRPM, 1993). La CRPM a élaboré une charte européenne du littoral qui a fait l'objet du vote d'une résolution par le Parlement européen en 1982. Cette charte vise à organiser le littoral européen pour permettre de concilier les exigences du développement et les impératifs de protection. Elle a donné lieu à deux programmes d'applications expérimentales financés par la DG XI entre 1982 et 1989. La CRPM est également réputée être à l'origine de la création de l'Assemblée des régions d'Europe (ARE) dont le but était de donner aux régions leur place dans les institutions européennes. Ses relations avec l'ARE font l'objet d'une convention tenant compte du rôle spécifique de la CRPM dans les premières années. Elle veut aussi promouvoir «l'Europe des régions» pour avoir incité à la création en 1988 du Conseil consultatif des collectivités régionales auprès de la DG XVI, et de celle du Comité des régions instauré par le Traité de Maastricht. Elle regroupe aujourd'hui cent une régions membres ou membres associés représentant quatorze pays et comprend quatre commissions : la commission des îles, la commission interméditerranéenne, la commission de la mer du Nord, la commission de l'Arc atlantique.

La création de la commission de l'Arc atlantique date d'octobre 1989. L'objectif qui préside à son lancement est de développer la façade atlantique comme facteur de rééquilibrage d'une politique d'aménagement du territoire selon un axe est-ouest. Reprenant une initiative d'Yves Morvan[14], Olivier Guichard, le président de la région Pays-de-Loire, soutenu par Yvon Bourges, le président de la région Bretagne, la porte alors sur les fonds baptismaux, légitimé *a posteriori* par deux rapports successifs du Centre européen du développement régional pour la Commission européenne et de la

---

13. L'Union des régions capitales de la Communauté européenne, la Communauté de travail des régions de tradition industrielle, l'Association des régions frontalières européennes.
14. Le président du Conseil économique et social de Bretagne.

DATAR[15] qui parviennent à des conclusions comparables à celles à l'origine de l'émergence de l'Arc atlantique. L'ancien ministre créateur de la DATAR et auteur en 1972 du fameux rapport sur l'aménagement du territoire est resté président de la commission de l'Arc atlantique jusqu'au printemps 1994. Après deux mandats successifs, il cède le 21 avril de la même année son fauteuil à Jean-Pierre Raffarin, le président de la région Poitou-Charentes. La commission de l'Arc atlantique a disposé pendant quatre ans à Nantes d'un secrétariat dont le personnel est mis à disposition par le Conseil régional des Pays de Loire. Elle s'est donné pour mission de porter les «projets des forces vives», de jouer un rôle de «catalyseur» pour faire émerger des réseaux favorisant la coopération inter-régionale, de rassembler les régions autour de projets communs et de favoriser la rencontre de tous les opérateurs du développement afin de les habituer à travailler ensemble[16]. Bien que la demande de mise en œuvre d'un programme d'initiative communautaire atlantique (PICA) soit demeurée sans succès[17], la commission de l'Arc atlantique s'est instituée en interlocuteur de la Commission européenne en obtenant le financement d'un premier ensemble de projets de coopération dans le cadre du programme RECITE et en négociant le projet-pilote ATLANTIS, sur lesquels nous reviendrons plus loin.

En dépit ou en raison de ces avancées, l'Arc a suscité de nouveaux enjeux et de nouveaux débats. L'assemblée générale d'avril 1994 a ainsi évoqué l'éventualité d'une nouvelle localisation du secrétariat et de nouvelles modalités de financement[18]. Son installation à Rennes, pour qu'il retrouve le giron de la CRPM, ou à Bruxelles pour présenter un front uni aux institutions européennes, a été envisagée. Pour autant, les régions membres ne payant pas de cotisation, le problème de son financement restait en suspens. Le secrétariat a donc été placé sous la responsabilité de son nouveau président, ce qui induit le transfert de son siège de Nantes à Poitiers et le renouvellement de son personnel. En termes de concurrence et d'autorité politique également, l'Arc devient une ressource disputée. Le président Manuel Fraga de la communauté de Galice ayant décliné l'offre d'Olivier Guichard de se porter candidat à sa succession, il est probable qu'un accord soit intervenu entre Jean-Pierre Raffarin et Manuel Fraga. Le président de Poitou-Charentes devait en effet dans le même temps abandonner la présidence du groupe Atlantique du Parlement européen à son homologue espagnol. Au-delà de l'anecdote, l'événement illustre la constitution de la coopération inter-régionale en enjeu de la compétition politique, et

---

15. CEDRE, 1992.
16. Secrétariat de la Commission Arc atlantique, 1993.
17. *Arctual*, 1993.
18. *Le Monde* du 2 mai 1994, p. 9.

en objet de transactions pour contrôler la distribution des positions et des ressources auxquelles elles donnent accès.

3 - *Le territoire et la genèse de la représentation européenne : l'atlantique au parlement de Strasbourg*

Parallèlement à son organisation *in situ*, la coopération inter-régionale donne également naissance à des relations politiques et administratives au sein des institutions existantes. En particulier, elle contribue à formaliser la représentation politique au sein du parlement européen où les questions territoriales, ne serait-ce qu'en raison de l'importance de la politique agricole et de la politique régionale communautaires, sont des enjeux structurant du débat. Le groupe atlantique semble ainsi avoir joué un rôle important dans la promotion de l'idée atlantique et dans sa diffusion au sein des institutions européennes. Le véritable acte de naissance d'un groupe de pression des régions atlantiques au sein du Parlement européen semble pouvoir remonter à une proposition formulée par Alain Lamassoure en décembre 1989. Cette initiative a entraîné le dépôt trois ans plus tard, en octobre 1992, du rapport Maher[19]. La proposition de résolution du rapport Maher demandait à la commission compétente du Parlement européen d'examiner les moyens nécessaires en vue de définir de la façon la plus appropriée une stratégie de développement pour l'axe atlantique européen. Créé dans le même mouvement en septembre 1992 à l'initiative de Jean-Pierre Raffarin, le groupe atlantique réunit les parlementaires européens des régions de la façade. La singularité de son statut mérite d'être soulignée. En effet les élus considérés ne "représentent" les régions atlantiques ni en droit puisque les mandats impératifs sont exclus, ni en fait puisque les circonscriptions où ils sont élus ne sont pas régionales. Il paraîtrait probablement incongru d'imaginer une structure comparable au sein du parlement français, alors qu'elle semble légitime et innovante dans le contexte européen, et probablement révélatrice d'un style, d'une «manière de faire» la politique spécifiquement communautaire.

Pour le président de Poitou-Charentes, cette structure a conjointement rempli une fonction de médiation entre les régions et les institutions européennes et constitué une ressource politique d'ordre symbolique. En organisant un séminaire sur l'Atlantique à La Rochelle pour ses collègues européens, Jean-Pierre Raffarin fait la preuve de sa capacité d'initiative et de mobilisation face à la pesanteur du leadership exercé par des élus comme Olivier Guichard ou Jacques Chaban-Delmas. Il sait aussi se montrer disert sur l'effi-

---

19. Du nom du rapporteur de la Commission de la politique régionale, de l'aménagement du territoire et des relations avec les pouvoirs régionaux et locaux.

cacité de son action dans le cadre du groupe atlantique. Ainsi dé-
clare-t-il avoir pu identifier les nouvelles perspectives de la politique
régionale européenne devant être mise en œuvre à partir de 1994
«après un travail sophistiqué de *lobbying*» et après avoir invité des
experts informés à s'exprimer devant la commission de politique
régionale et dans le cadre du groupe atlantique (Abélès, 1992). Le
terme de *lobbying* en vigueur dans les milieux communautaires
peut surprendre quand il est utilisé pour qualifier l'activité d'un
parlementaire, *a fortiori* par lui-même. La terminologie est ici révélatrice de la typification des rôles et de l'invention du métier politique européen, des savoir-faire et des justifications qui leur sont
associés. Derrière une référence culturelle anglo-saxonne et surtout
américaine se dévoile une réalité politique où les intérêts spécifiques, qu'ils soient sectoriels ou territoriaux, sont pleinement légitimes ; où leur définition et leur promotion se réalisent selon des
procédures et par l'intermédiaire d'agents professionnels ; et où leur
inscription dans le champ de l'action publique donne lieu à des
transactions politiques, c'est-à-dire à la formation de coalitions
transcendant les clivages idéologiques ou partisans et basées sur
des échanges de soutiens réciproques.

Il faut donc souligner que les relations entre les collectivités
territoriales et les institutions communautaires instaurées par la
représentation parlementaire relèvent d'une économie de la médiation. Les élus empruntent pour leur travail d'entrepreneur politique
aux pratiques du secteur privé, à l'expérience des grandes firmes et
des cabinets de consultant en communication (Richardson, Mazey,
1993). Bruxelles est perçue et présentée comme le lieu d'une négociation de l'aide publique, comme un marché où l'offre et la demande de politiques européennes s'ajustent mutuellement par des
jeux concurrentiels. Le parlement de Strasbourg par ses résolutions
et ses avis représente un moyen d'accès aux programmes communautaires dans leurs phases d'élaboration, alors que les pressions
développées à Bruxelles concernent davantage leur mise en œuvre,
en particulier la sélection des sites et la répartition des crédits. Telle
est tout au moins l'image dominante d'une bureaucratie communautaire influençable du fait de son éloignement du terrain, de sa péné-
tration par les intérêts particuliers et de sa soumission aux pressions politiques nationales. En réalité, l'observation empirique montre que si les écarts relatifs dans l'attribution des aides européennes
obéissent parfois à des pressions politiques flagrantes, ils sont surtout déterminés par la mobilisation des acteurs régionaux sur le
terrain et par sa convergence avec la pression exercée ou les parti-
pris de négociation adoptés par les administrations centrales. Il est
impossible de définir dans quelle mesure les interventions des élus
locaux et leurs activités de *lobbying* s'avèrent décisives. Elles res-

tent cruciales en ce qu'elles leur permettent de collecter l'information nécessaire pour suggérer des stratégies à des acteurs plus directement influents. Surtout cette «geste européenne» leur offre l'opportunité de s'inscrire dans un milieu politique élargi, où les termes des échanges sont renouvelés, et où l'action publique présente des possibilités nouvelles d'imputation. Le «voyage à Bruxelles» et son efficacité reposent sur une croyance construite et dans une certaine mesure suscitée par les élus par un travail de représentation. Le développement des carrières de Jean-Pierre Raffarin ou Alain Lamassoure depuis 1993 n'est évidemment pas étranger à leur réputation acquise au parlement de Strasbourg. C'est en cela que la coopération inter-régionale, au-delà de la défense d'intérêts territoriaux, participe de l'invention des formes nouvelles de la représentation politique dans l'espace européen.

L'analyse des modalités de l'accès aux politiques européennes soutient une interprétation de la coopération inter-régionale comme une intégration par le haut, comme un processus par lequel des acteurs politiques ou administratifs régionaux tentent de capter les aides communautaires pour susciter des mobilisations locales. L'observation des réseaux, c'est-à-dire des relations qui se tissent entre les acteurs par la coopération inter-régionale, et de leurs évolutions doit permettre, selon qu'ils sont suscités par la mise en œuvre des programmes ou qu'ils répondent à une demande préexistante, de vérifier ou d'élaborer cette hypothèse .

III. La dynamique des réseaux de coopération

Les actions de promotion de la façade atlantique peuvent se recenser et s'analyser selon trois niveaux. On peut d'abord considérer le niveau supra-régional pour estimer la modification des relations entre acteurs locaux, nationaux et communautaires. La mise en œuvre des fonds structurels implique en effet les institutions européennes, les Etats-membres et les régions (dont la forme varie d'un Etat à l'autre). Les programmes impliqués ici remplissent à cet égard la fonction de jeux articulant les stratégies de positionnement des trois acteurs. On peut ensuite retenir le niveau inter-régional pour envisager l'intégration ou au contraire la segmentation des réseaux. Il s'agit de déterminer si les actions mises en œuvre concernent l'ensemble des domaines intéressant les acteurs régionaux en tendant vers une forme d'intégration multi-fonctionnelle, ou si au contraire c'est la spécialisation qui domine, chaque secteur de la coopération opérant en relative indépendance. On peut enfin examiner le niveau infra-régional pour estimer les effets de la coopération sur la cohérence institutionnelle des territoires régionaux, et caractériser les relations entre collectivités. Conseils régionaux, conseils généraux, municipalités, chambres consulaires ou satellites de ces institutions sont ainsi susceptibles d'engager leurs propres actions de coopération inter-régionale, et il convient d'évaluer leur rapports et leur degré éventuel de hiérarchisation.

1 - L'absence de programme structurant les relations entre l'Europe et les régions atlantiques

Un premier ensemble d'actions de coopération entre les régions de la façade atlantique a été approuvé à la fin de l'année 1990 par la Commission qui l'a inclus dans le programme RECITE (réseaux européens de coopération) sous le nom de Coopération entre régions atlantiques. RECITE trouve son origine dans l'article 10 du FEDER qui prévoit de cofinancer des projets pilotes favorisant l'échange d'expériences et la coopération entre régions et villes d'Europe. Il répond à une philosophie selon laquelle chaque réseau favorise le développement économique de ses membres pour que l'ensemble du programme contribue à renforcer la cohésion économique et sociale dans la Communauté[20]. Le programme atlantique est l'un des trente-sept réseaux dont la DG XVI avait favorisé la naissance dès 1991. D'un coût d'objectif de trois millions six cent mille écus, il a bénéficié d'un concours du FEDER de deux millions d'écus pour la mise en œuvre de vingt sous-projets regroupés en quatre thèmes : le développement des liaisons maritimes interrégionales, la coopération en ingénierie financière, la formation, l'aquaculture. Les sous-projets Arcantel (mise en place d'un réseau télématique d'information entre six ports de la façade et mise au point d'une balise de positionnement des navires), Arc atlantique développement (groupement européen d'intérêt économique des sociétés de développement régional) constituaient les résultats les plus attendus ou les actions du programme dont la presse locale a le plus largement rendu compte. Seize régions étaient représentées dans ce programme porté par la commission Arc atlantique auprès de la Commission européenne.

Un second programme de promotion de la façade atlantique a été approuvé par la Commission à la fin de 1993 et porte le nom d'Atlantis. Atlantis est également un projet pilote au sens de l'article 10 du FEDER. La Commission Arc atlantique en est le promoteur. La Commission européenne lui a demandé de soumettre un programme pour un cofinancement européen de quatre millions d'écus. L'obtention de ces crédits aurait été le résultat de l'action du groupe Atlantique au sein du Parlement européen lors de la discussion du rapport de Thomas Maher[21]. Comme nous le verrons, c'est un programme d'initiative communautaire que souhaitait la com-

---

20. Commission des Communautés européennes, 1992.
21. *Arctual, op. cit.*

mission atlantique et il semble qu'elle ait mobilisé ses membres dans cette perspective à travers des réunions d'élaboration de projets. Le programme rassemble les vingt-neuf régions de l'Arc atlantique sauf le Gloucestershire, le Cheshire, le Hampshire, la Haute-Normandie et le Centre. Il comprend quatre thèmes — la modernisation du tourisme, les transferts de technologie, l'eau et l'environnement, les liaisons maritimes et aériennes — subdivisés en onze projets précis correspondant surtout à des «réalisations immatérielles» (actions de promotion, études...) comme l'induit son montant total relativement faible (huit millions d'écus).

Pour autant, l'utilisation de cet «argent de poche», selon les termes du directeur du programme, donne lieu à des interactions qui portent en germe un nouveau type d'expertise susceptible de préparer des consensus entre élus. Certains auteurs évoquent la construction d'un nouveau référentiel des politiques publiques (Muller, 1992). Le phénomène peut également s'observer au niveau inter-régional. Les administrateurs territoriaux s'y attachent à dégager la dimension communautaire qui transcende les intérêts divergents dont peuvent être porteurs leurs élus. Ils préparent leur décision d'agir ensemble. Ainsi les fonctionnaires des différentes régions semblent globalement favorables à cette coopération inter-régionale qui, si elle ne débouche pas dans l'immédiat sur des programmes lourdement structurants et motivants à mettre en œuvre, valorise leur mission d'expertise. Ils rejoignent sur ce registre symbolique les présidents de région dont l'affichage des actions de coopération contribue à l'affirmation de leur leadership politique.

Les initiatives de promotion de la façade atlantique impliquant des opérateurs de régions différentes sont peu nombreuses et financièrement peu importantes en dehors des deux principaux «réseaux» relevés ci-dessus. L'action pilote Finatlantic, dont le promoteur apparaît être la commission Arc atlantique et l'opérateur la chambre de commerce et d'industrie (CCI) de Bayonne, regroupe l'Aquitaine, la Bretagne, les régions de Cork, de la Galice, et du Nord Portugal. Avec un budget d'un million neuf cent mille écus[22], elle s'est donné pour objectif d'assister et de financer soixante projets d'implantation trans-régionale sur la façade atlantique. Le réseau Tech'atlantique dont le promoteur est le CEDRE a pour but de créer un réseau des universités de l'Arc atlantique. Il a décidé de continuer son action bien que l'aide communautaire[23] qu'il avait obtenue ne lui ait pas été renouvelée depuis deux ans. Au total, les réseaux supra-régionaux impliquant soit l'ensemble des régions, soit certaines des régions atlantiques et des acteurs nationaux ou com-

---

22. Le FEDER finance de l'ordre de 50 % ce montant.
23. Cent mille écus reçus en 1992 au titre de l'article 10 du FEDER.

munautaires, même si leurs effets peuvent à terme s'avérer importants, reposent sur des bases étroites et surtout sur des volumes financiers très limités.

2 - *La segmentation des réseaux inter-régionaux*

Les actions de promotion partielle de l'Arc atlantique, c'est-à-dire qui impliquent certaines des régions de la façade atlantique pour des actions plus sectorielles que territoriales, apparaissent globalement plus importantes. Parmi celles-ci, il faut relever le projet Compostela qui regroupe au sein de la Conférence des régions du Sud Europe atlantique, avec l'Aquitaine pour promoteur, dix régions de France, d'Espagne et du Portugal. Il prévoie des actions communes de promotion du massif forestier et représente une aide communautaire de l'ordre de la moitié de celle allant à Atlantis. La région Aquitaine a également mis en place un fonds commun de coopération Aquitaine-Euskadi-Navarre de quinze millions de francs destiné à financer des actions communes dans les domaines de la recherche, de l'économie, de la formation et de la culture. Elle est enfin concernée par la mise en œuvre du projet INTERREG entre la France et l'Espagne. Sur un coût total de deux cents millions de francs, les actions concernant l'Aquitaine et plus précisément le département des Pyrénées atlantiques ont représenté vingt millions de francs.

Le cas de l'Aquitaine illustre ainsi le fait que l'Arc atlantique ne constitue pas pour les régions membres un objet exclusif de coopération. Certains présidents de région, comme Jacques Valade pour l'Aquitaine ou Jean-Pierre Raffarin pour le Poitou-Charentes, revendiquent ainsi la pratique d'une «coopération à géométrie variable». Pour l'obtention d'informations auprès des services de la Commission à Bruxelles, ils s'appuient aussi sur des représentations distinctes. Si le secrétariat de la commission Arc atlantique est resté à Nantes jusqu'en avril 1994, l'Aquitaine a pu bénéficier des services de l'antenne de l'association Grand Sud, créée par les cinq régions du sud de la France au moment de la mise en œuvre des programmes intégrés méditerranéens (PIM), et la région Poitou-Charentes s'est associée à la région française du Centre et à la région espagnole de Castille et Leon pour ouvrir un bureau commun à Bruxelles.

On observe ainsi au niveau inter-régional une superposition et même une segmentation des réseaux dont le caractère sectoriel induit une indépendance assez prononcée. Similairement, les actions de coopération entre acteurs institutionnels et économiques n'épousent pas forcément le même cadre territorial, dont la pertinence fonctionnelle demeure variable. Elles peuvent être contraintes par d'autres réalités géographiques que la façade atlantique. Pour l'Aquitaine, si l'on peut discuter le caractère prioritaire en termes économiques de «l'effacement» de la frontière des Pyrénées, l'identité du Sud-Ouest et la tradition des relations avec le Midi toulousain demeurent prégnantes.

3 - La concurrence des réseaux infra-régionaux

Au niveau infra-régional, on constate l'absence relative des grandes villes ou des conseils généraux dans les actions de promotion de la façade atlantique. On remarquera d'ailleurs que le programme Atlantis n'aborde pas les thèmes de l'agriculture ou de l'aménagement rural qui sont les domaines d'action privilégiés de collectivités départementales en charge de solidarité intercommunale. Quant aux grandes villes et en particulier celles dont la notoriété en Europe est suffisante, elles ne semblent pas éprouver le besoin de posséder le label Arc atlantique. Bordeaux fait par exemple partie du réseau Eurocités qui, constitué en 1986 avec le Conseil des communes et régions d'Europe (CCRE), se veut un «forum pour les deuxièmes villes» européennes et a bénéficié également du concours du FEDER dans le cadre du programme RECITE de la DG XVI. La coopération atlantique apparaît ainsi receler un enjeu plus fort pour les villes moyennes que pour les grandes villes de la façade. Les villes moyennes trouvent dans la coopération atlantique l'opportunité de faire front commun face aux grandes métropoles tandis que celles-ci craignent en quelque sorte d'y laisser un peu de leur superbe.

Les problèmes portuaires de la façade illustrent l'intérêt de cette hypothèse. D'anciens grands ports comme Bordeaux vivent difficilement leur déclin, alors que Bayonne ou La Rochelle saisissent l'opportunité du développement du cabotage et misent sur le développement de leur arrière-pays. Mais si par exemple Bayonne peut être classée dans ces villes moyennes attirées par la coopération atlantique, la Chambre de Commerce et d'Industrie et le district du BAB (Bayonne-Anglet-Biarritz) y mènent des entreprises divergentes, l'une se tournant vers le nord de la façade à travers la réflexion commune sur les liaisons maritimes, l'autre se tournant vers le sud pour préparer avec la ville espagnole de Saint-Sébastien un projet de conurbation urbaine.

Le relevé de certaines opérations permet ainsi de retrouver, dans le domaine de la coopération inter-régionale, la notion de rivalité qui caractérise les rapports des acteurs locaux dans le domaine institutionnel et l'exercice de leurs compétences en matière de développement économique. Il permet aussi de formuler l'hypothèse d'une *pertinence sélective* de la coopération atlantique qui conviendrait mieux aux villes moyennes de la façade. D'autres opérations invitent cependant à nuancer ce tableau d'une concurrence entre acteurs locaux. Conseil régional d'Aquitaine et CCI de Bordeaux sont ainsi associés dans la mise en œuvre du thème «liaisons aériennes» du programme Atlantis. Les actions prévues, promotion de la ligne Caen-Southampton et élaboration d'un schéma directeur des liaisons de la façade atlantique, ne bouleverseront pas les prérogatives de chacun des deux acteurs aquitains mais, sur un registre symbolique, elles illustrent la fonction de socialisation institutionnelle que réalise le travail qui préside à leur mise en œuvre.

Le programme Atlantis regroupe une vingtaine d'opérateurs de statuts très différents puisqu'il associe par exemple le Conseil régional de Pays-de-Loire comme le port-musée de Port-Rhu. Une fois le principe et les principaux thèmes d'Atlantis négociés avec la Commission, il semble qu'il ait fallu trouver opérateurs et projets pour des actions qui puissent s'inscrire dans un cadre budgétaire limité. La mobilisation initiée par des entrepreneurs politiques, les présidents de région, en quête d'étiquetage se fait ainsi *par le haut* mais trouve le cas échéant un terreau de développement en région grâce à l'expertise élaborée par le secrétariat de la commission de l'Arc atlantique et les services des conseils régionaux.

IV. Flux et reflux atlantiques : le concept dans son contexte

L'Arc atlantique peut ainsi se caractériser par un certain contraste entre l'importance des réseaux et la faiblesse relative des actions de coopération. Les éléments évoqués ci-dessus confèrent un certain contenu au concept d'Arc atlantique, mais le contexte dans lequel ce projet est né et tente de s'imposer est crucial pour déterminer l'avenir de la coopération atlantique et ses incidences sur la place des régions en Europe. Or, le contexte actuel apparaît moins favorable au développement ultérieur de la coopération atlantique. On peut parler d'un «reflux» de l'idée atlantique. Plusieurs évolutions et phénomènes convergent pour définir ce contexte.

1 - L'atlantique «à marée basse» ?

En premier lieu, il n'y a pas eu de programme européen atlantique. Le déplacement à Bruxelles d'Olivier Guichard pour obtenir un programme d'initiative communautaire s'est soldé par un échec. Cet objectif était crucial : par son importance, ce programme était en effet à même d'institutionnaliser et de consolider pour plusieurs années la coopération atlantique, et par là même d'impulser, peut-être de manière irréversible, une recomposition territoriale et politique. L'échec de ce programme, qui constituait à la fois l'objectif de la coopération atlantique et le moyen de la développer, a entraîné une révision à la baisse des ambitions de la coopération atlantique.

Dans un second temps, il convient de noter que l'ampleur des programmes européens d'aménagement et de grands travaux se réduit sensiblement par rapport à ses perspectives initiales. Ainsi le sommet de Corfou des 24 et 25 juin 1994 a-t-il consacré cette évolution en réduisant la majorité des objectifs contenus dans le Livre blanc sur la croissance, la compétitivité et l'emploi rédigé par la Commission européenne. Les objectifs initiaux, tels qu'ils apparaissent dans le Livre blanc, étaient de 400 milliards d'écus d'investissements dans les réseaux transeuropéens de transport et d'énergie pour les quinze prochaines années, dont 250 milliards d'écus avant 1999. Concrètement, la Commission avait sélectionné un certain nombre de projets prioritaires[24]. Les infrastructures de transport devaient recevoir un financement européen de l'ordre de 20 milliards d'écus par an pendant six ans. A l'issue du sommet de Corfou, les travaux prioritaires au niveau des infrastructures de transport ne sont plus que onze, les investissements nécessaires s'élèvent à 68 milliards d'écus, dont 32 à mobiliser avant l'an 2000, la contribution programmée de l'Union européenne pour la période 1994-1999 étant fixée quant à elle à 12 milliards. Ainsi, bien que l'un des onze projets prioritaires concerne la façade atlantique, à savoir le TGV Sud, cette réduction substantielle des investissements programmés et des financements communautaires ne peut que tempérer l'élan de la coopération atlantique. Son avenir dans la conjoncture politique postérieure au Traité de Maastricht, marquée par la succession de Jacques Delors à la présidence de la Commission et par la préparation de la conférence intergouvernementale de 1996, reste donc incertain.

Par ailleurs, au niveau national cette fois, la dernière génération des contrats de plan Etat-Région ne s'est pas placée dans la perspective d'un espace atlantique. Il n'y a, dans les textes organisant les contrats, pratiquement aucune mention de la dimension atlantique et, surtout, leur élaboration n'a donné lieu à aucune tentative d'articulation entre les divers plans régionaux atlantiques et n'a pas été l'occasion de réflexions communes et prospectives sur la situation, les besoins et les projets de la façade. Ce phénomène est conforté par l'abandon par la DATAR de la perspective d'un contrat de plan inter-régional atlantique, un temps envisagé au moment de la loi Joxe-Baylet-Marchand de 1992.

Enfin, toujours dans le cadre national, la politique d'aménagement du territoire ne consacre pas l'idée de façade atlantique ; au contraire, la loi Pasqua a comporté dans ses avant-projets la création d'«espaces inter-régionaux d'aménagement et de développe-

---

24. 26 projets de transport représentant 82 milliards d'écus et 8 projets concernant l'énergie coûtant 13 milliards.

ment» fondés sur un découpage territorial coupant en deux la partie française de la façade, divisant dans le même temps une des régions les plus dynamiques en termes de coopération atlantique, la région Poitou-Charentes. Si ce découpage a à son tour été écarté lors de la formulation définitive du projet de loi, il témoigne en tout cas des difficultés à imposer l'idée atlantique parmi la communauté des acteurs de la politique française d'aménagement du territoire.

2 - Sédiments institutionnels

Indéniablement, le contexte qui entourait la naissance de l'Arc atlantique a évolué et se révèle moins favorable aujourd'hui. Le concept a cependant généré des effets sensibles dont il ne faut pas mésestimer la portée. Tout d'abord, des effets de réalité, qui sont liés à la dimension cognitive, sont à mettre au crédit de l'Arc atlantique.

Il arrive que les prophéties se révèlent auto-créatrices, et elles apparaissent souvent nécessaires à la constitution du leadership politique. Les interventions publiques, les grandes opérations d'aménagement ou de développement en particulier, requièrent des comportements d'anticipation de la part des pouvoirs publics dont l'action joue comme réducteur d'incertitude pour les acteurs privés. Les dynamiques de développement reposent sur des investissements, au sens large du terme, qui nécessitent des informations «objectives» pour les décisions de court terme et, plus généralement, un climat de confiance qui exige une image de l'avenir. Les politiques de communication peuvent alors se révéler des outils rationnels pour le développement, particulièrement lorsque les dynamiques économiques spontanées se révèlent défaillantes. Dans une approche individualiste, elles permettent l'émergence d'une action collective, c'est-à-dire de comportements coopératifs coordonnés qui peuvent être conjointement vecteur de développement local et de mobilisation socio-politique.

Si les réalisations de l'Arc atlantique ne font pas systématiquement la une de la presse, le concept est peu à peu devenu un cadre auquel certains acteurs se réfèrent. L'un des objectifs de ceux qui pratiquement ont travaillé dans et pour l'Arc atlantique, était de faire accepter cette idée aux acteurs socioprofessionnels comme cadre de réflexion. Cet objectif n'est évidemment qu'imparfaitement atteint mais la dimension atlantique commence à apparaître pour certains acteurs comme un cadre pertinent. Ainsi Elf présente son activité sous le titre : «Elf sur l'Arc atlantique» ; le Crédit Industriel de l'Ouest aussi élabore et présente sa stratégie dans le cadre de l'Arc atlantique. Il est aussi significatif qu'un groupe de presse comme Sud-Ouest ait établi des accords de coopération avec un journal basque en les inscrivant sans ambiguïtés dans une perspective atlantique, et affirme vouloir soutenir tout projet de coopération inter-régionale sur la façade. Dans la perspective d'un espace public transnational, cette dernière initiative mérite d'être soulignée. La préoccupation des CESR des cinq régions françaises concernées est en outre à noter. En effet ceux-ci font de la coopération atlantique leur cheval de bataille et ont engagé une collaboration à ce propos. La manifestation de cette activité est leur «projet commun : Ambition Atlantique» établi à l'issue du colloque organisé au futuroscope de Poitiers en juillet 1993.

La mobilisation relativement sensible de ces institutions témoigne du processus d'articulation et d'agrégation des intérêts réalisé par la labellisation atlantique. Dans cette perspective, on peut évoquer l'ensemble du travail d'institutionnalisation et d'objectivation accompli par le secrétariat de l'Arc atlantique et son résultat le plus important, la reconnaissance par la commission de Bruxelles de l'existence et de l'activité du «groupe d'intérêt» atlantique : celui-ci a réussi à être perçu comme porteur de projets auprès de l'administration européenne. Pour la DG XVI à Bruxelles, l'Arc atlantique a progressivement pris une signification, même si sa pertinence est discutée par les services de la commission.

Les effets induits de type cognitif sont aussi pertinents pour les acteurs porteurs de la coopération atlantique. L'existence d'une structure propre, le secrétariat de l'Arc, contribue à l'objectivation et à la construction de solidarités, d'une part en affichant leur existence, et d'autre part en mettant en place un forum ou un lieu de discussion qui apparaît comme une condition de l'action collective en permettant la formulation et le renouvellement de projets communs. Cette dimension cognitive interne a des effets pratiques importants, notamment par l'émergence de solidarités qui fonctionnent comme des échanges de soutiens entre instances régionales, quelles que puissent être leurs disparités institutionnelles, dans les revendications adressées aux pouvoirs nationaux. En France, l'intervention d'interlocuteurs britanniques de la façade atlantique auprès du pouvoir central sur le dossier de la «route des estuaires» constitue une bonne illustration de ce phénomène. L'un des autres effets induits réside dans la multiplication des associations bilatérales entre acteurs atlantiques ne se plaçant pas dans le cadre institutionnel de l'Arc atlantique, comme par exemple la coopération entre la CCI de Bilbao et celle de La Rochelle portant entre autres sur les formations commerciales. Ce bouillonnement d'initiatives, d'alliances et de coopérations apparaît dans une large mesure comme un des effets majeurs du forum institué par la Commission Arc atlantique. En effet, ce cadre a permis de réunir les conditions nécessaires à des actions collectives organisées tant à l'intérieur qu'à l'extérieur de l'espace atlantique, à savoir l'interconnaissance, la confiance et des procédures de coordination.

Ces observations nous amènent à conclure que la création de l'Arc atlantique a engendré des transformations significatives bien qu'inattendues. Ce constat invite à changer de perspective dans l'analyse de ces phénomènes. Ce ne sont pas des institutions formellement organisées mais plutôt des configurations marquées par des modes d'action plus informels et plus fluides. Les méthodes et questionnements des recherches doivent s'adapter afin de pouvoir rendre compte de ces dimensions plus difficiles à observer, en considérant en particulier les institutions sous l'angle de la coopération plutôt que sous celui de la contrainte.

Il convient aussi de remarquer que si un changement d'orientation des politiques européennes survenait, les coopérations engagées généreraient probablement des résultats considérables, puisque les structures cognitives et organisationnelles semblent anticiper cette éventualité. On peut souligner que cette perspective correspond aux promesses qui ont permis l'élection de Jean-Pierre Raffarin comme président de la commission Arc atlantique. En mettant en avant sa qualité de parlementaire européen et en portant à son crédit la mise en place du programme Atlantis, le président du conseil régional de Poitou-Charentes a promis qu'il apporterait des «écus». A terme, l'échec de l'Arc atlantique serait aussi le sien ; et il lui revient aujourd'hui d'en assumer les coûts de fonctionnement, les investissements et les risques politiques.

Confronté à cette période de transition, l'avenir des solidarités considérées est ainsi problématique à plusieurs égards. La dimension spécifiquement atlantique de la coopération n'est ni évidemment pertinente, ni nécessairement durable. Certains acteurs aquitains comme par exemple le Conseil général ou la Chambre départementale d'agriculture des Landes mettent en cause l'orientation atlantique de la coopération et se prononcent en faveur d'une ouverture vers les régions du sud de la France et en particulier vers la région Midi-Pyrénées.

En revanche, le mode d'action collective et le type d'espace public définis par ces opérations de coopération semblent plus permanents. La collaboration entre collectivités locales sur une base transnationale et orientée vers l'Union européenne et ses programmes publics semble constituer un modèle d'action politique inédit, caractéristique des relations entre l'Europe et les institutions territoriales. Celles-ci sont incitées à adopter des comportements coopératifs pour partager les coûts de leurs démarches et légitimer la formulation de leurs revendications auprès des instances communautaires. Ce type d'action collective contribue aussi à la création d'un nouvel espace public : c'est un espace relationnel produit par les comportements d'entrepreneurs politiques qui entrent dans des rapports concurrentiels ou coopératifs, suscitant des identifications, des solidarités et des rivalités de dimension européenne, mais dont les configurations spécifiques sont inter-régionales et trans-nationales. En ce sens, elles contribuent à transformer les territoires et les modalités de l'action publique et de la représentation politique.

Bibliographie

ABÉLÈS M., *La vie quotidienne au Parlement européen*, Hachette, Paris, 1992.

ARCTUAL, n° 1, 1993, Commission Arc atlantique, Nantes.

BALME R., «La politique régionale communautaire comme construction institutionnelle», *in* Y. Mény, P. Muller, J.-L. Quermonne, *Politiques publiques en Europe*, Paris, L'Harmattan, pp. 287-304, 1995.

BALME R., BROUARD S., BURBAUD F., *Politique des coopérations atlantiques. Mobilisations inter-régionales et intégration européenne*, Les Cahiers du CERVL, Rapports de Recherche, n° 2, 1995.

BEAUCHARD J. (dir.), *Destins atlantiques. Entre mémoire et mobilité*, Paris, Editions de l'Aube, 1993.

BOURDIEU P., «Eléments pour une réflexion critique sur l'idée de région», *Actes de la Recherche en Sciences Sociales,* 35, 1980, pp. 64-72.

CEDRE (Centre européen pour le développement régional), *Etude prospective des régions atlantiques*, Commission des communautés européennes, Direction générale des politiques régionales, Rapport final provisoire, 1992.

CHARRIE J.P., LABORDE P., «Héritage et renouvellement industriel», in *Recherches Urbaines* n° 7, 1993, «Dynamiques des systèmes urbains et devenir de la façade atlantique», pp. 9-71, Talence, CESURB.

CCE (Commission des Communautés européennes), *Réseaux européens de coopération*, DG XVI, Bruxelles, 1992.

CRPM (Conférence des régions périphériques maritimes, *Saint-Malo 1973/1993 : la communauté européenne de la mer*, Rennes, 1993.

DREVET J.-F., *La France et l'Europe des régions,* Syros-Alternative, Paris, 1991.

LACOUR C., LE MONNIER J., *Rapport final de la mission d'animation inter-régionale,* DATAR, 1992.

MULLER P., «Entre le local et l'Europe : la crise du modèle français de politiques publiques», *Revue française de science politique,* vol. 42, n° 2, 1992.

RHODES R.A.W., MARSH D., «New Directions in the Study of Policy Networks», *European Journal of Political Research,* vol. 21, n° 1-2, 1992.

RICHARDSON J., JORDAN A.G., *Governing under Pressure,* Oxford, Martin Robinson, 1979.

RICHARDSON J., MAZEY S., *Lobbying in the European Community,* Cambridge University Press, 1993.

SECRÉTARIAT DE LA COMMISSION ARC ATLANTIQUE, *Les régions de l'Arc atlantique,* Nantes, 1993.

L'Arc atlantique comme entreprise politique : coopération inter-régionale et leadership politique

par *Sylvain Brouard*

L'Arc atlantique est communément présenté comme une action de coopération inter-régionale et transnationale et est très souvent répertorié ainsi dans les classifications relatives aux activités des collectivités locales. Nous prendrons ici cette idée et cette présentation des choses en quelque sorte «au pied de la lettre» pour tenter de formaliser une étude de l'Arc atlantique en termes d'action collective. Cet angle d'approche de l'objet «Arc atlantique» est en accord avec les représentations et les objectifs des acteurs concernés. Ainsi Olivier Guichard décrit l'Arc atlantique en ces termes : «Je ne soulignerai jamais assez que l'Arc atlantique est une *œuvre collective*, aux partenaires multiples et polymorphes et que, sans l'action des uns et des autres, nous en serions encore au stade des assemblée générales annuelles, au demeurant fort sympathiques mais qui n'ont que rarement généré des projets concrets de développement» (*Arctual*, 1993)[1]. Cependant, cette action collective ne doit pas s'entendre naïvement comme un rassemblement volontaire ou une rencontre inévitable d'intérêts communs ou convergents. A notre sens, l'Arc atlantique est une action collective modèle : elle correspond au modèle de l'action collective construite par un entrepreneur politique. En étudiant cette action collective, nous sommes à même d'illustrer le caractère polysémique de la notion d'entrepreneur politique telle qu'elle apparaît dans la littérature

---

1. Editorial d'O. Guichard, p. 2.

politiste. Notre objectif est d'apporter, par l'utilisation de la notion d'entrepreneur politique, un éclairage sur les logiques à l'œuvre ainsi que de mettre en évidence ce qui permet la genèse et la poursuite de la coopération. Nous procéderons dans cette perspective à un essai d'analyse de la configuration d'acteurs ayant donné naissance à l'Arc atlantique et contribuant à son existence. Cette approche s'efforce alors d'intégrer à la fois les représentations des acteurs, les faits et des éléments d'analyse dans un modèle «cohérent».

L'Arc atlantique est un type d'action collective qui s'exerce dans deux directions qui ne sont pas dénuées de tout lien. D'une part, des activités de pression sont menées, et les acteurs se décrivent comme un *lobby*. D'autre part, des activités de coopération sur des projets concrets et des pratiques visant à les renforcer sont mises en œuvre. Pour analyser le modèle d'action collective ainsi formé, il convient d'en dégager les éléments constitutifs. Il s'agit d'identifier plus en détail l'initiative présidant à son origine, les instruments organisationnels de son développement et les formes de mobilisation qu'elle induit. Nous finirons ce questionnement de l'action collective atlantique en interrogeant son caractère conjointement coopératif et concurrentiel.

I. L'origine entrepreneuriale de l'Arc atlantique : initiative, recomposition et opportunités politiques

A l'origine de l'Arc atlantique, il y a l'action d'un entrepreneur. En effet, à partir du comportement d'O. Guichard — qui assura le passage d'une période où la coopération atlantique n'existait pas à une période où celle-ci existe — semble se dessiner la figure d'un entrepreneur politique et territorial. Cette idée est illustrée tout d'abord par les circonstances de la création de cette structure. L'Arc atlantique apparaît le 13 octobre 1989, à Faro au Portugal. Au cours de la Conférence des Régions Périphériques Maritimes, Olivier Guichard évoque le concept d'Arc atlantique et obtient le vote à l'unanimité d'une résolution sur le renforcement de la coopération entre les vingt-six régions de la façade atlantique. C'est cette résolution qui donne naissance à l'Arc atlantique, en le constituant comme une des quatre commissions composant la Conférence des Régions Périphériques Maritimes. Clairement, il apparaît qu'Olivier Guichard sur la question de l'Arc atlantique a fait preuve d'un comportement innovateur.

Cette première remarque est en adéquation avec l'une des facettes de la notion d'entrepreneur politique (ou territorial). L'un des sens conférés à la notion d'entrepreneur politique, notamment par William Riker (Riker, 1986 et 1983), fait référence à des situations de déséquilibre dans lesquelles un ou plusieurs acteurs prennent des initiatives en vue d'aboutir à une recomposition des situations des acteurs en présence et de leurs ressources et ainsi instituer un nouvel équilibre dans le «jeu». Dans une perspective convergente, Mark Schneider et Paul Teske définissent les entrepreneurs politiques comme «des individus qui changent la direction et le flux de la politique» (Schneider, Teske, 1992). L'action d'Olivier Guichard répond bien à cette idée : d'une part, c'est une tentative pour faire émerger un nouvel acteur politique ainsi que pour construire une coalition nouvelle sur une dimension inédite et, d'autre part, elle vise un changement des perceptions de l'espace et de l'organisation du territoire. Dans *Arctual*, le président de la commission Arc atlantique parle de «définir de nouvelles donnes, notamment dans le domaine de l'aménagement du territoire et dans celui des réseaux de coopération inter-régionale» (*Arctual*, 1993). L'objectif auquel répond cette initiative est fondamentalement une recomposition politique et territoriale. C'est l'effet recherché, et partiellement atteint, qui prend sens dans la conjoncture qui caractérisait l'année 1989.

A cette date, Roger Brunet et le GIP-RECLUS ont fait paraître leur carte de l'Europe qui met en évidence la concentration des ressources et des échanges le long d'un axe européen appelé «banane bleue». De même, Yves Morvan publie, en 1989, un rapport pour le compte de l'association Ouest Atlantique qui fait état de la situation des régions atlantiques dans l'Europe et propose des solutions pour inverser les perspectives les plus probables. Avant sa publication, Olivier Guichard se saisit des conclusions du rapport Morvan (Morvan, 1989) ; il souhaite concrétiser l'idée atlantique et ses corollaires. Il veut insuffler une nouvelle dynamique à la façade atlantique et sensibiliser les autorités compétentes aux dangers d'une évolution négative de ces régions. L'ensemble des discours et des déclarations d'Olivier Guichard révèlent cette prise de conscience et cette nécessité de réaction, qui s'incarnent dans une rhétorique organisée autour d'un balancement entre constat et volonté politique. L'un des premiers effets de cette initiative est le lancement de deux études sur la façade atlantique européenne et ses perspectives d'avenir dans le cadre européen. Ces études menées par le CEDRE (CEDRE, 1992) puis par la DATAR présentent des conclusions assez pessimistes et dessinent comme le scénario le plus probable celui de la marginalisation croissante des régions constitutives de la façade atlantique, renforçant *a posteriori* la légitimité de l'action d'Olivier Guichard.

L'Arc atlantique résulte de la volonté de créer un nouvel acteur politique qui interviendrait à plusieurs niveaux, national et surtout européen, pour obtenir des moyens améliorés d'action. Mais il est aussi une tentative pour instaurer une nouvelle organisation du territoire qui répondrait mieux aux défis qui s'annoncent. Cette organisation aurait comme cadre l'Europe, comme élément de base les régions et comme principe d'action la coopération sur une base atlantique.

On pourrait évoquer un changement de la dimension pertinente pour l'entrepreneur : à la fin des années soixante-dix, l'aménagement du territoire est pensé sur une base nationale et la coopération est abordée selon une échelle inférieure, mais conformément au même principe, et donne naissance à l'association «Ouest Atlantique». Cette même préoccupation d'aménagement du territoire est présente en 1989 dans un cadre à la mesure des mutations de l'économie politique. Il nous faut enfin souligner que cet intérêt constant du créateur de la DATAR envers l'aménagement du territoire et en particulier pour l'action régionale nous permet d'évoquer un aspect spécifique des relations de l'entrepreneur vis-à-vis des politiques publiques européennes.

L'initiative s'est opérée dans le contexte spécifique de la réforme des fonds structurels et de la réorientation des actions communautaires vers le niveau régional. Olivier Guichard a donc profité de l'ouverture d'une «fenêtre politique» (Kingdon, 1984)[2] pour promouvoir une idée qui lui était chère. A cette date, il a tenté de mettre en phase les flux de trois phénomènes distincts : celui des *problèmes* en appelant l'attention sur la marginalisation probable des régions atlantiques dans le devenir européen ; celui des *programmes* publics en proposant à la Commission de financer des actions spécifiques ; et enfin celui de *la politique* en construisant une coalition d'élus et d'acteurs soutenant son initiative.

L'entrepreneur assume alors une fonction d'articulation pour rendre plus probable l'inscription d'une question sur l'agenda de la décision en profitant du renouvellement des politiques communautaires (Cobb, Elder, 1983)[3]. Dans cette perspective la rapidité d'action est essentielle, car une «fenêtre politique» peut ne rester ouverte qu'un court laps de temps. Ainsi, il y a réponse à une situation instable par une initiative qui vise à changer la configuration politico-territoriale en vigueur, en utilisant les opportunités nouvelles offertes au niveau européen. La mobilisation nécessaire à l'action collective s'effectue sur ces bases.

2. Une *policy window* est une opportunité pour les porteurs de propositions de pousser leurs *solutions* favorites ou d'attirer l'attention sur des *problèmes* spécifiques.
3. R. Cobb et C. Elder ont particulièrement souligné, dans leur ouvrage, l'incidence des entrepreneurs politiques (*policy entrepreneurs*) dans la construction des agendas institutionnels.

II. L'entrepreneur politique, solution au paradoxe de l'action collective

Mais, comme l'a mis en évidence Mancur Olson, un intérêt commun ne suffit pas à susciter spontanément l'action collective. Celle-ci résulte plus souvent d'une construction nécessaire au dépassement des paradoxes de l'intérêt bien compris. La notion d'entrepreneur politique permet de comprendre la construction de l'action collective en éclairant les conditions d'émergence de la coopération. Parler d'entrepreneur politique renvoie, et c'est la seconde facette de la notion, à la question des coûts et de leur répartition. Le propre d'un entrepreneur au sens olsonien du terme est de supporter les coûts entraînés par l'action collective. On insiste donc à ce niveau sur la participation plus que proportionnelle par rapport au nombre de participants de l'entrepreneur, et par là on rend compte de la concentration des coûts de l'action collective. Dans le paradigme olsonien, l'action collective n'est possible que s'il existe des incitations sélectives à même de rendre dommageable la stratégie du ticket gratuit. Cette stratégie consiste à ne pas participer à l'action collective pour ne pas en supporter les coûts tout en espérant profiter du bien collectif produit. Mancur Olson (Olson, 1965) montre que par effet d'agrégation, pour des acteurs rationnels et sans incitations sélectives, l'action collective est impossible. L'action collective ne peut alors exister qu'avec la distribution de rétributions individualisées. Or, les rétributions séparables sont le plus souvent un produit de la coopération[4] et, en toute logique, ne peuvent dans ce cas être évoquées dans l'explication de sa genèse. Par contre le recours à la notion d'entrepreneur permet de sortir de l'impasse logique. En effet, supporter les coûts entraînés par l'action collective est l'une des caractéristiques d'un entrepreneur (Balme, 1990 et Frolich, Oppenheimer, Young, 1971).

Les bases concrètes depuis 1989 du fonctionnement de l'Arc atlantique nous apportent des renseignements intéressants sur le mode de régulation interne de cette coopération. Les coûts financiers ont été totalement assumés par le Conseil régional des Pays-de-Loire durant les deux mandats d'Olivier Guichard à la tête de l'Arc atlantique, c'est-à-dire sur la période 1989-1994. Cette instance présidée par Olivier Guichard a financé l'Arc atlantique à hauteur de 4 millions de francs par an en rétribuant le personnel de son secrétariat général, en prenant en charge les autres dépenses liées à son fonctionnement et à ses frais de communication. Au-delà des frais financiers, les coûts supportés par l'entrepreneur concernent surtout le temps (la portion d'agenda mobilisée) et le prestige

---

4. Dans le cas de l'assimilation entre l'action collective et la production d'un bien collectif pur retenue par M. Olson.

(les conséquences d'un échec potentiel de l'initiative) investis dans l'opération.

Cette initiative atlantique est aussi soutenue dès sa conception par le président du Conseil régional de Bretagne Yvon Bourges et s'inspire des travaux et conceptions d'Yves Morvan, président du Conseil économique et social de la région Bretagne et professeur d'économie. Il y a donc à la fois un appui politique et une caution intellectuelle dès l'origine de ce projet. De même, on peut souligner l'appui des présidents des régions Basse-Normandie et Haute-Normandie. Mais l'accord des collègues européens d'Olivier Guichard fut plus difficile à obtenir et il semble qu'un tel type d'action collective n'ait été possible que par le rôle d'entrepreneur joué par Olivier Guichard. En effet, à plusieurs reprises, la question d'une participation financière des régions membres de l'Arc a été évoquée sans jamais trouver d'accord, pas même seulement sur le principe. Encore aujourd'hui, le projet d'installation de l'Arc atlantique à Bruxelles se heurte à l'obstacle du financement. Ainsi, incontestablement, l'action collective émerge et se met en place grâce à la présence d'un entrepreneur qui prend une initiative qui vise à une recomposition politique et territoriale et qui accepte de supporter les coûts inhérents à la coopération.

III. Les raisons ou motivations de l'entrepreneur : quelles rétributions ?

Un point est cependant resté dans l'ombre jusqu'à ce stade du développement. Un entrepreneur politique vise l'obtention d'un profit politique et est donc mû par un intérêt. Mais quel est l'intérêt politique d'Olivier Guichard dans l'impulsion de l'Arc atlantique puis dans sa construction ? Une réponse qui ne prendrait en compte que les retombées de communication comme intérêt à agir semblerait assez peu convaincante. En effet, un profit de ce type aurait très bien pu être obtenu sans engagement financier ni implication aussi importante ; de simple déclarations d'intentions ou des proclamations sur le caractère novateur de ce type de coopération aurait été suffisantes[5]. De plus, Olivier Guichard, à ce stade de sa carrière politique, peut difficilement tirer profit de l'Arc atlantique pour augmenter substantiellement son influence. En 1989, il a été plusieurs fois ministre, est l'un des barons du gaullisme et bénéficie d'un prestige exceptionnel ainsi que d'une position politique locale

---

5. Par contre, ce type de motivation doit être pris en compte pour la compréhension de la collaboration des autres acteurs politiques. En effet, de par les retombées potentielles en termes de communication qui accompagnent l'inscription formelle dans l'Arc atlantique, le problème de la coopération ne ressortit plus des conditions qui président à la démonstration d'Olson ; pour ces acteurs, la participation est d'emblée une rétribution symbolique potentielle.

très bien assise. On peut ajouter qu'il paraîtrait exagéré de parler d'instrumentalisation de l'Arc atlantique au profit du président du Conseil régional des Pays-de-Loire.

Si l'idéal type de l'entrepreneur convient au cas étudié, on peut s'interroger pour savoir si l'on doit parler d'entrepreneur politique et territorial, ou plutôt d'«entrepreneur de morale» au sens utilisé par la sociologie interactionniste de la déviance (Bercker, 1985 ; Balme, 1990)[6]. L'une des réponses pourrait résider dans la complémentarité des deux figures possibles. Nous ne serions pas face à une alternative, et l'entreprise prendrait une forme indissociablement morale et politique. En effet, l'investissement dans l'Arc atlantique, en ne dévoilant aucun intérêt manifeste, répond à l'impératif de désintéressement au principe de l'efficacité des investissements politiques : on pourrait parler à la limite d'un intérêt au désintéressement. Mais l'implication dans la coopération atlantique correspond aussi pour Olivier Guichard à un intérêt continu et à un investissement dans un champ particulier qui est celui de l'aménagement du territoire.

Dans ce secteur défini par l'ensemble des participants à la politique publique considérée, l'initiative atlantique semble effectivement en mesure de procurer des rétributions symboliques, de construire ou d'affirmer une capacité d'initiative et donc une position politique dans l'une de ses composantes, celle de l'action publique. Traditionnellement, les motivations des acteurs publics sont appréhendées à travers deux catégories : soit les acteurs sont motivés par des captations de postes (*office seeking*) soit ceux-ci visent l'accomplissement de préférence en termes de politique publique (*policy pursuit*) (Budge, Laver, 1986). On ne peut que remarquer que les deux objectifs sont souvent intimement liés. L'occupation de postes peut être un des moyens les plus efficaces de réaliser ces références en matière de politique publique. A l'inverse, la poursuite continue d'objectifs en termes de politique publique constitue un moyen d'obtenir (à terme) ou de conserver des postes. L'action d'Olivier Guichard semble particulièrement bien correspondre à cette ambivalence des motivations des acteurs publics. Dans notre cas, c'est la situation sécante de la problématique atlantique dans des champs sociaux différents qui peut révéler la signification de l'entreprise politique s'en faisant le promoteur.

---

6. La notion d'entrepreneur de morale est empruntée à Howard S. Becker. Elle recouvre les «militants des croisades morales» qui créent les normes et contribuent à leur application par la transformation des pratiques sociales. Elle correspond à une dimension éthique des motivations de l'entreprise qui prend ainsi le caractère d'une vocation.

L'expérience passée d'Olivier Guichard et les représentations qui lui sont associées sur la question de l'aménagement du territoire éclairent le choix de l'initiative atlantique. Mais le territoire concerné n'est pas sans importance, puisqu'il s'agit de la partie occidentale de l'Europe centrée sur l'Ouest français. Or ce dernier territoire constitue depuis de nombreuses années, incluant celles de l'origine de l'Arc, le lieu de domination politique d'Olivier Guichard, son aire d'influence la plus réservée. La figure d'Olivier Guichard dans l'Ouest français est celle du leader politique et ce n'est pas un hasard si son initiative précède celle des présidents des Conseils régionaux d'Aquitaine et de Poitou-Charentes, Jean Tavernier et Jean-Pierre Raffarin, qui impulsèrent en octobre 1989 la Conférence des régions du Sud Europe Atlantique. Le lancement de l'Arc atlantique prendrait ainsi sens dans une arène politico-administrative qui hiérarchise les élus dans un espace géographique aux frontières indécises. C'est autour de cet enjeu du leadership que peuvent être compris les investissements des acteurs de l'Arc atlantique. L'étude de l'inter-régionalité peut alors dévoiler l'existence d'un espace de concurrence intangible, révéler les logiques qui président à son fonctionnement ainsi que les effets tangibles qui en découlent. Les profits politiques qui motivent l'action entrepreneuriale d'Olivier Guichard sont, à notre sens, à relier à la préservation d'une position de leadership politique dans l'Ouest français, position peu contestée en 1989. En acceptant d'assumer les coûts de fonctionnement et en prenant l'initiative du rassemblement, il signifie et renforce symboliquement sa position de leader. Dans sa carrière, l'Arc atlantique n'est pas un enjeu déterminant ; par celui-ci, il entretient simplement, à l'origine, son capital politique.

Un entrepreneur politique investit ses ressources pour produire un bien collectif. Dans le cas présent, celui-ci consiste en l'amélioration de la situation économique et sociale des régions de la façade atlantique. Concrètement, cet objectif entraîne une double exigence, d'une part des ressources nouvelles et plus conséquentes pour les régions atlantiques, d'autre part une coopération continue sur des motifs élargis entre les acteurs des régions de la façade atlantique. Pour répondre à ces impératifs, deux éléments constituent à la fois les moyens et les buts — partiellement atteints — de l'action collective. Le secrétariat de l'Arc atlantique est l'un des instruments fondateurs de la coopération inter-régionale. Celui-ci assure des rôles multiples qui contribuent à la construction de l'action collective. Le second élément a trait aux fonds accordés par la Commission européenne.

IV. La centralité du secrétariat de l'Arc atlantique

Tout d'abord, le secrétariat objective l'Arc atlantique. En effet celui-ci est une structure concrète avec des personnes, des bureaux, un standard... Le secrétariat de l'Arc atlantique est composé, de 1989 à 1994, de quatre personnes travaillant à temps plein sur ce projet. Ce personnel est, à l'origine, rappelons-le, rémunéré par le Conseil régional des Pays-de-Loire. M. Duthilleul, le secrétaire exécutif de la commission Arc atlantique, a insisté sur l'importance de la fonction d'accueil et de conseil que le secrétariat assumait jusqu'en avril 1994[7] et qui montrait que «l'Arc atlantique, c'est du concret et pas seulement du discours». Par-là, l'existence physique d'un secrétariat est d'une importance capitale et ne doit pas être négligé par l'analyse. Nous sommes en effet au contact d'une des facettes de la fonction de représentation.

Ensuite, il convient de remarquer que le secrétariat fait exister l'Arc atlantique par les multiples activités qu'il mène. Celles-ci vont des activités de communication au montage de réunions entre les membres de l'Arc atlantique, en passant par la préparation des dossiers et la négociation de ceux-ci avec la Commission européenne. Ces activités complètent les fonctions de représentation et de coordination qu'assure le secrétariat de l'Arc atlantique. Au niveau des activités de communication, le secrétariat assure la production de l'ensemble des publications de l'Arc atlantique. On peut dénombrer parmi celles-ci une monographie de l'Arc atlantique qui expose l'historique de cette initiative et détaille la situation géographique ainsi que les atouts et faiblesses des vingt-six régions membres de cette commission une revue de presse qui en est à son huitième numéro et qui regroupe la totalité des articles consacrés aux régions atlantiques une revue, *Arctual*, etc. L'ensemble des publications de l'Arc atlantique ont évidemment une fonction d'information et de représentation mais visent aussi à impliquer davantage d'acteurs en leur donnant à voir les réalisations et les potentialités de l'Arc atlantique. Ainsi, l'objectif poursuivi par le secrétariat de l'Arc atlantique dans les actions de communication-promotion vise à la fois l'information et la mobilisation des acteurs. Cette double motivation de la communication est bien illustrée par la présentation qui est faite d'«*Arctual*, le magazine de l'Arc atlan-

---

7. Le changement de présidence de la commission Arc atlantique a ouvert une période d'incertitude sur la localisation et le financement du secrétariat de l'Arc atlantique. La nouvelle organisation décidée suite au changement de présidence est divisée en trois sites : un secrétariat technique à Rennes au siège de la CRPM, un secrétariat politique à Poitiers assumé jusqu'en 1995 par Mme Moreno et un coordonnateur travaillant à Bruxelles au sein de la représentation de Galice auprès des instances européennes. En ce qui concerne le financement, il semble qu'une contribution financière des régions membres soit sur le point d'être instaurée.

tique». Le président de la commission Arc atlantique présente ce magazine en ces termes : «J'ai pensé *Arctual* comme un lien nécessaire (mais pas suffisant), complétant la forme de l'Arc pour l'ouvrir aux initiatives tant privées que publiques, faire connaître nos sujets d'inquiétude, nos objectifs, notre programme et bien sûr nos réalisations.» Sur le même sujet, le secrétaire exécutif de l'Arc atlantique précise que «l'information que vous trouverez au sein de ces pages a pour vocation d'être en adéquation avec l'actualité ; recueillant l'information en amont auprès des Etats-membres et des instances communautaires, *Arctual* se veut également une tribune d'opinions, faire-valoir des initiatives qui sont prises par les responsables politiques, économiques, culturels, de la société civile en général (...) afin de voir émerger, à moyen terme, une Europe de l'Ouest forte, contrebalançant ses handicaps en positionnant ses atouts sur un mode pluriel et transnational».

La fonction de représentation s'exerce aussi vis-à-vis de la Commission européenne pour l'obtention de programmes et de fonds. Il existe une volonté d'autonomisation du secrétariat qui voudrait aller au terme de l'évolution et assurer l'ensemble des négociations avec Bruxelles. Jusqu'à aujourd'hui, le secrétariat était tout de même en contact quasi continu avec l'administration européenne pour préparer différents dossiers et pour tenter de faire avancer les négociations. Ce fut le cas pour le projet de programme d'initiative communautaire, pour le programme Atlantis et pour tous les projets de moindre importance recherchant l'approbation et le financement de Bruxelles. Le secrétariat possède une réelle expertise dans le montage des dossiers européens et en ce qui concerne le fonctionnement et les normes communautaires. D'ailleurs, l'une des fonctions du secrétariat dont l'importance est soulignée par son personnel consiste à informer sur l'évolution des normes européennes et des opportunités de financement communautaire. Les activités de conseil portent pour une grande partie sur ce sujet et sur les contraintes auxquelles doivent se soumettre les projets de coopération atlantique pour être éligibles à un programme européen. Le secrétariat assume donc une fonction d'expertise dans l'accès aux politiques européennes et aux budgets européens.

A ces rôles, le secrétariat ajoute un autre travail de construction de l'Arc atlantique. Celui-ci consiste d'une part à créer un forum, un lieu de rencontre pour tous les acteurs parties prenantes, et à susciter et à articuler de multiples initiatives et projets. La composition de l'Arc atlantique avec ses vingt-six régions et leur éparpillement géographique nécessite un travail de «montage» des réunions de travail afin de donner la possibilité à l'Arc atlantique de progresser dans sa recherche d'une coopération plus étroite entre ses membres. Il semble en effet que les réunions entre des acteurs de l'Arc atlantique ou à l'initiative de celui-ci avec des acteurs d'horizons différents soient assez développées. Le précédent secrétaire exécutif de l'Arc atlantique, M. Duthilleul, accordait une grande importance à cet aspect de son travail. Pour ce dernier, «ces rencontres ou mises en réseau sont souvent considérées comme du tourisme de travail mais se sont les choses les plus importantes et les plus tangibles de l'Arc atlantique. C'est un des enjeux de la coopération, faire se connaître et se rencontrer des gens d'horizons différents». Il ajoute que ces réunions sont fécondes et qu'«il n'y a jamais de séparation sans nouvelles idées ou nouveaux projets». L'organisation de rencontres de ce type permet de plus de donner une forme concrète à des projets auxquels il ne manquait que peu de choses pour qu'ils se réalisent. La fertilité de ces réunions et plus largement de la coopération découle pour une grande partie de leur fréquence. En effet, la constitution d'un forum atlantique, produit des multiples contacts ayant eu lieu durant les réunions, institue les conditions indispensables à la collaboration tant à l'intérieur qu'à l'extérieur de l'Arc atlantique et permet la constitution de réseaux. Ces conditions pour une coopération mutuelle sont l'existence de contacts, l'interconnaissance et la confiance. Par l'organisation de rencontres, la possibilité est ainsi offerte aux participants de mettre en place les éléments nécessaires au fondement de toute action collective (Axelrod, 1981 et Taylor, 1987)[8]. Le second aspect du travail du secrétariat concerne le suivi des projets élaborés lors des réunions ; il faut soutenir les initiatives en trouvant les interlocuteurs utiles et en agrégeant de nouveaux participants pour élargir l'ampleur des projets ou pour accroître leur faisabilité.

Il peut aussi sembler pertinent de prendre en compte dans les effets induits de l'Arc atlantique les associations bilatérales entre acteurs atlantiques ne se plaçant pas dans le cadre institutionnel de celui-ci. En effet, depuis la création de l'Arc atlantique les actions de coopération bilatérale concernant des acteurs atlantiques se sont multipliées. Un certain nombre d'initiatives sont prises pour mettre en place des actions de coopération ne rentrant pas formellement dans le cadre de l'Arc atlantique. L'une de ces initiatives est celle des Chambres de commerce et d'industrie de Bilbao et de La Rochelle qui ont élaboré un programme commun de formation commerciale supérieure et ont signé un accord de coopération générale portant sur «les échanges d'informations, l'exploitation des programmes de la CEE intéressant les deux pays situés de part et

---

8. La répétition des interactions rend possible l'émergence d'actions de coopération. En effet, la dimension temporelle modifie les termes du problème de l'action collective comme certains auteurs l'ont démontré.

d'autre des Pyrénées et l'assistance aux chefs d'entreprises»[9]. Il convient de noter que les promoteurs de ces accords les replacent dans le cadre plus global de l'Arc atlantique. Ainsi dans le magazine de la Chambre de commerce et d'industrie de La Rochelle, *Aunis éco*, on peut lire : «Ces accords s'inspirent de l'esprit Arc atlantique visant à renforcer le potentiel des régions maritimes.» Tous les participants à ces actions ont été mis en contact par les réunions de l'Arc atlantique auxquelles ils participent. Ainsi, le secrétariat de l'Arc ne se contente pas de favoriser les comportements coopératifs entre ses partenaires fondateurs, mais contribue plus largement à générer et à diffuser l'action collective atlantique.

Cette fonction d'articulation des intérêts assurée par le secrétariat est également mise en évidence par le travail de construction et de mise en cohésion conceptuelle de la façade atlantique. Un discours sur l'identité des régions est produit qui légitime la dimension atlantique de la coopération. Dans les justifications de l'Arc atlantique, le volet du constat à l'origine de l'initiative nous révèle cette vision des choses : «La façade atlantique, c'est une économie un peu en retard par rapport au centre de l'Europe avec des traits communs, mer, agriculture, industrie lourde... et peu de centres de recherche et de matières grises. Les universités sont, hormis quelques exceptions, récentes (entre 30 et 50 ans) et donc nos capacités de recherche sont modestes. Les liaisons font apparaître une position excentrée de nos régions : la dimension Nord-Sud est délaissée. En fin de compte, dans chaque pays, on est confronté à une vision de l'Etat orientée vers le centre et rien d'autre.» Ce tableau en termes de carences affirme surtout le besoin «objectif», c'est-à-dire à objectiver, de la coopération.

Le secrétariat de l'Arc assure de fait plusieurs fonctions : la médiation-articulation des différentes catégories d'intérêts, l'objectivation de l'entité atlantique par rapport à la Commission européenne et aux acteurs concernés, ainsi que la construction de la coopération entre les différents participants concernés.

V. Les fonds communautaires comme «incitations sélectives»

Les fonds accordés au titre de l'article 10 du FEDER par la commission en vue de favoriser la coopération constituent le second instrument de construction de l'action collective Arc atlantique.

Cet «argent de poche», selon l'expression d'un de nos interlocuteurs, est distribué directement aux régions et constitue un levier ou une incitation à la coopération. Ces fonds permettent la

---

9. *Aunis éco*, janvier-février 1994, n° 88.

mobilisation et l'initiation de l'action collective par les rétributions sélectives que la participation à la coopération permet de capter. Les 7,2 millions d'écus apportés par la Commission européenne dans le cadre de quatre programmes — le projet-pilote «Atlantis», Tech'atlantique et les deux opérations rentrant dans le cadre du programme européen "RECITE", Finatlantic et Coopération entre régions atlantiques — illustrent cette réalité. Une proportion variable des vingt-six régions de l'Arc atlantique sont membres de ces programmes. Incontestablement ces fonds ont un effet mobilisateur. Ils permettent le financement d'études et de micro-réalisations et incitent les régions à coordonner leurs programmes. Le secrétariat de l'Arc atlantique affirme que «c'est grâce à l'article 10 du FEDER que l'Arc atlantique a pu s'organiser». On peut remarquer que les fonds distribués par la Commission sont toujours combinés avec ceux provenant d'autres sources selon le principe de l'additionnalité. Par ce mécanisme, des fonds régionaux sont conjointement investis et concrétisent la coopération. On voit bien à ce niveau le rôle incitateur assuré par les fonds européens.

La conclusion qu'impose ces éléments est que les fonds structurels suscitent directement et indirectement la coopération inter-régionale, en fournissant conjointement les motifs et les moyens nécessaires à la coordination. Malgré leur volume restreint, ils servent d'amorce au mouvement. Ce phénomène est illustré par plusieurs points. La mise en place d'une formation atlantique aux professions du *shiping* s'est effectuée grâce à l'impulsion des fonds européens. De même, le programme Tech'atlantique de coopération entre quatorze universités a bénéficié du soutien financier de la Commission à hauteur de 100 000 écus. L'enjeu pour l'Arc atlantique est de profiter des opportunités de coopération ouvertes par les financements européens, mais aussi d'inciter au prolongement de la coopération une fois le financement communautaire parvenu à son terme. Les participants au projet Tech'atlantique ont par exemple décidé, malgré l'arrêt des subventions européennes, de poursuivre leur coopération.

Ainsi se dégage un schéma dans lequel le financement européen soutient et permet la réalisation d'une multitude de petits projets qui s'ajoutent et rendent plus denses les liens de coopération. Les fonds européens jouent donc le rôle de rétributions sélectives. Conformément à la démonstration de Mancur Olson, les acteurs n'assument les coûts inhérents à la collaboration visant à améliorer la situation de la façade atlantique dans le cadre européen que si chacun d'eux bénéficie d'une rétribution individualisée sanctionnant leur participation à l'action collective. L'obtention éventuelle de fonds européens joue le jeu d'incitations sélectives et explique l'émergence d'actions de coopération mettant en échec le comportement de «ticket gratuit». Ce qu'espèrent les promoteurs de l'Arc atlantique, c'est que le mouvement amorcé par les fonds européens, faisant office de bien séparable, et les liens ainsi créés seront suffisants pour assurer la poursuite et l'intensification de la coopération.

Après avoir examiné les instruments qui participent à la construction de l'action collective, il convient de nous pencher sur les acteurs impliqués dans celle-ci.

V. Les acteurs mobilisés : esquisse d'une typologie

On peut distinguer trois types d'acteurs et donc de mobilisations au sein de l'Arc atlantique. Tout d'abord, il y a les collectivités locales membres de la commission Arc atlantique. Les différences de statut juridique et d'organisation territoriale entre les différents pays ayant des façades atlantiques amènent une variété extrême en ce qui concerne la nature des collectivités participantes. En France, les collectivités territoriales concernées sont les régions de Haute- et Basse-Normandie, Bretagne, Pays-de-Loire, Centre, Poitou-Charentes et Aquitaine. A ce constat, il faut ajouter que les autres niveaux de collectivités locales en France sont très peu mobilisés. Ni les départements, ni les grandes villes ne sont impliqués dans la coopération atlantique. Ce constat découle de nos recherches en Aquitaine mais également des investigations menées en Poitou-Charentes et Pays-de-Loire. Ainsi, au niveau institutionnel, l'Arc atlantique concerne-t-il principalement, voire exclusivement, les institutions régionales.

Le second type d'acteurs qui peut être recensé rassemble les groupes socioprofessionnels inscrivant leurs actions de coopération dans le cadre de l'Arc atlantique. Dans cet ensemble, on retrouve les Chambres d'agriculture, les Chambres de commerce et d'industrie, les technopoles, les universités, les ports de plaisance et de commerce[10]... Chacun de ces acteurs est partie prenante dans une action qui contribue à renforcer l'existence et la pertinence de la coopération atlantique. Leur implication constitue une étape cruciale dans le processus de construction de l'Arc atlantique tel qu'il est pensé par les acteurs politiques, et en particulier Olivier Guichard, c'est-à-dire comme un processus de descente graduelle vers la société civile et vers les citoyens. L'un des enjeux à cet échelon est la volonté de créer une conscience ou une identité atlantique,

---

10. Quelques exemples d'actions collectives de ce type d'acteurs : Marine atlantique pour les ports de plaisance, Tech'atlantique pour les universités, Technopolis pour les technopoles, Finarc pour les CCI ...

par l'intégration progressive de cette dimension dans la vie civile et économique (Morvan, 1994).

Le troisième groupe d'acteurs concerné rassemble des agents qui ne sont pas directement engagés dans des actions de coopération mais qui sont mobilisés par les institutions politiques pour tenter de transformer la situation, pour essayer de faire émerger des intérêts communs et accréditer la pertinence de la dimension atlantique comme cadre de la représentation des intérêts. Il existe plusieurs exemples de ce type de mobilisation. Tout d'abord, le domaine de la pêche a fait l'objet d'une initiative des régions atlantiques. Il y a eu une réunion entre les représentants des intérêts de la pêche sur la façade atlantique. Elle a permis l'élaboration d'un texte commun qui a servi de base à un amendement — proposé par l'Atlantic group au Parlement — au texte communautaire sur la pêche. De même, les différents acteurs du transport aérien «se sont retrouvés autour d'une table» pour tenter de définir une stratégie commune de développement. En effet, à l'initiative des CCI et de la commission Arc atlantique, les compagnies aériennes de troisième niveau, les gestionnaires d'aéroports et les représentants des régions atlantiques se sont réunis pour articuler leurs activités et pour essayer de mettre en place de nouvelles lignes aériennes ainsi que des stratégies commerciales attrayantes. Pour clore l'évocation de ces quelques exemples, on peut citer «les premières rencontres patronales de l'Arc atlantique» organisées à Saint-Jacques-de-Compostelle les 11 et 12 mars 1993. Les objectifs poursuivis par les promoteurs de ces mobilisations externes ou descendantes, c'est-à-dire par le secrétariat de l'Arc atlantique et les présidents des régions les plus impliquées, apparaissent assez nettement dans le discours tenu sur le bilan de ces premières rencontres patronales atlantiques :

«Ces premières rencontres patronales en Galice se sont achevées sur un bilan positif. La voie du dialogue et des premiers échanges entre industriels de différentes régions de l'Atlantique est aujourd'hui ouverte. Il reste désormais à renforcer ce nouveau concept de relations autour des instances de l'Arc atlantique, à concrétiser ce développement économique inter-régional en stimulant de nouveaux projets industriels innovants et ambitieux qui créeront les emplois de demain. L'idée est encore toute neuve, Arc Atlantique Développement (AAD) travaille à sa promotion. La parole est maintenant aux acteurs, les entreprises elles-mêmes.»

Nous avons distingué trois types d'acteurs qui correspondent à trois types d'implications dans l'Arc atlantique. Ces différents modes d'implications correspondent d'une part à des domaines différents d'investissement (c'est ce qui différencie les deux premiers groupes présentés initialement), et d'autre part à des niveaux différents d'intensité dans l'engagement (ce qui caractérise principalement le troisième groupe par rapport aux deux autres). Remarquons que, dans les deux premiers groupes, l'implication «atlantique» ne doit pas être présumée homogène, mais qu'elle demeure différenciée.

L'étude précise de l'implication des acteurs dans l'Arc atlantique, qui est l'objet du prochain chapitre, illustre et explore cette idée d'investissements différenciés des divers acteurs régionaux et complète les éléments présentés sur l'Arc atlantique selon la perspective d'analyse en termes d'action collective adoptée dans ce chapitre. Nous sommes confrontés d'une part à une différenciation portant sur l'intensité de l'engagement entre les différents acteurs d'une même aire géographique, et d'autre part à une différenciation suivant les sujets de la coopération et ce pour un même type d'acteurs. Ainsi, par exemple, le niveau d'engagement de la région Aquitaine est globalement inférieur à celui des régions Pays-de-Loire, Bretagne et Euskadi. Mais, l'implication de la technopole de Bordeaux dans L'Arc atlantique est forte, c'est elle qui est à l'origine du programme «Technopolis». De même, la CCI Bayonne-Pays basque est très active et a conjointement proposé et mis en œuvre le projet Finarc. L'institution régionale d'Aquitaine fait preuve de dynamisme dans le domaine des infrastructures de communication, mais elle refuse par contre tout engagement dans le domaine de la recherche et de l'enseignement. Ces remarques nous amènent à conclure qu'il est assez délicat de caractériser de manière univoque l'engagement dans l'Arc atlantique d'un ensemble d'acteurs appartenant à une même aire administrative ou territoriale ; le maître-mot semble être différenciation et hétérogénéité. Toute appréhension comparative des implications des unités territoriales constitutives de l'Arc atlantique dans celui-ci devient d'autant plus complexe.

VII. L'Arc atlantique entre coopération et concurrence

On ne peut terminer l'analyse de l'Arc atlantique sous l'angle de l'action collective sans évoquer ce qui est apparu au fur et à mesure de notre enquête comme un élément incontournable : la politisation de l'inter-régionalité atlantique. La prise en compte de cet élément nous éclaire sur une facette de la construction et du fonctionnement de l'Arc atlantique. En effet, au-delà de la coopération, la concurrence politique a été un puissant vecteur de réalisations au sein de l'Arc atlantique. Très rapidement, celui-ci est en effet devenu un enjeu politique. Pour un certain nombre d'acteurs de l'arène politico-administrative évoquée précédemment pour rendre compréhensible l'action entrepreneuriale d'Olivier Guichard, l'Arc atlantique est devenu un moyen potentiel d'accroître son prestige et donc de se positionner par rapport au leader. Cet espace de concurrence se situe au niveau de la représentation et comporte donc une dimension symbolique. En effet, cette arène n'existe pas physiquement mais simplement comme représentation individuelle et collective et confère aux différents acteurs une valeur dans la capacité à représenter. C'est par ce biais qu'est mis en jeu ou conforté le leadership. L'Arc atlantique révèle, tout en étant constitutif, cette arène politico-administrative où les électeurs sont absents et où la réussite ou l'échec n'ont de conséquences qu'indirectes. Parler d'une arène intangible, c'est dire que l'espace de compétition n'est pas objectivé mais subjectif. Toutefois les conséquences des performances dans cette arène sont elles bien tangibles, quoique indirectes. Le propre de la coopération inter-régionale est de se donner un objet adapté à ce type de compétition. Mais cette compétition a des effets sur la coopération et contribue à donner sa forme à l'action collective. Si l'Arc atlantique devient pertinent dans la concurrence, toute action distinctive dans ce cadre est profitable. Alors comme le dit Yves Morvan, «tous veulent en faire plus que l'autre pour s'approprier la suprématie». L'implication dans la coopération atlantique dépend alors des objectifs de chacun des acteurs et de leur besoin de reconnaissance.

L'implication de Jean-Pierre Raffarin semble relever de cette logique avec comme consécration visible l'élection comme président de la commission Arc atlantique en 1994. Cette élection est l'un des effets des efforts déployés par Jean-Pierre Raffarin pour se distinguer par son activisme atlantique. En effet, il apparaît comme celui qui a impulsé l'Atlantic group au sein du Parlement européen en 1992, comme celui qui a obtenu le programme Atlantis et plus globalement comme celui qui défend à Bruxelles les intérêts atlantiques, notamment par la politique du «mitraillage» d'amendements budgétaires au Parlement européen. Les acteurs rencontrés sont unanimes pour reconnaître sa forte implication dans la défense de la cause atlantique. Et si ceux-ci se félicitaient du crédit qu'Olivier Guichard apportait à la coopération atlantique, ils soulignent qu'avec la présidence Raffarin, l'Arc atlantique entre probablement dans une période plus active. On ne peut, à ce niveau, que constater l'importance des représentations et du travail de présentation de soi puisqu'il y a translation de traits individuels à un comportement institutionnel à venir. Mais, la présidence de la commission Arc atlantique n'est qu'un élément parmi d'autres illustrant la réussite dans l'arène politico-administrative de Jean-Pierre Raffarin. En effet, c'est la position politique générale de ce dernier qui est affectée positivement. Dans une perspective réputationnelle, il apparaît comme le leader qui succède à Olivier Guichard et comme «quelqu'un qui monte». Ces impressions sont confortées par des éléments tangibles qui attestent de l'envergure du président du Conseil régional de Poitou-Charentes. Les circonstances de son élection à la présidence de la région rendaient sa positon précaire. En effet, il semble que le président aurait dû être M. Belot (Charentes Maritimes) et que Jean-Pierre Raffarin ait pris l'initiative de rassembler un certain nombre de soutiens pour se propulser à la tête de la région. Or, aujourd'hui, il apparaît sans aucune contestation comme le patron de la région Poitou-Charentes. De même, sa position au sein de l'UDF s'est considérablement renforcée et lui confère une stature politique nationale avec son poste de porte-parole. Enfin, on s'aperçoit en étudiant les conditions de son élection à la présidence de l'Arc atlantique que par la coopération atlantique il a réussi à construire une coalition transnationale le soutenant avec des personnalités de poids comme M. Fraga Iribarne.

L'élection du nouveau président de l'Arc atlantique s'est déroulée en trois étapes. Le président pressenti par Olivier Guichard était M. Fraga Iribarne. Or celui-ci, après avoir donné son assentiment à un tel scénario, fit savoir à Olivier Guichard qu'il renonçait à devenir le nouveau président de l'Arc atlantique. Cette volte-face intervint après un échange épistolaire entre le président de Galice et Jean-Pierre Raffarin. Il ne restait plus alors qu'un seul candidat, le Britannique A. Coulter du *County of Devon*. Conformément aux statuts qui prévoyaient un changement de nationalité du président, ce dernier devait devenir le président de l'Arc atlantique. Or avant l'assemblée générale, les membres britanniques de la commission se réunirent et désavouèrent la candidature d'A. Coulter, Jean-Pierre Raffarin les ayant convaincus de sa capacité à capter des fonds européens, après avoir souligné sa qualité de député européen. Les statuts sont alors modifiés et ce dernier, soutenu par les Britanniques et par une partie des Espagnols, accède à la présidence de l'Arc atlantique. En contrepartie, M. Fraga Iribarne devient le président de l'Atlantic group et du groupe CRPM au Comité des régions. L'Arc atlantique semble donc être devenu un enjeu politique transnational, pour lequel se mettent en place des coalitions et des procédures d'échange de dimension européenne, ce qui contribue à l'émergence d'un espace public européen.

Jean-Pierre Raffarin s'est affirmé par l'Arc atlantique — certains ont parlé de captation — en débordant d'activité et en rivalisant avec un baron du gaullisme à l'envergure incontestable pour la représentation légitime des intérêts atlantiques[11]. Sa réus-

---

11. Il faut noter qu'à l'origine, la compétition n'existe que pour J.P. Raffarin, O. Guichard n'étant pas en concurrence objectivement et subjectivement avec ce dernier. Cependant, les actions de J.P. Raffarin étant orientées par la représentation

site, c'est la représentation de lui-même et des actions qu'il a réussi à imposer et les rétributions indirectes (régions, UDF) qu'elle a entraînées et qui ont en retour contribué à solidifier celle-ci. Ainsi, la politisation de l'Arc atlantique constitue aussi l'un des principes explicatifs du fonctionnement de celui-ci par la concurrence qui s'est instaurée entre acteurs, et ce en lien avec l'existence d'une arène politico-administrative. Cette politisation de l'Arc atlantique, dont la dimension est aussi transnationale, contribue simultanément à l'émergence d'un espace public européen.

Conclusion

L'action collective sur une base atlantique est née grâce à l'action d'un entrepreneur politique, Olivier Guichard. Ce premier aspect constitue l'élément qui est à l'origine du processus de construction de l'Arc atlantique. Ce processus transparaît aussi à travers l'examen des fonctions assumées par le secrétariat de l'Arc atlantique et par les fonds «captés» auprès de la Commission européenne. Ainsi, après le constat du caractère construit de la coopération atlantique, nous pouvons affirmer que ce dernier ne procède pas d'une mobilisation multisectorielle et ascendante. C'est au contraire une logique de la mobilisation descendante qui prévaut. Le pari des promoteurs de l'Arc atlantique consiste à espérer qu'à partir d'un certain seuil, la mobilisation descendante, par l'importance des effets de réalité qu'elle engendre, suscitera une mobilisation ascendante. Les actions volontaires de promotion ont pour objectif d'assurer la pertinence de la dimension atlantique ; cette dimension renvoie à la tentative de constitution d'une réalité, dont l'existence est à la fois proclamée et annoncée. On peut remarquer que le succès de cette entreprise, à savoir la reconnaissance de la pertinence de la dimension atlantique comme dimension appropriée à la représentation des intérêts et à l'action politique, confirmerait le caractère visionnaire de l'initiateur. Nous serions alors face à une situation de prophétie créatrice (Merton, 1965).

Ainsi, l'analyse de l'émergence et de la logique de l'action collective atlantique et le constat de son caractère construit révèlent l'ambition qui la motive, à savoir celle d'une recomposition politique et territoriale de grande envergure dans un cadre européen, nécessitant par là même des changements profonds et multiformes. Mais cette analyse nous révèle aussi l'existence d'une arène politico-administrative qui prend place dans un espace public aux

---

subjective d'une concurrence avec O. Guichard, celles-ci finissent par affecter celui-ci et lui faire percevoir une situation concurrentielle, ce qui, en retour, provoque chez lui des modes d'action ajustés à cette nouvelle situation.

dimensions élargies, et qui trouve dans la coopération inter-régionale un objet adapté à l'échelle de ses concurrences.

Bibliographie

ARCTUAL, n° 1, septembre 1993.

AXELROD R., «The Emergence of Cooperation among Egoists», *American Political Science Review*, vol. 75, 1981, pp. 306-318.

BALME R., «L'action collective rationnelle dans le paradigme d'Olson», *L'Année sociologique*, n° 40, 1990, pp. 263-285.

BECKER Howard S., *Outsiders, Etudes de sociologie de la déviance*, Paris, Métailié, 1985 (1963 pour l'édition originale).

BUDGE I., LAVER M., «Office Seeking and Policy Pursuit in Coalition Theory», *Legislative Studies Quaterly*, XI, 4, november 1986, pp. 485-506.

CEDRE, *Etudes prospectives des régions atlantiques*, Strasbourg, 1992.

COBB R., ELDER C., *Participation in American Politics, The Dynamics of Agenda Building*, The Johns Hopkins University Press, 1983.

FROLICH N., OPPENHEIMER J., YOUNG O., *Public Goods and Political Leadership*, Princeton University Press, 1971.

KINGDON J.W., *Agendas, Alternatives, and Public Policies*, Little, Brown, 1984.

MORVAN Y., *Les régions de l'Ouest européen, analyse économique et perspectives pour une dynamique de rapprochement*, doc. ronéo, août 1989.

MORVAN Y., «*Mais qu'est-ce donc que l'Arc atlantique ?... ou de la nécessité de poursuivre la dynamique des régions de l'Ouest européen*», Colloque OIPR, Bordeaux, mai 1994.

MERTON, *Eléments de théorie et de méthode sociologique*, Paris, Plon, 1965.

OLSON M., *The Logic of Collective Action*, Harvard University Press, 1965.

RIKER W., *The Art of Political Manipulation*, Yale University Press, 1986.

RIKER W., «Political Theory and the Art of Herestethics», *in* A. Finifter (dir.), *Political Science, The State of the Discipline*, APSA, 1983, pp. 47-68.

SCHNEIDER M., TESKE P., «Toward a Theory of the Political Entrepreneur : Evidence from Local Gouvernment», *American Political Science Review*, vol. 86, n° 3, septembre 1992,.

TAYLOR M., *The Possibility of Cooperation*, Cambridge University Press, 1987.

Le Quadrige européen (Bade-Wurtemberg, Catalogne, Lombardie, Rhône-Alpes) ou l'Europe par les régions

par *Pierre Kukawka*

Les études portant sur les coopérations régionales en Europe concernent, dans la grande majorité des cas, les coopérations transfrontalières. Cela se conçoit aisément lorsque l'on sait que l'Union européenne possède plus de 10 000 kilomètres de frontières, dont 60 % sont intra-communautaires. Au total, environ 15 % de la superficie du territoire de l'Union appartiennent à des régions frontalières dans lesquelles vivent près de 10 % de sa population totale[1].

La politique des institutions européennes depuis une vingtaine d'années tend en effet à faire des frontières communautaires des traits d'union alors qu'elles ont souvent été, au cours des siècles, des barrières et des lieux de conflit. Il s'agit désormais de générer des phénomènes d'intégration pour remplacer tout ce qui a concouru naguère aux processus d'exclusion. Le Conseil de l'Europe a très certainement joué un rôle moteur à cet égard, puisque dès 1975 un projet de Convention-cadre européenne en matière de coopération transfrontalière était inscrit au programme de travail intergouvernemental, à la suite de la septième session du Comité de coopération pour les questions

---

1. Ces chiffres sont extraits du rapport *Europe 2000 : coopération pour l'aménagement du territoire*, Commission des Communautés européennes, septembre 1994, et ne prennent pas en compte les trois nouveaux Etats membres, la Suède, la Finlande et l'Autriche.

régionales et municipales, et de l'appel lancé par les ministres responsables des collectivités locales réunis à Paris en novembre 1975[2].

Cette Convention-cadre européenne est finalement signée le 21 mai 1980 à Madrid[3]. Elle propose la création de groupes de concertation entre des collectivités locales étrangères, d'associations transfrontalières de droit privé, d'accords de coordination pour la gestion des affaires publiques locales, ou encore la création d'organismes de coopération intercommunale transfrontalière.

En France, il faut attendre la loi de décentralisation du 2 mars 1982 relative aux «droits et libertés des communes, départements et régions» pour voir reconnaître, dans son article 65, le droit aux régions françaises de coopérer avec des régions étrangères transfrontalières : «Le Conseil régional peut décider, avec l'autorisation du gouvernement, d'organiser à des fins de concertation dans le cadre de la coopération transfrontalière des contacts réguliers avec des collectivités territoriales décentralisées ayant une frontière commune avec la région» (Dolez, Luchaire, Veutroys, 1992).

Craignant un possible empiètement des collectivités territoriales, et singulièrement des régions, dans le domaine des relations internationales, l'Etat français, dans trois circulaires datant de 1983, 1985 et 1987, définit plus en détail dans quelles conditions la coopération transfrontalière entre collectivités territoriales peut s'organiser. La loi du 6 février 1992 apporte de nouvelles précisions, dans son titre V, concernant la coopération décentralisée, en permettant notamment aux collectivités territoriales transfrontalières de recourir à la formule de la société d'économie mixte locale ou à celle du groupement d'intérêt public.

Enfin, la loi d'orientation pour l'aménagement et le développement du territoire du 4 février 1995, dans son titre VI, stipule que «dans le cadre de la coopération transfrontalière, les collectivités territoriales et leurs groupements peuvent, dans les limites de leurs compétences, adhérer à un organisme public de droit étranger ou participer au capital d'une personne morale de droit étranger auquel adhère ou participe au moins une collectivité territoriale ou un groupement de collectivités territoriales d'un Etat européen». Cette même loi précise dans son article 133-2 «qu'aucune convention de quelque nature que ce soit ne peut être

---

2. Rappelons que le Fonds européen de développement régional est créé au cours de cette même année 1975.
3. Elle sera ratifiée par la France le 14 février 1994.

passée par une collectivité territoriale ou un groupement et un autre Etat étranger».

Ainsi, l'essentiel des progrès réalisés en matière de coopération concerne les coopérations transfrontalières. Au début des années 1970, les régions européennes se regroupent dans diverses associations (Kukawka, 1992). Dès 1971, l'Association des régions frontalières européennes (ARFE) est créée par les régions situées de part et d'autre du Rhin ; elle réunit 52 régions frontalières. En 1973 est constituée à Saint-Malo la Conférence des régions périphériques maritimes (CRPM), qui regroupe 70 régions et dont le siège est à Rennes. Trois associations de régions alpines voient le jour entre 1972 et 1982. En octobre 1972 est créée l'Association des régions des Alpes centrales (Arge Alp), constituée de dix cantons, Länder ou régions de Suisse, d'Autriche, d'Allemagne et d'Italie, à l'initiative du Land du Tyrol. Un peu plus tard, en novembre 1978, c'est au tour d'Alpen Adria, Association des régions des Alpes orientales, de voir le jour ; elle rassemble des Länder allemands et autrichiens, des régions italiennes, ainsi que la Croatie et la Slovénie. Enfin en 1982 est créée la Communauté de travail des Alpes occidentales (Cotrao), à l'initiative des régions Piémont et Provence-Alpes-Côte d'Azur. Elle est constituée de trois régions italiennes (Val d'Aoste, Piémont et Ligurie), trois cantons suisses (Vaud, Valais et Genève) et deux régions françaises (Rhône-Alpes et Provence-Alpe-Côte d'Azur). Deux ans plus tard est créée à Düsseldorf la Communauté de travail des régions européennes de tradition industrielle (Reti), constituée au départ de la province belge du Hainault, du Land de Rhénanie du Nord-Westphalie et du Comté du West Yorkshire. Le siège de cette association, dont les membres ont en commun un héritage industriel en crise, se trouve à Lille.

Au fil des années, les régions se regroupent et jouent un rôle de plus en plus marqué dans la construction européenne avec notamment le Conseil des communes et régions d'Europe (1984), la Conférence permanente des pouvoirs locaux et régionaux de l'Europe, créée en 1975 et transformée en Congrès permanent des pouvoirs locaux et régionaux de l'Europe en 1994, et membre du Conseil de l'Europe, l'Assemblée des régions d'Europe (1985) et son Centre européen de développement régional (CEDRE), et enfin le Comité des régions, créé par le Traité de Maastricht, qui succède au Conseil consultatif des collectivités locales et régionales.

On assiste donc, en une vingtaine d'années, à un foisonnement d'institutions et d'organismes qui ont pour vocation de promouvoir le rôle et la coopération des collectivités territoriales en Europe. Cette invention institutionnelle se fait de façon empirique, sans véritable fil conducteur, et avec un certain nombre de redondances. Elle a toutefois le mérite de donner un cadre d'action aux collectivités territoriales qui souhaitent coopérer entre elles au niveau européen. La plupart du temps, une frontière commune réunit les partenaires, quand ce n'est pas trois comme dans le cas de Sar-Lor-Lux, qui regroupe la Sarre, la Lorraine et le Luxembourg, par exemple.

L'originalité de la coopération des «Quatre moteurs pour l'Europe», qui réunit le Land du Bade-Wurtemberg en Allemagne, la Communauté autonome de Catalogne en Espagne, la région Lombardie en Italie et la région Rhône-Alpes en France, est précisément d'être fondée sur un partenariat totalement volontaire, sans que la géographie, l'histoire ou la langue invitent à une telle mise en commun des atouts et des expériences. Aucune frontière commune ne relie en effet ces quatre partenaires, considérés comme faisant partie du groupe de tête des régions de leurs pays respectifs, et comme de véritables «moteurs» du développement économique régional en Europe. Dès lors, ce «Quadrige européen»[4] mérite une attention particulière en tant qu'il donne à lire une nouvelle page de la construction européenne et qu'il pose des questions nouvelles et originales concernant la coopération inter-régionale en Europe.

I. Du bilatéral au multilatéral

Le memorandum instituant la coopération multilatérale entre les quatre régions partenaires, signé en septembre 1988, fait suite à une série d'accords bilatéraux.

Le premier accord bilatéral est signé le 17 juin 1986 ; il s'agit de l'accord de coopération entre la région Rhône-Alpes et le Land du Bade-Wurtemberg, signé par le président de la région, Charles Béraudier, et le ministre-président du Land, Lothar Späth. Ce dernier avait depuis longtemps noué de fructueuses relations de coopération transfrontalières avec la région Alsace, mais désirait, au milieu des années 1980, développer fortement sa politique ambitieuse de relations extérieures, et notamment en direction d'autres régions françaises. Après une démarche infructueuse avec la région Ile-de-France, déjà engagée dans la coopération des régions capitales, c'est finalement sur la région Rhône-Alpes que se porte le choix de Lothar Späth, pour des raisons qui tiennent essentiellement à la similitude des atouts économiques et technologiques des deux ensembles régionaux. Une réelle amitié se

---

4. L'expression a été employée pour la première fois lors d'une communication donnée par Pierre Kukawka, en septembre 1988, à l'occasion d'une rencontre internationale organisée par le CUREI à Grenoble.

noue entre les deux présidents, resserrant et renforçant de ce fait les liens purement officiels.

L'accord bilatéral rappelle en préambule que «la coopération entre les régions est un élément important de la construction de l'Europe». Il s'agit d'un principe maintes fois rappelé ultérieurement par les quatre partenaires, selon lequel les régions permettent un processus de construction européenne plus démocratique car plus proche du citoyen. L'accord précise que les domaines de coopération concernent principalement la technologie, la recherche, le transfert des technologies nouvelles, la coopération économique, notamment entre les petites et moyennes entreprises, la formation initiale et continue, les échanges de jeunesse et la culture.

Cet accord est particulièrement important pour la région Rhône-Alpes qui souhaite ainsi faire la preuve de sa volonté d'ouverture européenne et de sa capacité à se rapprocher des régions les plus performantes d'Europe. Jusqu'à cette date, Rhône-Alpes avait surtout conclu des accords de coopération transfrontalière, dans le cadre notamment de la Cotrao (Communauté de travail des Alpes occidentales), avec des régions italiennes et des cantons suisses. En signant avec le Bade-Wurtemberg, Rhône-Alpes se fait reconnaître comme un partenaire de première grandeur en Europe et se confronte à un Etat fédéré, aux compétences et aux moyens financiers autrement plus importants que les siens. La puissance du Land allemand se reflète comme un miroir qui renvoie à la région française une sorte d'objectif à atteindre, sinon de modèle à imiter.

Durant les deux années suivantes, le Bade-Wurtemberg propose à la région Rhône-Alpes de signer d'autres accords bilatéraux avec ses propres partenaires que sont la Catalogne et la Lombardie. Le 24 mars 1988, une déclaration commune est signée en catalan et en français entre la région Rhône-Alpes et la généralité de Catalogne. La déclaration souligne que les relations institutionnelles entre les deux régions doit favoriser le développement de leurs échanges dans les domaines économique, scientifique, culturel et dans celui du tourisme.

Enfin, au terme d'une visite officielle effectuée en Rhône-Alpes par une délégation de la Giunta (gouvernement régional) et de la Commission pour l'agriculture de la région Lombardie, un accord technique en matière agricole et agro-alimentaire entre les deux régions est signé le 1er septembre 1988. L'accord stipule que les futurs échanges entre les opérateurs économiques des deux régions s'inscriront dans le cadre plus large des liens déjà existants avec la Catalogne et le Bade-Wurtemberg.

Ainsi, durant deux ans, Rhône-Alpes et le Bade-Wurtemberg vont apprendre à se connaître et à travailler ensemble, et au terme de ces deux premières années, la relation bilatérale va se transformer très rapidement en coopération multilatérale. C'est en effet le 9 septembre 1988 que les quatre présidents, réunis à Stuttgart, vont signer le memorandum instituant la coopération des «Quatre moteurs pour l'Europe».

Ce passage du bilatéral au multilatéral est en soi intéressant, car il suppose que les partenaires cherchent à mettre en commun des savoir-faire, des expériences et des atouts, alors même que rien ne les y prépare particulièrement : pas de langue commune, pas de frontière en commun, pas d'histoire qui puisse véritablement les rapprocher. En revanche, tous partagent l'idée que cette expérience originale peut les rendre plus performants et créer, au cœur de l'Europe, une nouvelle dynamique de développement régional. Ils décident donc de former «un groupe de concertation informel, sans caractère institutionnel», et insistent sur un certain nombre de projets prioritaires, concernant l'amélioration des infrastructures, en particulier dans le domaine des télécommunications et des voies de communication, et concernant également la recherche et les technologies. Un projet commun d'exposition des «Quatre moteurs pour l'Europe» est également retenu, dont le financement sera entièrement supporté par les quatre partenaires selon un calendrier défini dans le memorandum : en avril 1990 à Milan, en juin 1990 à Barcelone, en janvier 1991 à Stuttgart, et en avril 1991 à Lyon. Cette présentation doit contribuer à «mettre en contact les habitants des quatre régions et renforcer la connaissance et la compréhension que chacune d'elles a des autres.»

Cette coopération multilatérale s'élargit à la province de l'Ontario qui signe, le 25 juin 1990, une déclaration de partenariat et un protocole d'accord de coopération avec les Quatre moteurs. Des actions de coopération avaient été menées auparavant en matière d'échanges commerciaux et de développement industriel, de recherche et développement, de nouvelles technologies, de développement des ressources humaines, d'amélioration de l'environnement et de promotion culturelle. L'accord vient donc formaliser une série d'actions communes entre les partenaires européens et la province canadienne. Le protocole d'accord, signé à Toronto, est rédigé en anglais, en français, en allemand, en italien et en catalan.

II. Une organisation multi-régionale

Dès le départ, une organisation institutionnelle est mise en place, assurant à ce nouvel ensemble un fonctionnement relativement stable et pérenne (Quatre moteurs pour l'Europe, 1995). La présidence est exercée à tour de rôle par chaque région pour une durée d'un an, selon l'ordre suivant retenu dès le départ : Catalogne, Rhône-Alpes, Lombardie et Bade-Wurtemberg. Il n'y a donc pas de véritable originalité par rapport à la présidence tournante de la Communauté européenne, en dehors d'une durée de chaque présidence deux fois plus longue. La Conférence des présidents se réunit au moins une fois par an pour faire le bilan des actions engagées, approuver le programme des activités de l'année suivante et établir des positions communes sur des thèmes d'intérêt politique, en particulier en ce qui concerne l'Union européenne. Les présidents adoptent à l'unanimité les décisions qui sont signées dans les quatre langues utilisées : le catalan, le français, l'italien et l'allemand.

Un comité de coordination est chargé de suivre les travaux des commissions, de préparer les travaux des présidents et d'assurer le suivi et l'exécution des décisions adoptées en conférence des présidents. Le comité est présidé pendant un an par la région qui assume la présidence, et se réunit au moins trois fois par an. Pour la réunion annuelle des présidents, le comité de coordination élabore un bilan de l'exercice à partir des documents présentés par les groupes de travail et présente aux présidents un projet de programme d'activités pour l'exercice suivant. Il décide librement du lieu de ses réunions, de son organisation et des dépenses qui en découlent.

Progressivement, les objectifs prioritaires initiaux (amélioration des infrastructures de communication et télécommunication, coopération technologique, échanges dans la recherche et la culture) se sont élargis à l'environnement, la formation professionnelle, le développement économique, l'agriculture, la politique sociale, la jeunesse et les sports. A partir ce ces grands domaines de coopération, des commissions de travail ont été créées.

C'est ainsi que quatre commissions, pilotées chacune par une région partenaire, organisent la coopération inter-régionale. Elles sont composées de groupes de travail et de groupes de projet. Les commissions se réunissent au moins deux fois par an en séance plénière pour faire le bilan de la coopération[5].

---

5. Pour indication, le Bade-Wurtemberg préside la commission «Enseignement et Jeunesse» qui comprend les groupes de travail «Enseignement et Recherche» et

De nombreux accords de coopération ont été signés par les régions partenaires depuis le memorandum de 1988. Certains d'entre eux ont été également signés par la province de l'Ontario et par la région du Pays de Galles. Un premier memorandum portant sur les transports et les communications est signé en novembre 1989. Il considère qu'il est indispensable d'améliorer de façon radicale quatre grands itinéraires permettant de faire circuler des trains à grande vitesse. Il s'agit de Catalogne-Rhône-Alpes, Rhin-Rhône, Italie du nord (Milan-Turin)-Rhône-Alpes, et Bade-Wurtemberg-Lombardie. Les partenaires souhaitent que soit également conçu un réseau ferroviaire européen pour les marchandises sur ces mêmes itinéraires. Ils considèrent par ailleurs que les liaisons aériennes devraient être améliorées afin de permettre de faire l'aller-retour d'une région partenaire à une autre en une journée. Concernant les liaisons routières, le memorandum suggère l'ouverture de nouvelles autoroutes pour éviter les goulots d'étranglement dans les Pyrénées et les Alpes.

Une Charte des régions sur l'environnement est signée le 21 novembre 1990, à la suite de l'initiative de la région Rhône-Alpes lors des premières «Rencontres internationales sur l'Environnement» de Charbonnières. La province de l'Ontario est également signataire de cette Charte. Le texte précise les actions à entreprendre concernant l'information, la formation et l'éducation, le maintien des écosystèmes et la diversité biologique, la connaissance de l'environnement et son évolution, la gestion des ressources naturelles et énergétiques, les déchets, les risques naturels et technologiques et les technologies industrielles. Il précise qu'une commission inter-régionale est créée et invite les régions limitrophes et partenaires, ainsi que les régions qui le souhaitent, à s'associer à cette démarche. En 1994, un document très détaillé intitulé «Vers une observation commune de l'environnement» présente les principaux indicateurs environnementaux dans les quatre régions partenaires.

Dans un autre secteur, celui du textile et de l'habillement, un memorandum est signé le 18 octobre 1993 afin de maintenir et développer cette industrie. Le document insiste sur le poids considérable des industries du textile et de l'habillement dans

---

«Jeunesse et Sports». La Catalogne préside la commission «Culture et Affaires sociales» qui comprend les groupes de travail «Arts et Culture» et «Affaires sociales». La Lombardie préside la commission «Economie» qui comprend les groupes de travail «Economie,» «Agriculture» et «Famille et Emploi». La région Rhône-Alpes quant à elle préside la commission «Aménagement du territoire» qui comprend deux groupes de travail : «Transports et Communications» et «Environnement». Enfin, deux groupes de projet «Echanges et Informatique» et «Télérégions» sont animés par le Bade-Wurtemberg.

chacune des quatre régions et sur le fait que celles-ci ont déjà entrepris un important soutien au profit de ce secteur industriel en difficulté. Il a surtout pour objet de demander à la Commission des Communautés européennes l'ouverture réciproque et progressive de tous les marchés mondiaux, la suppression de la piraterie internationale, l'embargo sur la concurrence illégale, l'insertion dans le GATT d'une charte sociale et d'une charte de protection de l'environnement.

Enfin, en février 1995, les présidents des quatre régions signent une «Résolution pour une stratégie européenne des Quatre moteurs». Ils rappellent que le 17 février 1993, lors de leur rencontre à Stuttgart, ils avaient affirmé la nécessité de représenter leurs intérêts régionaux dans les organisations européennes et s'engagent à favoriser la définition d'une stratégie européenne. Leur participation au projet «ECU 2000» peut ainsi être considéré comme le signe d'une «volonté d'être véritablement des régions moteurs sur la scène européenne.»

Les régions partenaires s'engagent donc à renforcer les contacts entre leurs antennes à Bruxelles, et à valoriser leurs actions auprès des instances européennes par une plus grande action de médiatisation de leurs actions auprès de la Commission européenne, du Parlement européen, du Comité des régions, de l'Assemblée des régions d'Europe et du Congrès permanent des pouvoirs locaux et régionaux d'Europe (Conseil de l'Europe). Elles décident de favoriser l'usage plus systématique du logo «Quatre moteurs» à la fois dans les relations internes et externes et d'adopter une position commune dans les diverses institutions européennes ou associations dans lesquelles elles sont présentes. Elles indiquent enfin que dans la perspective de la Conférence intergouvernementale de 1996 sur la réforme du Traité de l'Union européenne, elles chercheront à dégager des principes communs qu'elles envisagent de défendre auprès de leurs gouvernements respectifs et des institutions européennes.

Ce texte est particulièrement important puisqu'il a une portée de politique générale concernant les grands objectifs de cette coopération inter-régionale en Europe, et qu'il dépasse les textes plus habituels consacrés aux grands domaines de l'action publique évoqués par ailleurs, tels les transports, l'environnement, l'industrie textile ou la culture par exemple.

III. Un premier bilan

Après sept années de fonctionnement, les coopérations multilatérales représentent un bilan très intéressant.

Dans le domaine de l'enseignement, de nombreux colloques et séminaires scientifiques ont été organisés, des projets de recherche communs réalisés, un programme d'études en gestion internationale mis en place, des cours de langues pour universitaires et administratifs des établissements d'enseignement supérieurs créés, des rencontres des présidents et recteurs d'université tenues régulièrement.

En matière culturelle, de nombreux projets ont été mis en œuvre : des expositions d'artistes régionaux, des échanges d'artistes plasticiens, une biennale d'art contemporain, des échanges d'orchestre. Dans le domaine des affaires sociales, des Conférences sociales réunissant des intervenants des régions partenaires et de l'Union européenne se sont tenues. La quatrième Conférence sociale a été organisée en Rhône-Alpes en novembre 1995, sur le thème de l'intégration des personnes handicapées. En ce qui concerne l'économie, une conférence pour le développement et la préservation de l'industrie textile en Europe a été organisée, et une coopération des agences économiques régionales mise en place au sein du programme européen SPRINT : de même, une conférence sur l'avenir du secteur de la sous-traitance et de l'industrie automobile a été tenue par les quatre régions partenaires. S'agissant des transports et communications, les présidents des quatre régions ont adopté plusieurs memorandums portant sur la politique ferroviaire communautaire, sur la politique de la Suisse en matière de transit alpin, etc. Concernant enfin l'environnement, un document comparatif relatif aux outils d'observation de la qualité de l'environnement a été publié, des séminaires portant sur la protection de la nature dans les zones protégées, sur l'agriculture et l'environnement ont été organisés, et un catalogue commun des formations existantes en matière d'environnement a été édité.

Chaque année, les commissions tirent un bilan de leurs travaux, permettant d'examiner plus concrètement le travail entrepris par les partenaires, ainsi que leurs projets[6]. A titre d'exemple, nous présenterons les activités de deux commissions : «Enseignement et Jeunesse» et «Economie».

Ainsi, pour l'année 1995, la commission «Enseignement et jeunesse» animée par le Bade-Wurtemberg a organisé un grand nombre d'activités communes :

---

6. Quatre moteurs pour l'Europe, Conférence des présidents des Quatre moteurs pour l'Europe. Bilan des commissions, 17 mars 1995, Charbonnières, 86 p., complété par le document de décembre 1995 intitulé «Les Quatre moteurs pour l'Europe : bilan de l'année 1995».

- *La formation linguistique des cadres administratifs* des régions des Quatre moteurs, plus l'Ontario et le Pays de Galles. Cette formation a été mise en place en 1993 à titre de test et a pour but de faciliter les échanges et la communication entre les régions partenaires par des échanges de fonctionnaires et de professeurs d'université. Le projet prévoit un calendrier d'exécution sur deux ans : 110 participants en 1995 et 200 en 1996.

- *Le projet MIBP (Multiregional International Business Programm)* concerne également les Quatre moteurs plus l'Ontario et le Pays de Galles. Initié en 1992, il vise à promouvoir des relations entre les institutions de l'éducation et la formation post-secondaire et entre les institutions publiques et privées. Le programme commence au début de l'année académique et se poursuit sur l'ensemble de l'année. Il débute par un séminaire de quatre semaines en août et en septembre et se poursuit pour chaque étudiant sélectionné par un an d'études dans l'une des institutions partenaires du MIBP.

Les universités retenues sont Mannheim, Pavie, Barcelone, l'Ecole supérieure de commerce de Lyon, le club des écoles supérieures de commerce de Rhône-Alpes (Grenoble, Chambéry et Saint-Etienne), l'université Jean Moulin de Lyon III, l'European Business Management School de l'université du Pays de Galles et l'université de York en Ontario. Le budget pour 1995-1996 est de 560 000 écus, soit 112 133 écus par région et 9 344 écus par étudiant. Le financement du projet est entièrement assumé par les régions.

- *Le projet Multimédia pour l'éducation et la formation (MULTIMET)* : proposé par le groupe de travail sur l'éducation à distance, il est centré sur le multimédia interactif CD-ROM et sur les communications fondées sur Internet, en vue d'un usage dans le domaine de l'éducation et la formation à distance. L'objectif est de soutenir et développer des systèmes multimédia à l'usage des enseignants et des étudiants. La durée du projet est établie à deux ans, et une demande de cofinancement a été adressée à la Commission européenne.

- *Les rencontres des recteurs et présidents d'université* : elles ont lieu environ tous les 18 mois. La première rencontre s'est tenue à Stuttgart en 1991, la deuxième à Milan en 1992 et la troisième à Grenoble en juin 1995, autour de trois sujets principaux : l'avenir des relations internationales des universités, la question de l'accès de masse à l'université, et le gouvernement des universités. Ces rencontres concernent les universités des Quatre moteurs ainsi que celles de l'Ontario et du Québec.

- _Un séminaire sur la biotechnologie_ s'est tenu au printemps 1995 à Sitges près de Barcelone, réunissant 10 chercheurs de chacune des régions partenaires, soit un total de 60 chercheurs (les Quatre moteurs plus l'Ontario et le Pays de Galles) présentant chacun un exposé sur les principaux résultats de recherche dans le domaine de l'ingénierie des protéines. Ce séminaire s'appuie sur le Centre de référence pour la recherche en biotechnologie de Catalogne, centre sans murs constitué par l'association de plusieurs groupes de recherche en Catalogne.

- _Un séminaire sur les mesures de promotion en faveur de la création d'entreprises d'origine universitaire spin offs_, est prévu en 1996 à Barcelone et concerne les régions des Quatre moteurs. Cette rencontre interrégionale a pour but d'exposer et de présenter des expériences concrètes de création d'entreprises d'origine universitaire.

- _Un séminaire interrégional sur les politiques de transfert de technologie_, concernant les régions des quatre moteurs plus le Pays basque et la Communauté autonome de Valence, s'est tenu les 28 et 29 novembre 1995 à Barcelone. L'objectif du séminaire était de favoriser un échange d'expériences de transfert de technologies par la création d'interfaces entre recherche publique et secteur industriel, en faisant participer des responsables régionaux de la politique de transfert de technologie et des directeurs d'organismes travaillant pour aider ces transferts.

- _Le projet EINS (Electrochemical Sensors for Environmental Measurements)_ sur les senseurs électrochimiques pour les mesures d'environnement concerne les régions des Quatre moteurs et les cantons de la Suisse romande. Il s'agit de développer de nouveaux microsenseurs chimiques afin d'assurer un contrôle en temps réel des espèces chimiques. La durée de la recherche est prévue pour deux ans.

- _Le projet REGE_ sur les régions en tant qu'acteurs politiques dans les politiques communautaires concerne les régions des Quatre moteurs et quatre régions sélectionnées pour leur moindre développement économique : l'Andalousie, la Sicile, le Languedoc-Roussillon et la Basse-Saxe. La recherche s'oriente autour de trois types de travaux : la constitution d'un tableau comparatif des régions à partir de données socio-économiques, culturelles et politiques, la modélisation des relations inter-institutionnelles et enfin des études de cas empiriques sur des opérations qui ont bénéficié d'une intervention communautaire.

La commission «Economie» animée par la Lombardie a également organisé de nombreuses activités et manifestations.

- *La Convention sur la sous-traitance automobile* concerne les régions des Quatre moteurs plus les autres régions industrielles : l'Ontario, le Pays de Galles, le Piémont et le sud de la Suède. La première manifestation s'est tenue à Lyon les 7 et 8 novembre 1995, et a permis aux constructeurs et fabricants d'automobiles de faire part de leurs nouvelles stratégies et de discuter, en ateliers, des relations entre constructeurs et sous-traitants, des coopérations entre sous-traitants, des outils liés à la qualité totale et à l'adaptation structurelle des PME et enfin de la compétitivité à travers l'organisation, la formation et la motivation. Plus de 200 entreprises se sont inscrites à cette manifestation.

- *La coopération dans le secteur textile* concerne les régions des Quatre moteurs et a pour objectif, à la suite de la Convention textile des régions partenaires, de favoriser une coopération économique entre les entreprises du secteur textile. Il s'agit également de présenter des projets communs transnationaux au programme européen RETEX, destiné aux régions où le secteur textile occupe une place économique importante, en vue d'aider les régions à diversifier leurs activités industrielles.

- *La coopération dans le secteur du design* concerne les régions des quatre moteurs afin de favoriser une coopération plus grande entre les entreprises du secteur design des régions partenaires. La Lombardie a présenté un projet de concours de jeunes designers dans le domaine de la création de meubles. Les partenaires sont les centres de design de chaque région.

- *Le programme SPRINT* vise à favoriser les transferts de technologie entre les PME-PMI, centres de recherche et PMI, entre deux établissements ressortissants d'au moins deux Etats membres différents. Les Quatre moteurs ont déjà présenté deux programmes SPRINT qui se sont déroulés entre septembre 1990 et novembre 1991 pour le premier et entre décembre 1991 et avril 1994 pour le second. Le premier contrat SPRINT a développé un programme sur plusieurs points : participation sur des stands communs à des salons se tenant dans l'une des régions partenaires : organisation de colloques sur la recherche appliquée interrégionale sur un thème précis et le transfert de technologie ; accompagnement de partenariats industriels et organisation de missions groupées d'entreprises ; création d'un marché d'échanges des offres et demandes en matière tecnhnologique et lancement d'une étude de faisabilité de mise en place d'une banque de données. Piloté au départ par un organisme du Bade-Wurtemberg, le programme l'est désormais par ERAI de Rhône-Alpes. Les partenaires du réseau sont la STEINBEIS au Bade-Wurtemberg, le CIDEM en Catalogne, le CESTEC en Lombardie et ERAI en Rhône-Alpes (Colletis et Kukawka, 1991).

   - *Le projet «ECU 2000» de l'Institut de l'Ecu* : il s'agit de soutenir le projet proposé par l'Institut de l'Ecu, créé en 1982, qui a pour objet l'étude, l'analyse et l'évaluation des questions économiques, financières et juridiques liées à l'adoption d'une monnaie unique par l'Union européenne. Le projet proposé vise à renforcer le rôle de Lyon et de la région Rhône-Alpes comme centre d'expertise et de conseil dans le domaine de l'Ecu. Il s'agit également de s'appuyer sur la coopération entre les régions partenaires pour faire de ces régions des zones pilotes de sensibilisation au passage à la monnaie unique.

Conclusion

   L'expérience des Quatre moteurs pour l'Europe est à la fois originale et novatrice. Elle est originale en ce qu'elle est née uniquement du volontarisme de quatre des régions les plus dynamiques d'Europe, qui n'ont entre elles aucune frontière commune. L'expérience s'est construite de façon pragmatique, à partir de l'idée que la construction européenne ne doit plus se faire uniquement à partir des Etats mais doit également prendre en compte la contribution des régions.

   Les quatre partenaires se posent, comme les Etats membres de l'Union européenne, la question de l'élargissement. Au cours des sept années de fonctionnement, seul le Pays de Galles en Europe a participé à certaines activités des quatre moteurs. L'Ontario, l'un des «moteurs» du Canada, s'est également joint à plusieurs programmes des Quatre moteurs, qui n'envisagent pas pour l'avenir proche de s'associer à de nouveaux partenaires régionaux.

   La coopération multirégionale fournit certainement une puissance collective qui dépasse les potentiels de chacun des partenaires pris isolément. Elle transforme également l'image que chaque région a des autres et d'elle-même et joue d'une certaine façon un effet de miroir pour les régions qui ont le sentiment d'avoir d'importants atouts économiques et culturels mais de faibles possibilités politiques et institutionnelles. C'est particulièrement le cas de la région Rhône-Alpes qui ne souffre pas trop finalement de ses faibles ressources financières et institutionnelles dans ce partenariat particulièrement asymétrique. Rhône-Alpes et le Bade-Wurtemberg, avec des systèmes d'organisation très différents (Balme, Garraud, Hoffman-Martinot, Ritaine, 1994), se rejoignent dans le leadership de cette coopération.

Originale, cette expérience l'est également dans la mesure où elle réunit des régions puissantes de l'Europe qui toutes, dans leurs pays respectifs, se posent en concurrentes directes des régions et villes capitales. C'est particulièrement le cas de Barcelone par rapport à Madrid et de Milan par rapport à Rome. Les quatre partenaires apparaissent toujours aux toutes premières places nationales pour leurs performances économiques, ou dans les domaines de la recherche, de la formation et de la technologie. Cette position particulièrement forte des quatre régions nous amène à rejeter la classique et parfois simpliste opposition «centre/périphérie» pour lui préférer le concept de «centres périphériques», suggérant ainsi une nouvelle géométrie des territoires régionaux en Europe, avec la constitution de réseaux volontaires de régions non transfrontalières, et sans continuité territoriale entre elles.

Novatrice, cette expérience l'est à plus d'un titre. En premier lieu, elle oblige les Etats à prendre en compte une nouvelle manière de construire l'Europe à partir des collectivités territoriales, et plus spécifiquement des régions. Elle souligne, par ailleurs, le rôle croissant que jouent les institutions européennes, tant à Bruxelles qu'à Strasbourg, en direction des régions. Depuis 1975 et la création du FEDER, la politique régionale communautaire ne cesse de se développer et les réformes des Fonds structurels de 1988 et 1993 témoignent de cette nouvelle ambition. Enfin, la question du fédéralisme en Europe apparaît en filigrane, et même si elle demeure relativement taboue en France, au même titre d'ailleurs, et on peut le regretter, que l'émiettement communal, le cumul des mandats ou la coexistence des départements et des régions, de nouveaux débats portant sur les contours et les formes de construction de l'Europe ne manqueront pas de s'ouvrir dans les années à venir. Le «Quadrige européen», de façon souple et empirique, peut ouvrir la voie à un certain nombre de réflexions intéressantes dans ce domaine.

Bibliographie

BALME R, GARRAUD P, HOFFMAN-MARTINOT V, RITAINE E., *Le territoire pour politiques : variations européennes*, Paris, L'Harmattan, coll. «Logiques politiques», 1994, 304 p.

COLLETIS G., KUKAWKA P., *Les Quatre moteurs pour l'Europe, la coopération scientifique et technologique de la région Rhône-Alpes avec le Bade-Wurtemberg, la Catalogne et la Lombardie*, Grenoble, IEP–CERAT, juillet 1991, 3 vol.

DOLEZ B., LUCHAIRE Y., VEUTROYS A., *Les relations extérieures des régions françaises*, Paris, La Documentation Française, coll. «Etudes et Recherches», 1992.

KUKAWKA P., «La para-diplomatie, un enjeu d'Etat», Communication *aux Cinquièmes Entretiens du Centre Jacques Cartier*, Montréal, 5-9 octobre 1992.

QUATRE MOTEURS POUR L'EUROPE, Secrétariat général, *Bilan de l'année 1995*, décembre 1995, 82 p.

Barcelone et la Catalogne dans l'arène européenne[1]

par *Francesc Morata*

Depuis un certain nombre d'années, on assiste en Europe à deux processus complémentaires : la décentralisation territoriale et l'approfondissement de la construction européenne qui ont pour effet de changer les schémas traditionnels. S'ils restent les acteurs principaux, les gouvernements des Etats membres ne monopolisent plus la scène communautaire. A partir de 1988, la politique régionale de l'Union européenne a connu un développement important, tant en termes financiers que stratégiques. Près de soixante régions européennes disposent à l'heure actuelle de bureaux de représentation à Bruxelles. Il en est de même pour les grandes villes. Les autorités locales et régionales constituent des interlocuteurs nécessaires en vue de la mise en œuvre de nombreux programmes communautaires. Agissant en tant que véritables groupes d'intérêts, elles se sont fédérées au plan européen afin de définir des positions communes, exercer des pressions sur les institutions de l'UE et coopérer entre elles. C'est la défense farouche du principe de subsidiarité, surtout de la part des Länder allemands, qui a conduit à la décision d'établir le Comité des Régions (et des villes), appelé peut-être un jour à devenir la seconde chambre territoriale de l'Europe après le Conseil des Ministres. Compte tenu du manque de transparence qui caractérise les décisions communautaires, la participation des collectivités territoriales aux décisions contribue au développement de la démocratie au sein du système européen.

---

1. Une première version de cet article a été publiée dans la revue *Pôle Sud*, n° 3, 1995, sous le titre : «Le réseau C-6 et l'Eurorégion : l'émergence du suprarégionalisme en Europe du Sud ?».

Dans le contexte actuel de globalisation, d'interdépendance et, donc, de concurrence accélérée, les acteurs territoriaux tendent aussi à valoriser leurs atouts et à combler leurs carences par l'innovation institutionnelle. Villes et régions constituent souvent un chantier d'expérimentation de nouvelles initiatives économiques, de changements politiques et de modernisation culturelle. Elles symbolisent deux conceptions de l'Europe, sinon en conflit, du moins en concurrence : l'Europe des villes et l'Europe des régions. La ville de Barcelone et le gouvernement de la Catalogne incarnent d'une certaine manière ces deux conceptions.

Les pages qui suivent ont pour but essentiel de retracer les stratégies de coopération développées par ces deux acteurs au cours des dernières années au plan européen. C'est pourquoi, après avoir rappelé le contexte théorique dans lequel ce phénomène s'inscrit, on passera en revue les initiatives promues en mettant en relief les structures organisationnelles, les objectifs et les programmes mis en œuvre. Les conclusions nous permettront d'effectuer un certain nombre de remarques sur ce type d'expériences.

I. Le cadre théorique

Des facteurs d'ordre économique, politique et idéologique expliquent l'émergence et le développement de nouvelles formes de coopération inter-régionale et inter-locale en Europe. La globalisation et l'interdépendance élargissent le champ d'activité des autorités sub-étatiques. De même que les gouvernements centraux, celles-ci ajustent leurs comportements en fonction des nouveaux défis nationaux et internationaux. L'interdépendance économique conduit à la diversification de l'agenda international, ce qui a pour effet d'estomper la division traditionnelle entre politique intérieure et politique extérieure (Keohane et Nye, 1978). Des thèmes tels que l'environnement, la santé, les communications, les services sociaux, les transports, l'aménagement du territoire ou la culture, traditionnellement attribués aux collectivités sub-étatiques, apparaissent de plus en plus conditionnés à la fois par les contraintes et par les nouvelles possibilités issues de l'arène internationale (Cappellin, 1991).

L'évolution récente des rapports centre-périphérie en Europe oblige à resituer l'analyse à partir de l'impact du processus d'intégration communautaire sur la redéfinition des unités territoriales et, en particulier, sur l'émergence d'interdépendances fonctionnelles et territoriales (Goldsmith, 1993 ; Sharpe, 1993 ; Morata, 1993). Le transfert de souveraineté en faveur de l'UE et, à la suite du marché unique, le démantèlement en cours des frontières nationales ouvrent la voie à la transformation du concept d'espace politique et, par conséquent, à la reformulation des fonctions tradi-

tionnelles des unités infra-étatiques. Ces changements institutionnels, auxquels s'ajoutent les effets des nouvelles technologies appliquées aux communications et aux transports, aboutissent à trois
stratégies convergentes au niveau local et régional : la concurrence
pour la promotion de nouvelles activités, l'établissement de réseaux
macro-régionaux sur la base d'intérêts communs et, enfin, la pression sur les institutions communautaires.

Sur le plan économique, les nouvelles technologies de la
production et des échanges ont abouti à une nouvelle division internationale et inter-régionale du travail. La concurrence entre les
Etats laisse progressivement la place à la concurrence entre territoires, c'est-à-dire entre des unités plus cohérentes telles que les
régions et les grandes métropoles urbaines (Nijkamp, 1993). D'une
part, celles-ci disposent de ressources et de compétences leur permettant d'exercer des fonctions économiques et sociales essentielles
(transport, énergie, communications, environnement, formation,
etc.). D'autre part, dans certains cas, elles agissent en tant que centres d'innovation, favorisant la diversité sociale et culturelle. Les
régions fortes et les villes métropolitaines luttent dans des arènes
internationale et communautaire dans le but d'attirer des investissements privés et, en particulier, la localisation des centres de
décision. Cette concurrence devient aussi une source d'innovation,
d'efficience et d'action collective (Castells et Hall, 1994). De là
l'importance attribuée à de nouveaux concepts tels que «réseau»,
«synergie» et «milieu innovateur» appliqués au développement régional et local.

L'accroissement des échanges transfrontaliers constitue une
autre variable significative. Les collectivités territoriales doivent
affronter de nouveaux problèmes fonctionnels (environnement, infrastructures, mouvements de personnes et de marchandises, etc.)
qui les poussent à agir au plan international avec comme objectif la
recherche de ressources et de savoir-faire additionnels. En outre, les
mutations technologiques dans le domaine des communications sont
en train de modifier la notion d'espace-temps. Ainsi, la circulation
rapide de l'information favorise la coopération entre les gouvernements territoriaux en termes d'échanges politico-administratifs et
de réseaux inter-organisationnels comprenant des acteurs publics et
privés (Borràs, 1992).

En Europe, l'effet combiné de l'intégration supranationale et
des transformations institutionnelles internes a un impact évident
sur le rôle international des instances territoriales (Keating, 1993).
D'abord, la crise de l'Etat-nation a abouti à la ré-émergence des
anciennes identités culturelles et historiques, alors que la souveraineté apparaît toujours plus fragmentée entre un nombre crois-

sant d'Etats contraints de régler conjointement de plus en plus de problèmes (Loughlin, 1996). Même si le renforcement du niveau intermédiaire peut être considéré comme un ajustement inévitable des Etats unitaires dans le but d'intégrer les nouvelles demandes sociales (Sharpe, 1993), les processus de décentralisation ont affaibli la capacité de l'échelon national à contrôler un certain nombre de politiques publiques, alors que les collectivités territoriales ont été investies de fonctions de mise en œuvre des politiques internes et communautaires (Morata, 1993). En ce qui concerne, par exemple, les communautés autonomes espagnoles, celles-ci assurent à l'heure actuelle près de 30 % des dépenses publiques totales, destinées notamment à la gestion de l'enseignement, de la santé, des services sociaux, de l'aménagement du territoire et de l'environnement. Au plan communautaire, il faut rappeler également les nouvelles possibilités offertes aux régions par le dernier règlement-cadre des Fonds structurels qui prévoit leur participation à l'élaboration et à la mise en œuvre de la politique régionale communautaire à travers le principe du partenariat. De même, en vertu du traité de Maastricht, les ministres régionaux peuvent siéger au sein du Conseil des Ministres en disposant d'un droit de vote lorsqu'il traite de matières pour lesquelles les régions sont compétentes. En outre, on peut se demander si le nouveau Comité des Régions préfigure une éventuelle chambre territoriale des nations et des régions européennes (Mazey et Mitchell, 1993). En tout cas, il symbolise la première réponse institutionnelle aux demandes régionales visant à garantir le respect du principe de subsidiarité au plan communautaire. Enfin, les autorités régionales et les associations de communes ont établi des bureaux à Bruxelles afin de représenter les intérêts publics et privés concernés par les programmes et l'allocation des ressources financières et communautaires. Aujourd'hui, les responsables régionaux et locaux ont des contacts avec les commissaires européens, de même que leurs administrations avec les services de la Commission.

Cependant, un certain nombre de régions, telles que la Catalogne et le Pays basque, ne renoncent pas à exercer un rôle plus influent au plan européen. Ainsi, le gouvernement basque a tenté de négocier récemment avec Madrid un statut particulier au sein de l'UE, qui tienne compte des compétences exclusives qui lui sont reconnues par le statut d'autonomie, en particulier en matière de fonds structurels et de cohésion, d'impôts, de transports et de police. Après une première période marquée par les tensions à l'égard des questions européennes, la stratégie des autorités catalanes est devenue beaucoup plus pragmatique. Elle associe les initiatives unilatérales (par exemple, la création, en 1992, d'un portefeuille pour les «Activités extérieures») à la concertation avec les autorités centrales, dont le meilleur exemple serait l'organisation de la Conférence euroméditerranéenne en novembre 1995 à Barcelone. En tout cas, à la suite des élections générales de mars 1996, les négociations entre la droite espagnole (PP) et les nationalistes catalans (CiU) en vue de la formation du nouveau gouvernement se sont traduites, entre autres, par un renforcement de la participation régionale aux décisions communautaires. Ainsi, les communautés autonomes disposeront d'un délégué, au moins, au sein de la Représentation Permanente espagnole. Elles participeront également aux réunions des comités et des groupes de travail du Conseil et de la Commission. Enfin, l'accord prévoit une amélioration substantielle de la procédure interne de coopération en matière de politique européenne mise en œuvre en 1992.

Le pari européen des autorités territoriales s'accompagne d'un discours idéologique et stratégique qui s'exprime en termes de projet : l'Europe des Régions et l'Europe des Villes. Les deux principaux responsables politiques de la Catalogne, MM. Pujol et Maragall, incarnent ces deux conceptions. Selon le président de la Généralité, M. Jordi Pujol, la présence internationale de la Catalogne reste étroitement liée à la défense de l'identité nationale. Ceci explique la priorité attribuée à l'établissement de rapports privilégiés avec d'autres sociétés présentant des caractéristiques semblables à celles de la Catalogne (Québec, Wallonie, Flandres, Pays de Galles, etc.). Quant à la construction européenne, les régions doivent éviter toute tentation d'imiter les États. Il s'agit, au contraire, d'élaborer de nouveaux concepts de pouvoir et d'action collective, en tenant compte du projet représenté par l'Union européenne. Chaque niveau de gouvernement assure des fonctions différentes et spécifiques dans le contexte de l'intégration européenne et les régions sont les mieux préparées pour renforcer les liens entre les acteurs économiques, sociaux et scientifiques de leurs territoires respectifs. Autrement dit, la constitution de réseaux mixtes, à la fois publics et privés, et la mobilisation des divers intérêts représentent une priorité essentielle. En outre, les acteurs régionaux cherchent à développer des liens de coopération avec d'autres autorités régionales dans la mesure où le processus d'union politique et économique favorisera la restructuration de l'espace européen à partir de macro-régions cohérentes et compétitives : «Il est nécessaire de contrecarrer l'isolement provoqué par la frontière en établissant des liens étroits avec d'autres régions dans le but de construire des espaces géographiques plus larges, susceptibles de jouer un rôle compétitif au plan européen» (Pujol, 1993).

Pour sa part, le maire de Barcelone, M. Maragall, entend souligner le rôle fondamental des villes dans l'articulation de l'Europe : «L'Europe n'existerait pas (...) sans les villes. Sans elles, l'économie, la société, nos cultures seraient très peu susceptibles de se développer. (...) Malgré les moyens des télécommunications modernes, la plupart des inventions et des innovations ont lieu dans nos villes : la recherche, le débat, l'évolution sociale et intellectuelle. L'Europe est essentiellement, et à bien des égards, un système de villes. Même si les villes n'ont pas participé, dès le départ, à la construction de l'Europe communautaire, celle-ci ne pourrait pas se développer et se consolider sans la participation active des villes» (Maragall, 1989). Il s'agit maintenant de compléter la subsidiarité, «c'est-à-dire la proximité, dans le but de garantir que les parties composant cette construction soient solidaires avec les intérêts généraux» (Maragall, 1996). Quant au projet de Barcelone, celui-ci couvre trois dimensions complémentaires : «en tant que ville européenne, centre directionnel d'une macro-région européenne ; en tant que capitale de la Catalogne ; et, enfin, en tant que seconde capitale de l'Espagne» (Maragall, 1996). De là, le besoin d'agir à tous les niveaux. Barcelone n'est «ni la capitale de l'Etat, ni une ville de province (...), par conséquent nous ne pouvons nous permettre ni la routine du pouvoir, ni celle de la domination acceptée (...). Nous devons contribuer à la solution du dilemme de l'Europe, à la construction physique du réseau de l'Europe (...). Barcelone est un centre logistique ; elle veut être la porte du sud de l'Europe» (Maragall, 1996).

II. Barcelone et la Catalogne dans le contexte

La Catalogne (6,1 millions d'habitants et 32 000 km² environ) représente à l'heure actuelle 20 % du PIB et 25 % environ du commerce extérieur de l'Espagne. Il s'agit de la région la plus industrialisée, celle qui attire la plus grande partie des investissements productifs en provenance de l'étranger (35 % en moyenne au cours des dix dernières années). Si l'on tient compte de sa position géographique, la Catalogne peut être définie comme une «région charnière» liant le nord et le sud de l'Europe. Ceci explique qu'elle puisse partager un plus grand nombre d'intérêts communs avec les deux régions françaises limitrophes, Languedoc-Roussillon et Midi-Pyrénées, qu'avec d'autres régions espagnoles (Jouvenel et Roque, 1993). Pourvue d'une forte identité nationale et de ressources institutionnelles et financières remarquables, la Catalogne semble à même de jouer un rôle d'avant-garde parmi les régions européennes.

Concentrant près de 75 % du PIB et 65 % des habitants de la Catalogne, Barcelone constitue l'agglomération métropolitaine la plus importante et la plus peuplée de la Méditerranée nord-occidentale. L'organisation des Jeux Olympiques de 1992 a représenté, pour elle, une occasion historique de régénérer la ville-centre. Celle-ci a été pourvue d'une nouvelle infrastructure territoriale, de technologies d'avant-garde et de services aux entreprises. Les estimations évaluent à près de 50 milliards de francs (1992) le montant des investissements directement ou indirectement liés à l'organisation des Jeux. Confrontée au besoin de tirer le meilleur avantage de ce nouvel environnement urbain, la ville connaît à l'heure actuelle un processus de redéfinition dans le contexte des métropoles europénnes (Borja, 1990). Seule ou en collaboration avec d'autres villes, Barcelone tente aussi de tirer profit des ressources communautaires disponibles.

Cependant, la projection catalane en Europe ne s'explique pas uniquement en fonction de facteurs historiques, économiques ou institutionnels. A ceux-ci s'ajoute également l'activisme européen des deux principaux leaders politiques de la Catalogne : le président Pujol, à la tête du gouvernement nationaliste de la Généralité depuis 1980, et Pasqual Maragall, maire socialiste de Barcelone depuis 1982. Alors que le premier préside depuis juin 1992 l'Assemblée des Régions d'Europe (ARE), le second dirige le Conseil des Municipalités et des Régions d'Europe (CMRE) depuis janvier de la même année. En tant que responsables des deux organisations, qui regroupent l'ensemble des collectivités territoriales européennes, ces deux adversaires politiques ont dû négocier, non sans difficultés, la mise en place du Comité des Régions (CR) en 1994. La composition du bureau politique du Comité est révélatrice de l'importance que les deux leaders attribuent à cette nouvelle institution. Si M. Pujol a renoncé en dernière instance à poser sa candidature à la présidence, au vu des réticences suscitées parmi les représentants des villes et de certains Länder allemands, il a fortement soutenu le premier président, M. Jacques Blanc, président du Languedoc-Roussillon, impliqué avec M. Pujol dans la mise en œuvre de l'Eurorégion trans-pyrénéenne. En même temps, M. Maragall occupe la vice-présidence du Comité, après avoir négocié au préalable le soutien des régions pour accéder à la présidence à partir de 1996. S'ils favorisent les prises de position communes et le dialogue avec les institutions communautaires, ces organismes présentent néanmoins un certain nombre d'inconvénients, tels que la lourdeur des structures et des procédures, l'hétérogénéité institutionnelle, la difficulté d'harmonisation des intérêts idéologiques et territoriaux en présence (surtout, mais pas seulement, au sein du CR), les attitudes réactives face aux problèmes ou des capacités d'adaptation limitées.

C'est pourquoi les collectivités territoriales utilisent des voies alternatives aux formes traditionnelles d'intégration verticale.

A cet égard, la décision de mettre en place le marché unique semble avoir suscité un certain nombre d'initiatives visant à développer des formules innovatrices de coopération au double niveau régional et local, à l'origine desquelles on trouve le gouvernement catalan et la ville de Barcelone. On a affaire à deux modèles ou stratégies de coopération à vocation multiple : transrégionale, donc dépourvue de continuité territoriale, et transfrontalière. Les «Quatre moteurs pour l'Europe» et les «Eurocités» correspondent au premier modèle, alors que l'Eurorégion méditerranéenne et le réseau de villes «C-6» s'inscrivent dans le second. Par ailleurs, «l'Arc méditerranéen des Technologies» et «l'Arc sud-européen» définissent des espaces territoriaux beaucoup plus larges avec des visées mono-thématiques : les transferts de technologie et la modernisation des réseaux de transports. Ces diverses modalités reflètent des stratégies complémentaires de coopération et de pression sur les instances communautaires et nationales. Elles adoptent la forme de réseaux d'intérêts publics et privés, poursuivent des objectifs spécifiques ou multiples et opèrent à travers des structures souples et des procédures informelles de communication.

III. La coopération fonctionnelle

1 - Les *Quatre moteurs pour l'Europe*

Les Quatre moteurs pour l'Europe (QME) constituent un accord de coopération établi en septembre 1988, entre le Bade-Wurtemberg, la Catalogne, la Lombardie et Rhône-Alpes. Cet accord va au-delà des objectifs des conventions traditionnelles de collaboration et d'échange entre autorités régionales puisqu'il comprend des matières telles que les relations économiques extérieures, les transferts de technologie, la promotion de la recherche, la formation professionnelle, les services locaux, la coopération entre villes, l'environnement et les échanges culturels. En outre, les quatre régions, auxquelles se sont associées par la suite l'Ontario et le Pays de Galles, peuvent utiliser conjointement les bureaux d'information et de promotion économique établis par chacune des parties dans des pays tiers.

La composition du groupe révèle d'emblée une caractéristique commune : on a affaire à des régions en pointe dans leurs pays respectifs. De fait, l'association des Quatre moteurs naît de la conviction selon laquelle, en raison de la diversité institutionnelle, politique et socio-économique, l'ARE ne constitue pas l'instrument le plus indiqué pour exercer une influence substantielle sur les principaux centres décisionnels communautaires et nationaux. En revanche, moyennant une action d'ensemble et la définition de politiques communes, les quatre partenaires espèrent pouvoir jouer un rôle beaucoup plus important dans le processus d'intégration européenne. De leur point de vue, les Fonds structurels, indispensables pour garantir le développement des régions les plus faibles, oublient les besoins des régions les plus fortes, précisément celles dont la contribution devient fondamentale pour l'ensemble de l'économie européenne. C'est pourquoi ils réclament une attention spéciale qui devrait se traduire par des incitations et des aides financières, dans le but de garantir la concurrence avec le Japon ou les Etats d'Amérique du Nord.

Par ailleurs, il est intéressant de souligner la nature informelle des coopérations établies. Au-delà des rencontres périodiques des quatre présidents, de la constitution de groupes de travail et de l'échange de délégations des différentes administrations (Four Motors for Europe, 1991), il a été décidé de ne pas créer d'institutions spécifiques afin de favoriser les initiatives de base, c'est-à-dire celles des entreprises, des centres de recherche et autres agents publics et privés. En tout cas, la politique d'innovation technologique apparaît comme le domaine de coopération privilégié. Par ailleurs, la ressource principale ne provient pas des financements publics, mais de l'offre de services de base nécessaires pour accéder aux réseaux internationaux de technologie (Four Motors for Europe, 1991).

Une étude réalisée dans le cadre du programme Monitor-Fast lancé par la DG XII de la Commission européenne, à partir de plusieurs cas de coopération bilatérale ou multilatérale auxquels ont participé des institutions publiques des quatre régions, apporte des éléments de réflexion intéressants pour une évaluation de la coopération en matière de recherche et développement (Bacaria, 1992). Celle-ci révèle, en effet, que les régions sont en mesure de jouer un rôle fondamental dans la promotion d'un environnement propice au développement technologique et que la coopération avec d'autres régions est à même d'en multiplier les effets. L'échange de connaissances et la mise en commun de ressources, même entre régions non contiguës, peut engendrer des effets et des interdépendances à l'avantage de tous. Pour les entreprises, elle permet d'éviter les doublons en matière de recherche, de tirer parti des complémentarités régionales, d'exploiter les économies d'échelle et d'agglomération et de réduire les coûts de transaction entre les agents des régions impliquées.

L'expérience de coopération des Quatre moteurs peut être analysée en termes d'action collective à partir de la constitution de réseaux inter-organisationnels entre les diverses autorités publiques, les universités ou les centres de recherche et le secteur privé. Ces collaborations sont susceptibles de renforcer la légitimité politique des autorités régionales, à condition d'offrir de plus larges

ressources, un pouvoir d'influence plus grand et de meilleures opportunités aux autres acteurs concernés. Autrement dit, l'alliance
des quatre régions tend à générer des réseaux de coopération
privilégiés conduisant à l'établissement d'un cadre organisationnel
commun, à la fois public et privé, dont les effets économiques seraient sans doute plus difficiles à atteindre à travers les mécanismes traditionnels du marché (Colletis, 1991).

2 - *Les Eurocités*

Vers la fin des années 80, Barcelone a participé à la création
du réseau transeuropéen des Eurocités, qui regroupe à l'heure actuelle près de soixante-dix villes de plus de 250 000 habitants.
L'association trouve ses origines dans une conférence des grandes
villes européennes tenue en 1986 à Rotterdam sous le titre : «La
grande ville : moteur de la croissance économique». A la suite de
cette rencontre, les villes participantes — Barcelone, Birmingham,
Francfort, Lyon, Milan et Rotterdam — ont montré leur intérêt à
maintenir et à développer des contacts réguliers. Un comité conjoint
fut chargé d'organiser en 1989 une deuxième conférence à Barcelone («L'Europe des villes»), qui consacra la naissance officielle des
Eurocités, et une troisième à Lyon, en 1990 («La communication
entre les Eurocités»), à laquelle participaient déjà trente-deux villes.
La quatrième conférence, tenue à Birmingham en 1991 sous le titre
« L'Europe en transition : notre réponse en commun», permit de
consolider la structure de l'association, de clarifier ses objectifs et
d'évaluer les premiers résultats des tâches entreprises. La huitième
des conférences en date, qui eut lieu à Bologne en novembre 1995,
s'intitulait : «Vers une Europe nouvelle : le rôle des villes — une
charte des villes européennes».

Les principes inspirateurs du réseau soulignent le rôle des
villes en tant que sources d'innovation économique et d'intégration
culturelle et sociale. Plus de 80 % de la population européenne vit
dans les villes et plus de 50 % dans les grandes villes. Celles-ci sont
les centres nerveux des zones métropolitaines qui les entourent et
les pôles de développement des régions intérieures. Par le biais de la
coopération fonctionnelle entre ses membres, le réseau des Eurocités se pose en tant qu'instrument essentiel de cohésion territoriale
au sein de l'UE. L'organisation réclame aussi une plus grande attention politique et des aides financières en faveur des villes de la
part de Bruxelles. Selon le Manifeste de Barcelone (Eurocities,
1989), «l'Europe connaît un processus accéléré d'intégration politique, économique et culturelle. Les États ont été logiquement les
protagonistes de la construction européenne et, d'une manière progressive, les régions ont obtenu la reconnaissance et l'attention
économique de la part des organismes communautaires (...)».

Cependant, «l'Europe intégrée de 1992 ne peut se développer qu'à partir d'une inter-relation intense entre ses parties : c'est aux villes que revient ce rôle». Or, sur le plan institutionnel, les villes et les régions urbaines n'ont pas encore été reconnues, et ce malgré la création du Comité des Régions, comme des acteurs appelés à intervenir dans les différentes étapes du processus décisionnel ou dans la mise en œuvre des politiques communautaires. C'est pourquoi, depuis leur création, les Eurocités n'ont cessé d'adresser des demandes et des propositions aux institutions communautaires et, en particulier, à la Commission[2].

A l'heure actuelle, seul le programme communautaire URBAN, doté de 600 millions d'écus de 1994 à 1999, est explicitement consacré aux villes. Il est destiné à favoriser la recherche sur les problèmes sociaux dans les grandes villes, à encourager les programmes d'aide sociale et de reprise économique et à améliorer l'environnement.

La Déclaration de Lisbonne de 1993 énonce les principaux objectifs du mouvement (Eurocités, 1994) :

1) Obtenir la reconnaissance politique du rôle des villes en Europe et, en particulier, d'Eurocités.

2) Poursuivre la coopération étroite entre les villes membres des Eurocités, par le biais des commissions et des groupes de travail établis. Celle-ci doit permettre aussi le développement de nouvelles politiques, ainsi que l'échange et la formation d'experts.

3) Promouvoir les droits des citoyens et assurer leur participation au processus démocratique.

4) Collaborer étroitement avec les institutions internationales.

5) Coopérer avec d'autres organisations européennes d'autorités locales.

Il s'agit, donc, d'une part, d'établir un réseau de collaboration entre les villes en Europe et d'en promouvoir les intérêts réciproques en leur qualité de centres de développement économique, technique, social et culturel ; et, d'autre part, de représenter ces intérêts dans le cadre des institutions de la Communauté eu-

---

2. Par exemple : *Réaction au Livre Vert de la Commission européenne sur les initiatives communautaires* (septembre 1993) ; *Déclaration sur les défis de la démocratie urbaine* (octobre 1993) ; *Manifeste politique d'Eurocités* (octobre 1993) ; *Réaction au Livre Vert de la Commission sur l'initiative communautaire «Urban»* (mars 1994) ; *Le nouveau Parlement européen: un manifeste pour les villes* (avril 1994) ; *Vers une politique urbaine européenne élargie* (septembre 1994) ; *Charte des villes européennes* (septembre 1995).

ropéenne afin d'influer sur leurs décisions et obtenir des subventions pour le développement des politiques urbaines.

Ces objectifs correspondent aux tâches assignées aux commissions instituées lors des conférences de Barcelone (1989) et de Lyon (1990).

En matière d'affaires sociales, la Commission, présidée à l'heure actuelle par Barcelone, a organisé des conférences sur les réfugiés et sur la situation des jeunes et des handicapés dans les villes. La DG XXII a contribué au financement d'un projet d'éducation interculturel (DIECEC). D'autres projets ont été présentés dans le cadre du programme Socrates. Les villes intensifient les échanges de leurs expériences communes en matière d'intégration sociale. En outre, l'un des volets de l'initiative «Urban» consiste à promouvoir l'emploi au plan local.

Concernant la coopération technologique, le réseau des Eurocités doit sa naissance, à bien des égards, au programme communautaire POLIS, basé sur l'échange de technologies pour la gestion du trafic des grandes villes, auquel participent à l'heure actuelle plus de trente villes. La Commission a lancé d'autres programmes, tels que EMCON (réseau d'information sur la gestion urbaine), SIMI-STIIC (information municipale) et «Best Practice» (réseau d'information sur les contacts villes/entreprises au niveau européen). D'autre part, le programme européen Télécités, qui examine l'usage de la télématique dans la ville, réunit à l'heure actuelle une cinquantaine de villes membres des Eurocités[3].

---

3. Dans le domaine de la culture, on cherche surtout à promouvoir les échanges entre villes et, en particulier, à faciliter l'expression des cultures minoritaires et à combattre le racisme et la xénophobie. Pour l'environnement, la Commission représente les Eurocités auprès de la DG XII (*Sustainable Cities*). Elle a participé au Livre Vert sur l'environnement urbain, à la mise en place d'indicateurs en matière de développement urbain et à la définition de critères environnementaux à insérer dans les programmes opérationnels pour les objectifs 1 et 2 des Fonds structurels. En ce qui concerne le développement économique et la régénération urbaine, il s'agit de participer à la formulation de la politique économique de l'UE ; suggérer des actions communes au Parlement européen, à la Commission et aux autorités nationales et régionales ; développer des projets de coopération susceptibles d'être financés par l'UE et impliquer les autres associations de villes et de régions intéressées au problème du changement économique en milieu urbain. Par ailleurs en matière de transports et de communications, la Commission participe aux réunions du groupe d'experts sur les télématiques appliquées aux transports routiers, instituées par la DG XIII de la Commission européenne. Elle participe également au groupe de travail de la DG VII sur le transport urbain dans le cadre du programme EURET et du programme DRIVE. La Commission est responsable de la mise en place du projet communautaire «Villes sans voitures». De même, le projet «Villes numériques européennes» (DG III) rassemble les activités entreprises dans le domaine des télématiques par Eurocités, Télécités, POLIS et le réseau «Villes sans voitures». Enfin, un groupe de travail «Est/Ouest» s'est

La direction de chaque commission est attribuée à une ville pendant une période déterminée. Celle-ci est responsable de la co-ordination et de l'organisation des réunions ; elle présente un rap-port écrit chaque semestre au comité exécutif et l'informe des ini-tiatives communautaires relevant de son domaine d'activité ; elle est chargée de déterminer les projets susceptibles de bénéficier de fi-nancements communautaires et, enfin, de coordonner les relations entre l'UE et le secrétariat. L'activité des commissions, sous-commissions et groupes de travail reflète la volonté des Eurocités de tirer parti des avantages comparatifs en termes de «savoir-faire» de chaque ville dans un secteur donné, au bénéfice des autres villes. En même temps, le réseau des Eurocités constitue une source per-manente d'information pour tous ses membres afin que ceux-ci puissent l'utiliser dans leurs rapports avec leurs autorités nation-ales et locales respectives.

Les Eurocités s'organisent autour d'une assemblée générale, d'un comité exécutif et d'un secrétariat installé à Bruxelles depuis 1992. Enfin, en vertu d'un accord entre Eurocités et Eurométro-poles, les deux associations ont décidé de fusionner à partir de 1996. La nouvelle association gardera le nom et l'identité d'Eurocités, mais s'ouvrira aux universités, chambres de commerce et munici-palités des métropoles européennes (Eurocités, 1995).

IV. La nouvelle coopération transpyrénéenne

1 - Le réseau C-6

Le réseau de villes C-6 regroupe depuis 1989 six villes-capitales des deux côtés des Pyrénées — Barcelone, Montpellier, Palma de Majorque, Saragosse, Toulouse et Valence — dans le but de former une macro-région méditerranéenne dans le cadre de l'Union européenne. Deux contraintes principales, liées aux récen-tes vicissitudes politiques et économiques de Barcelone, fournissent une hypothèse explicative à la création du réseau. D'abord, le besoin de repenser le rôle de Barcelone, en particulier à la suite de l'abolition, en 1988, de son autorité métropolitaine[4] par la majorité nationaliste du Parlement de Catalogne (Morata, 1992). Ensuite, le besoin de profiter de l'élan économique provoqué par l'organisation des Jeux Olympiques de 1992. Dès 1988, la ville de Barcelone s'est

---

constitué en 1995 dans le but de promouvoir l'intégration des villes de l'Est de l'Europe, dans la perspective de la future adhésion de leurs Etats respectifs à l'UE.
4. Présidée par M. Maragall, l'ancienne autorité métropolitaine de Barcelone regrou-pait vingt-sept communes et une population totale de près de 3,5 millions d'habitants. Suivant le modèle conservateur appliqué à l'agglomération londonienne, la plupart des fonctions attribuées à l'autorité métropolitaine ont été transférées à de nouvelles agences fonctionnelles rattachées au gouvernement catalan.

engagée dans la formulation d'un plan stratégique et social («Barcelona-2000») visant à promouvoir la cité et son agglomération métropolitaine dans les contextes espagnol et européen. Le plan soulignait de façon particulière les défis que la ville devrait affronter dans le futur immédiat (PEESa, 1990), à savoir les conséquences de l'entrée de l'Espagne dans la Communauté et les nouvelles perspectives liées à la mise en place du marché unique ; la création d'une macro-région européenne dans un rayon de 350 km autour de Barcelone et l'articulation d'un système urbain au sein de cette région ; et les transformations résultant des Jeux Olympiques en termes de réaménagement urbain, d'innovation technologique et de développement économique.

Après avoir assumé la direction du processus, la municipalité a réussi à impliquer les principaux acteurs publics et privés de la ville et de la région métropolitaine. Ainsi, le comité exécutif du plan comprend une dizaine d'institutions (parmi lesquelles la municipalité, la chambre de commerce, le patronat, les syndicats, la foire, le port et l'université), responsables de l'établissement d'analyses et de stratégies communes. En outre, le Conseil général regroupe environ deux cents organisations représentatives des divers intérêts en présence (ville, administration centrale, région, entreprises et agences publiques, associations professionnelles, partis politiques, institutions financières, multinationales, médias, Église, etc.).

Quant au processus de mise en œuvre, dix-neuf groupes composés des représentants des organisations engagées dans la phase de formulation furent chargés de développer les lignes stratégiques du plan. Chaque groupe devait élaborer des rapports périodiques faisant état des actions entreprises pour la mise en œuvre, le suivi et l'evaluation des différentes mesures.

Le second plan stratégique, adopté en novembre 1994 (PEEsb, 1994), insiste sur la nécessité de garantir le rayonnement international de la ville à partir d'un certain nombre d'objectifs essentiel : le développement d'activités et d'infrastructures liées à la mobilité, à la logistique et à la distribution des marchandises et des personnes, aux nouvelles technologies de l'information ; le développement du pôle universitaire de Barcelone ; l'amélioration du pouvoir d'attraction internationale de la ville ; le renforcement de la cohésion territoriale dans le but de créer un pôle de croissance économique intense en Méditerranée nord-occidentale, notamment à travers la macro-région C-6 ; la spécialisation de la ville dans des branches concrètes d'activité dans le but d'accroître ses avantages comparatifs au plan européen ; l'articulation d'une politique de coopération avec l'Amérique latine, la participation aux programmes de coopération et d'échanges avec l'Afrique du Nord et la promotion des investissements productifs dans cette zone.

Comme nous l'avons indiqué, un des principaux buts du premier plan stratégique visait à la création d'une macro-région à partir d'un réseau de six capitales. La constitution officielle de celui-ci date de septembre 1990, à la suite d'une proposition du maire de Barcelone adressée à ses homologues des cinq autres villes. Au préalable, un comité d'experts avait été chargé d'explorer les possibilités de coopération entre les six villes.

Le projet C-6 s'inspire largement des Eurocités, tout en reflétant une plus grande homogénéité territoriale et des objectifs plus spécifiques (Négrier, 1994). L'une des particularités les plus significatives du réseau tient au fait qu'il s'articule à partir d'un système de villes équidistantes de Barcelone. En outre, ces six métropoles offrent des caractéristiques assez identiques : un poids économique et démographique considérable au plan régional, l'impact économique de chaque ville sur son hinterland et, enfin, leur condition de capitale politique et administrative régionale. Concernant leurs structures économiques respectives, les six régions présentent aussi des traits communs (Carreño, 1991) caractérisés par le poids dominant des PME, une présence importante des entreprises multinationales, le développement du secteur touristique, des structures de production orientées vers l'exportation, un réseau de communications insuffisamment développé, des politiques d'innovation de la gestion économique et de promotion des affaires au niveau local, et enfin des valeurs liées à la culture méditerranéenne.

La Déclaration de Saragosse, signée par les six maires en 1991, souligne l'existence d'intérêts communs et la volonté partagée d'établir des rapports de collaboration stables à partir des principes suivants :

1) Dans le cadre du système des villes européennes, le C-6 affirme des spécificités fondées sur la complémentarité économique, la contiguïté territoriale, l'interpénétration des hinterlands respectifs, les flux de communications et de transports et, enfin, l'appartenance à l'arc occidental de la Méditerranée.

2) La dynamique urbaine de chacune des villes, ainsi que les efforts visant à améliorer la qualité de la vie et l'accessibilité devraient générer des synergies susceptibles d'accroître leurs atouts économiques.

3) L'échange effectif d'innovations entre les villes et les agents économiques et sociaux devrait permettre de définir une stratégie de transformation et de développement de l'ensemble.

4) Le réseau devrait contribuer au renforcement des processus en cours d'intégration et de cohésion territoriale en Europe.

Au-delà des problèmes posés par l'absence de moyens formels susceptibles de permettre l'institutionnalisation effective du réseau (celui-ci a récemment adopté la forme d'un groupement européen d'intérêt économique), la structure organisationnelle exprime une option nettement confédérale. Il a été décidé, en effet, de mettre en place un comité exécutif présidé semestriellement par chacune des villes selon l'ordre alphabétique. Les différentes tâches sont assurées par six comités techniques de coopération, réunissant des experts de chaque métropole, en matière de tourisme, d'université, d'informatique, de centres historiques, d'environnement et de communications. Chaque ville assume les responsabilités de coordination d'un comité. Dans un futur immédiat, le réseau s'élargira aux villes de Cagliari et/ou de Porto afin de pouvoir bénéficier des financements communautaires qui exigent la participation de partenaires d'au moins trois Etats membres.

2 - L'Eurorégion

Instituée le 19 octobre 1991 par une charte signée par les présidents de la Catalogne, du Languedoc-Roussillon et de Midi-Pyrénées, l'Eurorégion est définie comme une association régionale de coopération transfrontalière. Ce document concrétise les efforts menés depuis 1989 à travers des accords de coopération spécifiques et la mise en place d'une conférence annuelle des trois présidents. L'Eurorégion regroupe 10,6 millions d'habitants, sur une superficie totale de 105 000 km², plus vaste, par exemple, que celle du Benelux, de l'Irlande ou du Danemark. Elle cherche à promouvoir des relations plus étroites entre les trois régions sur la base de leurs caractéristiques et intérêts communs (Eurorégion, 1993). Ses deux principaux objectifs sont, d'une part, le développement des politiques de coopération et l'accroissement des échanges entre leurs acteurs économiques et culturels, et, d'autre part, le renforcement du rôle moteur de l'ensemble au sein du marché unique, favorisant ainsi l'intégration européenne et le rééquilibrage de l'Europe au profit des régions du Sud.

Ces objectifs doivent être atteints grâce à la mise en œuvre de trois types d'actions :

- des projets de coopération inter-régionale et transfrontalière décidés et engagés directement par les trois régions ;

- des projets élaborés conjointement et présentés dans le cadre des politiques communautaires, permettant à l'Eurorégion de maintenir des relations au plus haut niveau avec l'Union européenne et d'en devenir un interlocuteur privilégié ;

- des projets convergents d'actions coordonnées, menées simultanément dans chacun des Etats impliqués.

Il s'agit, par conséquent, de mettre en place un cadre de collaboration susceptible de favoriser le développement économique, scientifique et culturel commun par des programmes généraux et sectoriels et la promotion internationale de l'Eurorégion.

En outre, l'accord entend poursuivre l'association des collectivés locales frontalières, universités, centres de recherche, chambres de commerce, organisations professionnelles, etc. Les trois régions participent, par exemple, au programme communautaire de coopération transfrontalière INTERREG.

La structure organisationnelle comprend quatre types d'organe : la Conférence des présidents, le Comité tripartite de coopération, les groupes de travail et le secrétariat. Les présidents se rencontrent généralement une fois par an pour analyser le développement de la coopération et adopter le programme pour l'année suivante. Cependant, ils peuvent se réunir à tout moment s'ils estiment devoir adopter une position commune face à une question importante. Formé par de hauts fonctionnaires régionaux, le Comité tripartite est chargé de coordonner les actions menées par les trois administrations et de préparer un programme annuel des opérations à développer au sein de l'Eurorégion. Il assure aussi le suivi des actions, en propose de nouvelles et fixe les moyens budgétaires.

Quant aux groupes de travail, ils réunissent les experts régionaux responsables de l'application des différentes mesures. Les tâches de coordination se répartissent à parts égales entre les trois régions, chacune d'elles assurant la mise en œuvre des programmes sectoriels et la coordination de deux groupes.[5]

Le bilan des années 1994-1995 (Eurorégion, 1995) est révélateur de l'action de l'Eurorégion en tant que lobby et instrument de coopération inter-régionale. Il faut remarquer d'emblée la grande

---

5. La coordination s'opère selon le schéma suivant :
- communications et télécommunications/culture, tourisme, jeunesse et sports pour la Catalogne ;
- entreprises, environnement économique et formation professionnelle/environnement et qualité de la vie pour Midi-Pyrénées ;
- recherche-développement et transferts de technologie/agriculture, pêche et aquaculture pour le Languedoc-Roussillon.
Les priorités s'orientent surtout vers les échanges d'expériences en matière de programmes communautaires auxquels participent les trois régions, l'amélioration des interventions et communications transfrontalières, le développement des échanges commerciaux, professionnels, universitaires et culturels, et la coopération en matière d'espaces naturels transfrontaliers et d'environnement.

multiplicité des micro-interventions promues par les différents groupes de travail (près d'une centaine). Nous nous contenterons ici d'évoquer les projets revêtant une dimension stratégique. D'abord, en matière d'infrastructures, les présidents des trois régions sont intervenus en faveur des projets de TGV Sud Europe/Méditerranée et Grand Sud auprès de toutes les instances nationales et communautaires compétentes. Faisant suite à la décision des sommets communautaires de Corfou et de Cannes d'inscrire la ligne TGV Madrid-Montpellier parmi les projets prioritaires de l'UE, les gouvernements espagnol et français ont approuvé le projet de TGV Montpellier-Barcelone, dont la mise en service est prévue pour 2002. Il faut signaler aussi la participation de l'Eurorégion à la construction du tunnel de Puymorens dont le but consistait essentiellement à créer une liaison directe Toulouse-Barcelone. En outre, un programme de coopération transfrontalière pour le développement de réseaux de coopératives de production a été lancé, qui devrait faire l'objet d'un co-financement communautaire INTERREG. Dans le domaine de l'enseignement supérieur, de la recherche et des transferts de technologies, les actions déjà entreprises concernent prioritairement le soutien aux laboratoires européens associés, l'appui à la mise en œuvre de symposiums et de colloques afin de permettre les échanges entre scientifiques et chefs d'entreprises des trois régions, et la réalisation d'outils destinés à l'élaboration de projets communs (statistiques communes, atlas de l'Eurorégion, annuaires des universités et instituts de recherche et des centres de transfert de technologie).

Si, en dépit de leurs spécifités, l'Eurorégion et le C-6 poursuivent des objectifs comparables avec des stratégies parfois identiques et, le plus souvent, complémentaires, l'absence de coordination entre les acteurs impliqués reste frappante. Au-delà des rivalités qui opposent leurs promoteurs respectifs, à savoir les deux principales institutions catalanes et, en particulier, leurs leaders, on a affaire, en tout cas, à deux conceptions concurrentes de l'intégration européenne fondées sur la disparition des frontières traditionnelles : l'Europe des régions et l'Europe des villes. Alors que les responsables de la ville de Barcelone soulignent leur volonté de promouvoir exclusivement des initiatives locales, la Généralité ne manque pas de rappeler le rôle moteur des trois régions. Il n'en reste pas moins que, sur bien des plans, les deux projets restent interdépendants. En outre, les six villes tendent à dominer progressivement leurs hinterlands respectifs, ce qui a pour effet de provoquer des conflits avec les autorités régionales. On ne saurait oublier que le projet C-6 reste lié, à bien des égards, à l'affrontement institutionnel entre le gouvernement catalan et la ville de Barcelone à propos de la gestion des politiques métropolitaines.

V. Les initiatives visant à articuler l'Arc méditerranéen

1 - L'Arc méditerranéen des technologies

La Catalogne participe aux côtés de sept autres régions italiennes (Ligurie, Piémont et Lombardie), françaises (Languedoc-Roussillon, Provence-Alpes-Côte d'Azur et Midi-Pyrénées) et espagnoles (Valence) à l'Arc méditerranéen des technologies (AMT), constitué en groupement européen d'intérêt économique en 1990. L'AMT représente la manifestation d'une stratégie d'alliance inter-régionale pour promouvoir un axe économique méditerranéen par le développement des coopérations technologiques et de la promotion du transfert de technologie vers les PME. Il s'agit également de renforcer l'image transnationale de l'Europe du Sud en établissant un réseau de collaboration technologique à partir des capitales des régions impliquées : Valence, Barcelone, Toulouse, Montpellier, Marseille, Gênes, Turin et Milan.

La structure opérationnelle du groupement comprend des coordonnateurs régionaux, en même temps responsables dans leurs régions respectives des agences publiques de recherche et de promotion économique. En outre, un comité technique, formé de représentants désignés par chacune des régions, a la mission de proposer aux membres du groupement les objectifs généraux, les stratégies à mettre en œuvre, les plans d'action et les procédures de suivi et de contrôle des actions proposées. Quant aux services offerts, ceux-ci couvrent un éventail allant de l'information sur les ressources technologiques disponibles dans chaque région, à l'appui au montage de projets européens, en passant par l'organisation de rencontres d'entreprises ou à la recherche de partenaires pour les laboratoires et les entreprises. L'organisation assume également la tâche de diffuser les offres et les demandes de technologies.

Du point de vue pratique, l'AMT s'organise à partir d'une vingtaine de groupes de travail sectoriels composés d'experts publics et privés. A la fin de 1994, ceci a permis d'atteindre les résultats suivants : l'élaboration d'un inventaire des centres de calcul en Europe du Sud ; le recensement de plus de trois cent cinquante organismes de transfert de technologies dans les huit régions ; la réunion de spécialistes et de chercheurs à l'occasion des Rencontres agronomiques méditerranéennes ; des rencontres d'entreprises agro-alimentaires ; et l'élaboration de programmes européens (Sprint, Med'Invest et Recherche dans le domaine de l'agro-industrie et de la pêche).

En tant que groupement européen d'intérêt économique comprenant des régions de trois Etats membres, l'AMT est en mesure de bénéficier plus facilement des financements communautaires. Son action tend, d'une part, à faire reconnaître son action et à obtenir un label et, d'autre part, à appuyer les programmes élaborés dans le cadre des groupes de travail. De même, un recensement des lobbies actifs auprès de chaque partenaire a été entrepris pour les sensibiliser à l'action du groupement.

2 - L'Arc sud-européen

L'AMT se trouve à l'origine de l'Arc sud-européen (ASE) constitué en 1995 sous le titre : «Un partenariat inter-régional actif pour répondre au défi de l'Europe». Expression de la nouvelle dynamique sud-européenne, l'association inter-régionale de l'ASE, regroupant les régions qui s'étendent de la péninsule ibérique à l'Italie et au-delà vers l'Europe centre-orientale, a pour vocation de devenir un outil stratégique de mobilisation et de concertation en vue du développement économique et de l'accroissement des échanges entre les régions qui la composent. Face aux nouveaux enjeux de la construction européenne, l'objectif consiste avant tout à attirer l'attention des institutions communautaires sur la nécessité de privilégier la réalisation des réseaux d'infrastructures de l'Europe du Sud. Il s'agit en particulier de promouvoir les infrastructures ferroviaires mixtes à grande vitesse et d'améliorer la complémentarité des réseaux ; de favoriser le développement des liaisons aériennes intercontinentales ; de valoriser les flux d'échanges et de promouvoir un fonctionnement des réseaux des villes principales du sud de l'Europe afin de rééquilibrer un développement économique et des infrastructures trop concentrées au nord ; et enfin de développer les relations est-ouest et nord-sud.

Conclusion

Au stade actuel, une évaluation complète des expériences décrites paraît encore prématurée, d'autant plus que certaines d'entre elles en sont encore au stade du démarrage. A de rares exceptions près, nous ne disposons pas encore d'études empiriques faisant état du fonctionnement réel de la coopération au sein des diverses associations ni de leur apport effectif en termes d'innovation institutionnelle et politique. Il serait nécessaire de procéder à des analyses spécifiques concernant, par exemple, la perception des diverses expériences parmi les élites politiques et économiques, la mise en œuvre effective des programmes, le montant des moyens financiers appliqués ou le degré d'implication des acteurs économiques et sociaux. Il semble donc préférable de conclure avec un certain nombre de remarques destinées à souligner aussi bien les coïncidences et les divergences que les potentialités et les limites de ce genre de coopération.

D'abord, toutes les expériences sont directement liées à la nouvelle dynamique communautaire. Celle-ci pousse les acteurs locaux et régionaux à chercher des partenaires pertinents dans le but de faire pression sur les centres décisionnels communautaires, outrepassant, si nécessaire, le niveau national (et même régional s'agissant des villes). En même temps, le démantèlement des barrières économiques nationales encourage l'émergence de nouveaux modèles de coopération inter et trans-territoriale allant au-delà des formes traditionnelles de coopération transfrontalière. Ceci tend à constituer de nouveaux espaces d'intégration suprarégionale en Europe du Sud, visant à renforcer son potentiel de concurrence vis-à-vis de l'Europe du Nord.

Une telle stratégie est tout à fait cohérente avec le principe de subsidiarité. En effet, la redistribution rationnelle des fonctions entre les différents niveaux de gouvernement (UE, État, régions et villes) implique une coopération intense entre les unités sub-étatiques dans le but de générer des externalités ou des économies d'échelle. Les espaces naturels communs, les transports collectifs, les résidus urbains et industriels ou la pollution transfrontalière peuvent faire l'objet d'une gestion beaucoup plus efficace à partir d'unités plus larges. Comme pour les États, l'absence de contiguïté territoriale au niveau local ou régional ne saurait faire obstacle au développement de formes de collaboration dans les domaines d'intérêt commun (transfert de technologie, échange d'expériences et de moyens, participation aux programmes communautaires, etc.).

Les collectivités territoriales présentent deux types d'avantages liés à la proximité des citoyens (information et contrôle démocratique) et à la disponibilité de ressources techniques, financières et administratives de plus en plus importantes. Par conséquent, les bénéfices d'une action commune dépassent largement ceux d'une action isolée ou centralisée. Sur cette base, le suprarégionalisme – avec ou sans contiguïté territoriale – apparaît comme un système potentiel de régulation et de gestion autonome articulé au plan européen. Le phénomène est moins nouveau qu'on ne pourrait le croire. L'expérience du fédéralisme américain à partir de la constitution du «troisième niveau de gouvernement», autrement dit avec les agences de coopération entre plusieurs États, est suffisamment explicite à cet égard (Majone, 1992).

Du point de vue analytique, le concept de «réseau politique» appliqué aux diverses études de cas présente un intérêt particulier dans la mesure où il traduit une nouvelle tendance ou style de gouvernement au niveau infra-étatique. De plus en plus, les possibilités de légitimation à travers la mise en place des politiques publiques dépendent de la capacité de mobilisation des groupes économiques et sociaux et de la création du consensus à partir de la négociation et de la coopération dans la poursuite d'objectifs communs. Les autorités régionales et locales tendent à agir en tant que «promoteurs» ou «médiateurs» politiques alors que la Commission elle-même favorise la constitution de réseaux – par exemple, en matière de politique régionale ou d'innovation technologique – en raison surtout des difficultés suscitées par le système décisionnel communautaire (Kholer-Koch, 1993). Par ailleurs, la notion de réseau s'applique aussi aux accords de coopération entre les diverses collectivités territoriales. Ceci ne fait que traduire, encore une fois, la mutation en cours du territoire en Europe, à partir du moment où une même unité est en mesure de participer simultanément à plusieurs réseaux indépendamment de leur continuité ou discontinuité spatiale. Dans une Europe sans frontières, la rigidité des juridictions administratives laisse progressivement place à la souplesse et à l'expérimentation. De nouveaux espaces de coopération fonctionnelle se multiplient, se superposant aux espaces physiques.

Dans ce contexte, il faut remarquer le rôle entraînant de la Catalogne : «le nord du Sud». Il s'agit, en effet, d'une région stratégique pourvue d'atouts institutionnels, politiques, socio-économiques et culturels dont elle tire parti au plan européen. Le gouvernement régional et la ville de Barcelone se sont efforcés de définir un cadre de coopération avec leurs partenaires respectifs à partir de la définition d'intérêts communs, ce qui permet à la fois de renforcer la cohésion interne et la visibilité externe des différents groupes d'acteurs. La démarche catalane s'explique en fonction de facteurs objectifs, mais aussi à partir du *leadership* du président de la Catalogne et du maire de Barcelone, de leur capacité à formuler un projet liant le local/régional au devenir de l'Europe.

Les disparités institutionnelles et politiques méritent également une certaine attention. S'agissant, par exemple, de l'Eurorégion, alors que la Généralité de la Catalogne dispose de ressources financières, politiques et organisationnelles consistantes, les deux partenaires français dépendent beaucoup plus de la volonté des responsables au niveau local et national pour décider et mettre en œuvre leurs programmes. Ces inégalités sont moins évidentes au plan local, ce qui n'empêche pas – dans les deux cas – l'apparition de problèmes liés aux différentes cultures politico-administratives, à l'étendue des juridictions, aux écarts socio-économiques et, enfin, à la disponibilité de ressources humaines, techniques et financières. En tout cas, la capacité de mobilisation des groupes organisés reste, on l'a vu, un objectif et une condition essentielle au succès des expériences en cours.

Plus généralement, il faut rappeler les contraintes traditionnelles propres aux structures de coopération entre autorités
infra-étatiques. La coopération internationale accentue les
problèmes de communication et de gestion publique. Ceci explique
pourquoi elle doit être considérée, avant tout, comme un processus
d'apprentissage mutuel. L'efficience n'apparaît qu'à moyen ou long
terme, lorsque la structure est en mesure d'assurer un ajustement
réciproque et l'adaptation de chaque membre aux tâches assignées,
le suivi permanent des responsabilités partagées, la transparence
financière et l'évaluation de chaque projet en termes de coûts-
bénéfices.

On peut remarquer que l'absence de contrôle démocratique
ou, si l'on veut, le technocratisme qui caractérise les diverses associations est directement corrélé à leur faible degré d'institutionnalisation. Les limitations légales imposent des contraintes importantes aux différents acteurs. Paradoxalement, elles semblent aussi
favoriser l'innovation institutionnelle, moyennant l'expérimentation
de nouvelles formes d'action collective au plan européen.

Bibliographie

BACARIA J., «Quatre Motors Per a Europa : Análisi d'un experiment
de coperació cintífica i tecnológica entre les regions de Catalunya,
Baden-Württemberg, Lombardia i Rhône-Alpes», rapport du projet :
Análisi de la Cooperació, Universitat Autónoma de Barcelona, 1992
(non publié).

BARCELONA, «Barcelona y el Sistema Urbano Europeo», Barcelona,
EUROCIUDAD, 1, 1990.

BORJA J., «Politicas para la ciudad europea de hoy», *in Barcelona y
el Sistema Urbano Europeo, cit.*, 1990.

BORRAS S., «The New Dimension of Region's Policies on Innovation :
Guidelines and Conceptual Framework for a Future Analysis of
Four Regions», Institut Universitaire Européen, juin 1992 (non
publié).

CAPPELLIN R., «The International Role of Regional Economies : the
Scope of Interregional Cooperation in Europe», rapport présenté au
Symposium on Interregional Cooperation, Institut Universitaire
Européen, Florence, 29-30 juin 1991.

CARREÑO L., «La Red de las 6 Ciudades (C6)», communication au colloque *Bilan et projets de la société de l'Arc méditerranéen*, Nîmes, 9 novembre 1991.

CASTELLS M. et HALL P., *Las tecnópolis del mundo*, Madrid, Alianza Editorial, 1994, pp. 27-29.

COLLETIS G., *Les Quatre moteurs pour l'Europe : la coopération scientifique et technologique*, CERAT, Institut d'Etudes Politiques de Grenoble, 1991 (non publié).

EUROCITIES, *Magazine*, 2, 1994.

EUROCITIES, *Magazine*, 4, 1995.

EUROREGIO-EUROREGION, Barcelona : Direcció General de Planificació i d'Acció Territorial de la Generalitat de Catalunya, 1993.

EUROREGION, *Bilan 1994/1995*, 1995.

FOUR MOTORS FOR EUROPE, «The Four Motors For Europe. Analysis of a Cooperation Experiment», *Rapport final*, juillet 1991 (non publié).

GOLDSMITH M., «The Europeanisation of Local Government», *Urban Studies*, vol. 30, n° 4/5, 1993.

JOUVENEL H. (de) et ROQUE M.-A. (éd.), «Catalunya a l'Horitzó 2010», Barcelona, *Enciplodèdia Catalana*, 1993, pp. 271-290.

KEATING M., «Regionalismo, Autonomía y Regímenes Internacionales», *Working Paper*, Barcelona, Institut de Ciències Polítiques i Socials, 1993.

KEOHANE R.O. and NYE J.S. Jr., *Transnational Relations and World Politics*, Harvard, Harvard University Press, 1972.

KOHLER-KOCH B., «Regions as Political Actors in the Process of European Integration», Proposal for a Research Project, MZES, University of Mannheim, 1993.

LOUGHLIN J., *Nation, State and Region in Western Europe* (en cours de publication).

MAJONE G., « Subsidiarity and Mutual recognition : implications for local, regional and national politics in a unified Europe», Conférence à l'inauguratiuon du Master en Administration publique, UAB, décembre 1992.

MARAGALL P., «Présentation», Eurocités, Conférence de Barcelone 1989, Barcelona, Ajuntament de Barcelona.

MARAGALL P., «Pour un langage européen», Bilan de l'année 1995, Discours au Collège des Journalistes de Barcelone, El País, 25 janvier 1996.

MAZEY S., MITCHELL J., «Europe of the Regions : Territorial Interests and European Integration : The Scottish Experience», *in* S. Mazey et J.J. Richardson (éd.), *Lobbying in the European Community*, Oxford, Oxford University Press, 1993.

MORATA F., «Regions and the European Community : a Comparative Analysis of Four Spanish Regions», *in* R. Leonardi (éd.), *The Regions and the European Community*, London, Frank Cass, 1993.

MORATA F., «Pla Estratègic, Xarxes Polítiques i Macroregió», *in* F. Morata (éd.), *Govern Local*, Barcelona, Departament de Ciència Política de la UAB-PPU, 1992.

NEGRIER E., «Réseaux de villes, Europe et régions frontalières», *in* R. Louraire et *al.*, *Services urbains, réseaux de villes et nouvelles technologies de communications*, rapport final, CEPEL, Montpellier, septembre 1994, pp. 182-194.

NIJKAMP P., «Towards a Network of Regions : The United States of Europe», *European Planning Studies*, vol. 1, n° 2, 1993.

PEES (a), *Pla Estratègic Econòmic i Social Barcelona 2000*, Associació Pla estratègic Barcelona-2000, Barcelona, Ajuntament de Barcelona, 1990.

PEES (b), *II Pla Estratègic Econòmic i Social Barcelona 2000*, Associació Pla Estratègic Barcelona-2000, Barcelona, Ajuntament de Barcelona, 1994.

PUJOL J., *Paraules del President de la Generalitat*, Barcelona, Departament de la Presidencia, 1993.

SHARPE L.J., *The Rise of Meso Government in Europe*, London, Sage,1993, pp. 1-39.

La deuxième vague de coopération inter-régionale en Allemagne : les partenariats de la Hesse

par le *groupe de recherche «Coopération inter-régionale en Europe» de l'université de Gießen*[1]

En Allemagne comme dans d'autres pays européens, les implications politiques des niveaux de gouvernement infra-étatiques sont devenues, au cours de ces deux dernières décennies, un élément essentiel de controverse. Outre l'Etat central (le *Bund*), les collectivités décisives sont les seize Etats fédéraux (*Bundesländer* ou *Länder*) qui disposent de compétences législatives, administratives et financières très étendues. Néanmoins, la plupart des décisions sont prises par la voie d'un système d'interpénétration politique, de coopération et de concertation entre Bund et Länder : il s'agit là du fameux principe de *Politikverflechtung*, fortement enraciné dans la réalité politique allemande (Scharpf, Reissert, Schnabelt, 1976 ; Reissert, 1995). Depuis une modification de l'article 23 de la Constitution en 1992, qui réglemente la participation des Länder à la politique européenne du Bund, on parle même d'une double imbrication de ces pouvoirs (*doppelte Politikverflechtung*) entre les Länder, le Bund et l'Union.

Ce sont des évolutions globales et notamment européennes qui sont responsables de ce nouvel intérêt pour les collectivités ré-

---

1. Le groupe de recherche «Coopération inter-régionale en Europe» est dirigé par le professeur Dieter Eißel et rassemble les docteurs Udo Bullmann et Ralf Sänger, ainsi que Heiko Bennewitz, Olga Dobrev, Alexander Grasse, Björn Paeschke. La traduction de cet article a été préparée par Christoph Schaumburg et Björn Paeschke.

gionales. Elles impliquent les régions du fait de l'érosion de la capacité de régulation de l'Etat national et de la recherche d'une organisation politique optimale à l'intérieur de cet Etat (Skocpol 1985, p. 21). La globalisation et le cumul des défis économiques, écologiques et sociaux exigent des réponses à la fois complexes et spécifiques, des solutions *ad hoc* qui s'appliquent directement au plan régional. Parfois, l'administration centrale semble dépassée par ces défis. Face à ce scénario, la renaissance de la «politique territoriale» en République fédérale a motivé les Länder à changer les grandes lignes de leur politique. Au lieu de faire porter leurs efforts sur l'enseignement et la culture, comme le veut la tradition, ils se sont concentrés depuis les années 70 sur le redressement et la stabilisation de l'économie. Les stratégies économiques que les différents Länder poursuivent selon des conceptions politiques variées et à différents degrés forment donc des champs d'action politique relativement nouveaux.

De plus, le processus d'intégration européenne a, d'une part, accéléré la centralisation politique, mais, d'autre part, par une sorte de mouvement inverse, a aussi renforcé l'intérêt porté aux acteurs régionaux et locaux (Eißel, 1994). Pour assurer l'efficacité de sa politique régionale, la Commission européenne cherche davantage des partenaires situés directement dans les régions. Même si l'Etat central joue parfois encore son rôle de courtier (*gate-keeper*), on trouve dans la nouvelle Europe des formes très complexes de gouvernement à niveaux multiples (*multi-level-government*) qui confèrent aux instances infra-nationales un statut de plus en plus autonome (Marks, 1992).

La politique européenne des Länder allemands se voit directement influencée par ces développements. Par le biais de la chambre haute, le *Bundesrat,* et à travers leur influence à Bruxelles, les Länder essaient ensemble de conforter leurs prérogatives dans le processus d'intégration européenne. Ils recherchent avec d'autres régions importantes la création de dynamiques politiques fédérales et aimeraient voir se renforcer la position du «troisième niveau», c'est-à-dire régional, au sein de l'organisation politique européenne. En ordre dispersé et souvent en se concurrençant les uns les autres, ils essaient de réaliser leurs propres stratégies de développement économique en l'articulant à une démarche européenne, qui leur est bien souvent suggérée.

Dans ce contexte, la coopération inter-régionale se présente surtout comme un terrain d'expérimentation. Au sein d'activités de plus en plus européanisées, elle devient aussi, pour les gouvernements des Länder les plus influents, une question de prestige. Elle permet aux acteurs politiques de se débarrasser d'une image «provinciale» et de faire preuve — notamment de façon symbolique — de leur capacité à agir et à penser dans une dimension européenne. Ce sont les Länder dominants dans ce domaine (la Rhénanie du Nord-Westphalie, le Bade-Wurtemberg, la Bavière, et, essayant de les rejoindre, la Hesse) qui utilisent les relations internationales d'une manière plus stratégique pour coordonner leur position politique au sein des régions européennes, particulièrement en vue d'un «marketing» réciproque pour renforcer la compétitivité des PME-PMI et pour leur ouvrir de nouveaux marchés. Par contre, les relations d'échanges entre acteurs et groupes sociaux, comme les chercheurs, les syndicats, les mouvements sociaux indépendants, les artistes, sont plus rarement évoquées dans les proclamations d'intentions qui fondent les partenariats internationaux.

Ce chapitre examine les enjeux de la coopération inter-régionale dans le cas des Länder allemands. La première section envisage les conditions légales et plus globalement institutionnelles sur lesquelles reposent ces coopérations, en indiquant comment le fédéralisme est travaillé par ces évolutions. La deuxième section propose une étude de cas empirique centrée sur la Hesse et ses différentes régions partenaires en Europe. En examinant les modalités d'une «deuxième vague» de coopération, suivant celle inaugurée par le Bade-Wurtemberg avec les Quatre moteurs, on cherche à estimer les synergies effectivement suscitées par les coopérations inter-régionales. La conclusion souligne la personnalisation des relations ainsi instaurées et la prévalence des logiques bi-latérales sur l'intégration multi-latérale.

I. Le gouvernement de troisième niveau en Europe : le cas de l'Allemagne

Cette section examine successivement le statut des Länder dans le système politique allemand et leurs compétences dans l'intégration européenne avant d'envisager leur ouverture aux politiques de coopération.

1 - Le statut légal des Länder dans le système politique allemand

Comparés à leurs équivalents européens[2], les Länder allemands bénéficient d'une position institutionnelle privilégiée, qui se reflète dans la Constitution de la République fédérale allemande : le *Grundgesetz* (GG). Dans le souci de restaurer la démocratie après la dernière guerre, la création d'un Etat fédéral, marqué par un véri-

---

2. En ce qui concerne les compétences des régions dans les pays membres de la Communauté, cf. Engel, 1993.

table partage du pouvoir entre l'Etat et les collectivités territoriales, apparaît comme la solution la plus sûre. La première version du GG, datant du 23 mai 1949, disposait déjà d'une clause de subsidiarité (art. 30), d'après laquelle l'exécution du pouvoir étatique relève de la compétence des Länder, si le GG ne prévoit pas un autre règlement. Ces compétences très larges sont concrétisées dans les articles 70 I (pour la législation) et 83 (pour l'administration). Dans le domaine de la juridiction, les Länder bénéficient aussi d'une grande autonomie. Néanmoins, la majeure partie du pouvoir législatif revient au gouvernement fédéral, le Bund. Le fait que certaines compétences législatives sont concurrentes (*konkurrierende Gesetzgebung*) est particulier à l'Allemagne. Cela signifie que les Länder peuvent intervenir dans les espaces de législation «libres», là où le Bund n'a pas encore créé ses propres lois. Les compétences les plus importantes des Länder s'étendent à la justice, l'ordre public, l'enseignement, l'aménagement du territoire, la politique économique et le contrôle des collectivités territoriales subordonnées : les arrondissements (*Kreise*) et les communes.

La règle de collision de l'article 31, dont le principe «*Bundesrecht bricht Landesrecht*» (le droit fédéral domine sur le droit du Land) fixe la priorité du droit fédéral, permet une autre exception du principe de subsidiarité. De plus, la République fédérale en tant qu'«Etat fédéral démocratique et social» (art. 20 I GG) doit obéir au principe constitutionnel de la *Bundestreue* (fidélité à la fédération) qui oblige Bund et Länder à se respecter mutuellement dans le cadre de l'ordre fédéral. Cette répartition des compétences ne peut être modifiée que dans des cas particuliers et dans des circonstances spécifiques, mais pas sur le principe (Degenhart 1991, p. 186 sq.).

Les relations avec d'autres Etats sont à l'origine une compétence exclusivement réservée au Bund (art. 32 I GG). Cela comprend non seulement la conclusion de traités de droit international, mais aussi toutes les mesures concernant les affaires étrangères. Par conséquent, toute la représentation diplomatique et consulaire est dans les mains du Bund (Seifert, Hömig 1985). Toutefois, l'article 32 II oblige le Bund à prendre connaissance de l'opinion du Land avant la signature d'un traité se rapportant à la situation spécifique et au droit du Land concerné.

Conformément aux compétences fondamentales, réglementées dans les articles 30 et 70 I, les Länder ont quand même le droit de conclure des traités avec des Etats étrangers, mais uniquement avec l'accord du Bund et dans le cadre de leurs propres compétences législatives (art. 32 III). En même temps, cet article n'exclut pas le droit du Bund à conclure des traités, même dans un domaine de la législation relevant du Land. Dans les années 50, cette sorte de tutelle législative a conduit à un conflit permanent entre Bund et Länder qui n'a pu être réglé qu'avec le *Lindauer Abkommen* (l'accord de Lindau) datant du 14 novembre 1957. Ainsi, les Länder concèdent au Bund le droit de conclure des traités internationaux qui touchent la legislation du Land, à la condition que le Bund ait non seulement consulté le Land mais ait obtenu son accord. Suivant le principe de la «fidélité à la fédération», les Länder sont, de leur côté, obligés d'adapter leur droit au contenu du traité en question (Degenhart, 1991). Pour la réalisation de l'accord de Lindau, une commission permanente a été créée, fonctionnant aujourd'hui encore comme un organe de communication et de coordination entre le Bund et les Länder ainsi qu'entre chacun d'entre eux. Même si cet accord ne dispose pas du statut de loi, il a fait ses preuves en tant que *modus vivendi* et son succès est évident. Depuis sa signature, qui remonte presque à quarante ans maintenant, il n'y a pas eu un seul conflit constitutionnel entre Bund et Länder concernant l'application de l'article 32.

La capacité des Länder à remplir leurs nombreuses responsabilités exige une dotation financière importante. La répartition des revenus entre Bund et Länder est réglée dans les articles 104 et suivants du GG et a été précisée par la réforme financière de 1969. L'article 104 a I, ajouté en 1969, constitue, jusqu'à présent, le principe de *gesonderte Aufgabenverteilung* (répartition spécifique des tâches). Cela implique surtout une séparation des budgets, c'est-à-dire que Bund et Länder doivent financer toutes leurs activités sur leurs propres budgets. La seule exception est représentée par des tâches déléguées par les services gouvernementaux aux Länder (*Auftragsverwaltung*) qui sont, logiquement, financées par le Bund. Un système de partage des revenus fiscaux assure une grande indépendance financière aux Länder. Actuellement, les Länder et les communes reçoivent plus de 40 % des revenus fiscaux publics (Lensch, 1994, p. 105). Il existe aussi deux procédures de péréquation financière (*Finanzausgleich*) : entre le Bund et les Länder d'une part, entre les Länder eux-mêmes d'autre part. Cette compensation relève de la volonté de préserver l'uniformité des conditions de vie.

2 - Les compétences des Länder dans le processus d'intégration européenne

En Allemagne, le processus d'intégration européenne et les implications du droit communautaire ont d'abord été ressentis comme une menace portée sur les compétences des Länder. Dès 1957, après la ratification des traités de Rome, le Conseil fédéral (le *Bundesrat*) a créé une commission pour les affaires communautaires, afin de coordonner la position des Länder et celle du Bund sur des questions concernant la Communauté. De plus, l'article 2 de la Loi de ratification des traités de Rome prévoit que le gouvernement fédéral informe le Parlement et le Conseil fédéral en permanence sur les décisions du Conseil européen et du Conseil de l'EURATOM. Les craintes des Länder n'étaient donc pas infondées. L'article 24 GG permettait surtout au Bund de limiter les compétences des Länder par le biais de Bruxelles. Il donnait au Bund la possibilité de transmettre des droits de souveraineté aux institutions communautaires inter-étatiques par une simple loi. Cela pouvait alors concerner aussi bien la législation du Bund que celle des Länder.

La nouvelle «poussée d'intégration» déclenchée par l'Acte unique européen (AUE) de 1986 a donc convaincu les Länder qu'il fallait doter leur collaboration informelle sur les questions communautaires d'une base juridique plus solide. La Loi du 19 décembre 1986 concernant l'AUE oblige ainsi le Bund à informer les Länder le plus tôt possible des projets les concernant. Si des négociations au niveau européen portent atteinte à la législation exclusive des Länder, le Bundesrat a le droit de formuler un avis. Le gouvernement fédéral doit respecter cet avis dans l´élaboration du texte du traité, sauf s'il existe des «raisons non opposables relevant des politiques étrangères ou des principes d'intégration européenne» qui interdisent la prise en compte de cet avis (Borchmann, 1994, p. 111). Sur demande, des représentants des Länder peuvent participer aux négociations avec le Conseil européen ou la Commission. Sur le plan institutionnel, le Bundesrat a réagi en 1988 en créant une *Kammer für Vorlagen der Europäischen Gemeinschaft* (Chambre pour présentation des projets de la Communauté européenne). Cette chambre, qui regroupe des représentants de chaque Land, doit préparer et négocier des projets urgents ou confidentiels concernant d'un côté des Länder et de l'autre la Communauté. Les délibérations de cette chambre ont la même valeur que celles du Bundesrat lui-même[3].

Lors de la réforme du GG après l'unification allemande et les discussions sur le traité de Maastricht, les Länder ont demandé, par la voie de la commission constitutionnelle commune du Bundestag et Bundesrat, l'inscription de leurs droits de «politique étrangère» dans la nouvelle Constitution. Au centre de leurs intérêts, on trouve d'abord la protection de leurs compétences déjà existantes : la reconnaissance du droit des Länder à coopérer avec des Etats, régions et institutions étrangers et l'intégration du contenu de l'accord de Lindau dans le GG. En outre, les Länder faisaient valoir, dans le contexte de l'article 24, la nécessité d'une approbation du

---

3. Cf. § 45 b du règlement des affaires du Bundesrat. Ce règlement fait l'objet de nombreuses discussions entre les constitutionnalistes en Allemagne.

Bundesrat quant à la transmission des droits de souveraineté ainsi que la possibilité explicite d'entretenir leurs propres relations avec la Communauté, y compris la transmission des droits de souveraineté des Länder aux organisations internationales (Leonardy, 1994, p. 151). Ce vœu a été réalisé avec l'insertion d'un alinéa Ia dans l'article 24. D'après cet alinéa, les Länder ont le droit de transmettre, dans le cadre de leurs compétences, leurs droits de souveraineté aux institutions internationales transfrontalières, mais sous condition d'une approbation du gouvernement fédéral.

Dans le cas d'un éventuel désaccord entre Bund et Länder, la Loi du 12 mars 1993 sur la coopération entre Bund et Länder au niveau de l'Union européenne définit le vote du Bundesrat comme déterminant, si la décision est prise à la majorité des deux tiers. Cette contrainte ne paraît pas trop limitative, au vu de l'expérience des gouvernements des Länder. D'éventuelles différences d'orientation politique mises à part, ceux-ci ont souvent fait preuve d'une grande unité quand leurs compétences étaient menacées. Une autre revalorisation du rôle des Länder sur le plan européen se manifeste par le fait qu'un représentant du Bundesrat participe en tant que délégué allemand aux séances des groupes de travail ou même du Conseil européen, si le sujet négocié fait partie d'une compétence exclusive des Länder[4].

Face aux institutions européennes, les ministres-présidents des Länder ont essayé très tôt de faire entendre leur voix. Dans les dix «thèses de Munich», formulées le 1er octobre 1987, ils demandaient de bâtir la nouvelle Europe en suivant des principes fédéraux (Hessische Landeszentrale f. politische Bildung, 1988). Dans une délibération du 24 octobre 1990, le Bundesrat a concrétisé ses idées en posant quatre exigences clés :

- l'ancrage du principe de subsidiarité dans les traités sur l'Union européenne ;
- la participation des représentants des Länder et régions au Conseil des Ministres ;
- la création d'un Comité des Régions ;
- l'invention d'un droit spécifique de recours face aux institutions européennes en faveur des Länder et régions (Borkenhagen, 1992, p. 37 ; Müller-Brandeck-Bocquet, 1991, p. 23).

Lors de la troisième conférence «Europe des régions» en octobre 1990, la demande de créer un Comité des Régions sur le plan communautaire a été soutenue par 37 représentants régionaux venant de dix pays différents. Selon leur avis, ce Comité devait dis-

---

4. Cette modification a été obtenue par la nouvelle version de l'article 23 du GG en 1992.

poser d'un droit d'initiative et de la possibilité d'exprimer son opinion sur tous les projets de la Communauté. De plus, le Conseil européen et la Commission devaient se justifier dans le cas d'une décision divergente de cet avis (Müller-Brandeck-Bocquet, 1991, p. 21).

Dans les négociations préparant le traité de Maastricht, le gouvernement fédéral et le Bundesrat ont proposé l'institutionnalisation d'une chambre régionale qui devrait être consultée sur les questions de politique économique, financière et culturelle et qui devrait aussi avoir le droit d'exprimer un avis dans d'autres domaines. Dans la réalisation du traité, il a été tenu compte de ces propositions différemment. Tandis que le principe de subsidiarité était ancré de façon explicite[5] — pour les pays membres dans le préambule, pour le plan communautaire dans l'article 3 b du titre II — et que le Conseil des Ministres était ouvert aux ministres régionaux, la demande d'un droit de recours a été réfusée. Par la création du Comité des Régions (art. 198a), l'idée d'une chambre des représentants régionaux n'a été, selon l'avis des Länder, qu'insuffisamment concrétisée.

Parallèlement aux efforts réalisés en vue de créer une représentation des collectivités régionales dans le réseau des institutions européennnes, les Länder ont aussi essayé d'établir des liens directs avec la Communauté. En dépit d'un statut juridique incertain concernant ces questions, les Länder ont commencé à ouvrir leurs propres bureaux à Bruxelles, avec d'abord Hambourg et la Sarre en 1985. Le but de ces bureaux n'est pas de remplir une fonction diplomatique ou consulaire auprès de l'Union, mais de servir «d'antenne» ouvrant de nouvelles voies de communication et aidant à obtenir des informations indispensables. Contrairement à leur politique au Bundesrat qui, traditionnellement, essaye de formuler des positions communes face au gouvernement fédéral, les bureaux des Länder leur permettent d'établir des contacts indépendants, taillés sur mesure pour satisfaire leurs intérêts spécifiques. Les tâches principales de ces bureaux ont été définies au printemps 1995 par un groupe de travail interministériel des Länder de la façon suivante :

- la recherche d'informations et de documents qui se rapportent au Land, par la voie de contacts entre le bureau du Land et les organes de l'Union, la représentation permanente de la République

5. Le président de la Commission, Jacques Delors, s'affirmait en février 1991, devant le parlement du Land de Bavière, comme un partisan du principe de subsidiarité, en disant que «les régions pourraient s'établir comme le troisième niveau européen après la Communauté et les pays membres». (*Süddeutsche Zeitung*, 2-3 février 1991, cit. *in* Müller-Brandeck-Boquet, 1991, p. 19)

fédérale, les bureaux d'autres pays membres et finalement les multiples associations et organisations qui ont leur siège à Bruxelles ;

- l'explication de la position du Land sur des questions ou projets communautaires ;

- l'aide à l'économie du Land, surtout aux PME-PMI, en leur fournissant des informations sur les possibilités et programmes communautaires de soutien financier (FEDER, etc.) et en les encourageant à y participer ;

- la promotion du Land à travers des expositions, des conférences et autres manifestations ;

- la participation aux programmes d'échange de fonctionnaires sur le plan européen (Borchmann, 1994, p. 116).

Outre les bureaux des Länder, il existe aussi des représentations de collectivités locales allemandes à Bruxelles. En Allemagne comme dans d'autres pays membres, la politique européenne a donc été régionalisée et même municipalisée. L'Etat central n'est plus le seul acteur pouvant réclamer le privilège d'entretenir des relations extérieures. Les autres collectivités gagnent du terrain. Ces développements montrent d'abord la nécessité d'une plus grande proximité et d'une transparence des politiques publiques face aux citoyens qui, en réagissant aux directives centralistes venant de Bruxelles, s'expriment de plus en plus fortement. Mais ces activités sont aussi l'expression de l'émergence d'une gouvernance à niveaux multiples en Europe. Il est évident que ce gain de compétences des collectivités régionales rend le processus de décision et de concertation politique plus complexe.Il n'est pas question de mettre fin à l'Etat national en Allemagne. Mais le système politique à l'intérieur de cet Etat change d'une façon qui accroît sans cesse le rôle des collectivités décentralisées, surtout des Länder, comme acteurs indépendants sur la scène européenne. En même temps, les défis européens gagnent en importance dans la politique intérieure allemande avec le phénomène caractéristique de *Politikverflechtung*, c'est-à-dire avec la concertation et l'imbrication des intérêts dans un système fédéral.

3 - *L'ouverture à la coopération régionale*

Contrairement à la plupart des autres régions d'Europe, les Länder allemands ont des champs de compétence relativement bien définis, soutenus matériellement par des moyens financiers autonomes. Le droit de prendre part aux décisions — y compris celles relevant de l'intégration européenne — s'explique par la structure fédérale qui est, dans une certaine mesure, le résultat de l'influence américaine après la Deuxième Guerre mondiale. La conception d'un pouvoir limité de l'Etat central n'est donc pas une tradition spécifiquement allemande.

Au cours des cinquante années qui ont suivi la guerre, les Länder ont développé leurs propres profils politiques, une grande conscience de soi ainsi qu'un grand nombre d'activités, d'initiatives et de stratégies spécifiques dans des domaines variés, de telle sorte qu'ils revendiquent la participation aux politiques européennes comme une compétence naturelle. Cette position est indépendante de l'orientation politique des exécutifs régionaux. En Allemagne, il n'existe pas une «droite» qui mettrait l'accent sur un Etat fort et centralisé. Réciproquement, la «gauche» allemande n'a pas à revendiquer les conditions institutionnelles d'une décentralisation et d'une régionalisation, comme cela peut se produire, avec prudence, en Grande-Bretagne ou au Portugal aujourd'hui.

Dans ce contexte, il faut remarquer qu'existent en Allemagne des traditions plutôt libérales et conservatrices concernant le renforcement de l'influence locale des citoyens, tandis que la gauche, c'est-à-dire les sociaux-démocrates et les syndicats, est restée attachée à l'idée d'un Etat central fort, possédant les moyens d'imposer les conditions d'une démocratie sociale. Cette configuration n'a changé qu'après la crise économique de 1974-1975, qui a suscité un mouvement «néo-classique» de désengagement de l'Etat central d'une part importante de ses compétences. L'effacement politique de l'Etat a donc contraint les Länder et les communes à intervenir davantage dans le domaine social. Ceci vaut surtout pour les Länder où des coalitions entre sociaux-démocrates et verts ont permis des prises de position opposées au gouvernement conservateur-libéral, arrivé au pouvoir à Bonn en 1982. Depuis cette époque, la question des profils politiques spécifiques aux Länder joue aussi un rôle plus important dans la politique économique. Auparavant, ce domaine était plutôt situé à la périphérie de leurs programmes et objectifs politiques. Par exemple, le slogan *Hessen vorn* (la Hesse en avant) des années 50 avait d'abord pour signification une identification des citoyens avec une politique régionale progressive dans les domaines de l'enseignement, de la culture et de l'aménagement des zones rurales, mais pas forcément avec un programme économique spécifique.

De plus, ce Land a réagi aux défis économiques plus tardivement que, par exemple, la Rhénanie du Nord-Westphalie. Cela est dû au fait que la Hesse a toujours été située en haut de l´échelle de prospérité en Allemagne et représente, avec l'agglomération *Rhein-Main*, une des régions les plus dynamiques en Europe[6]. Même après

---

6. L'agglomération *Rhein-Main* couvre la partie sud de la Hesse (les villes de Francfort, Wiesbaden, Darmstadt, Offenbach), et des villes situées dans les Länder voisins (Mayence en Rhénanie-Palatinat, Ashaffenburg en Bavière). On parle aussi parfois de

la réalisation du marché intérieur européen, qui a induit une compétition plus dure entre les régions, la Hesse s'est sentie «gagnante». Finalement, il faut noter que la structure industrielle de cette région est dominée par un nombre considérable de grands groupes opérant sur le plan mondial — Hoechst à Francfort, Opel à Rüsselsheim, Volkswagen à Baunatal — et que la plupart des banques allemandes siègent à Francfort. Apparemment, contrairement aux PME-PMI, ces groupes puissants n'éprouvent pas le besoin de contacter des «politiciens de province» pour obtenir de l'aide dans leur recherche de nouveaux marchés et de partenaires internationaux.

Comme la Hesse n'est pas une région frontalière, les liens internationaux se sont développés surtout sur le plan communal, par la voie de jumelages entre villes. On a surtout mis l'accent sur des villes françaises, puis sur des partenariats avec des collectivités locales de Grande-Bretagne, de Belgique et des Pays-Bas. Après l'ouverture de l'Est, on a également essayé d'établir des contacts avec des villes situées dans cette partie de l'Europe, surtout en Pologne, Hongrie et dans la République tchèque. Ces jumelages ont souvent été le fruit d'initiatives personnelles. Les échanges culturels en sont le motif principal. En général, ces activités internationales n'ont pas d'implication économique.

Dans les Länder de Rhénanie du Nord-Westphalie et du Bade-Wurtemberg, là situation se présente différemment. Tout d'abord, ces deux Länder possèdent des frontières communes avec des régions étrangères. Par conséquent, cette situation a imposé la nécessité d'accords portant sur des questions diverses. Dans le bassin de la Ruhr, la lutte contre la crise des secteurs du charbon et de l'acier a posé très tôt un énorme défi à la politique économique de la Rhénanie du Nord-Westphalie. En se basant sur une coopération étroite entre les sociaux-démocrates constamment au pouvoir dans ce Land[7], les syndicats et les grandes entreprises industrielles (parfois partiellement nationalisées), on a cherché — et trouvé — des solutions «corporatistes» face à la crise. Dans ce contexte, nous observons l'apparition non seulement de réseaux de coopération — qui ont intégré aussi, au cours de ces dernières années, les sciences et la recherche par la voie des *Wissenschaftsakademien* (académies scientifiques) — mais aussi de structures mieux adaptées dans l'administration et, ce qui paraît encore plus important, d'une définition mieux formulée des objectifs politiques du Land.

---

l'agglomération *Rhein-Main-Neckar* qui comprend aussi Ludwigshafen, Mannheim et Heidelberg, situées plus au sud, en Rhénanie-Palatinat et Bade-Wurtemberg.
7. Ce n'est qu'après les élections de 1995 qu'une coalition (avec les verts) s'est imposée.

Dans le Bade-Wurtemberg, un gouvernement conservateur modéré a lancé une stratégie d'intervention spécifique (opposée au courant dominant des conservateurs), qui vise également une mise en réseau de la politique, de l'économie et de la recherche. Mais contrairement au cas de la Rhénanie du Nord-Westphalie, cette stratégie ne laisse jouer aux syndicats qu'un rôle secondaire. Etant donné le dynamisme du tissu économique des PME-PMI, la politique a essayé, ici plus tôt qu'ailleurs, d'établir des contacts internationaux pour chercher de nouveaux marchés d'exportation pour leurs produits. L'image des souabes «habiles» et pragmatiques en affaires, mais aussi l'attitude de la population du Bade-Wurtemberg plutôt ouverte sur le monde ont certainement assuré l'approbation de ce style de politique, dans la mesure où il s'affirme comme une particularité de la région renforçant l'identification des habitants avec le «modèle Bade-Wurtemberg».

Avec la tendance à la concentration du pouvoir à Bruxelles, les Etats nationaux, mais également les Länder allemands ont perdu de leur influence. Naturellement, certains s'en sont plaints. Toutefois, contrairement à d'autres pays membres comme la Grande-Bretagne, on trouve en Allemagne un soutien relativement général à la construction européenne qui unit tous les partis politiques. «Bruxelles» n'est pas remis en question ou dénoncé comme un danger pour l'indépendance nationale.

Jusque dans les années 80, l'Europe communautaire et la coopération inter-régionale n'ont pas joué un rôle important dans les Länder allemands. Puis, l'Acte unique européen en 1986 et la préparation du marché intérieur ont déclenché peu à peu un changement de perception et d'activité dans les Länder. La poussée décisive a finalement eu lieu lors de la discussion sur le Traité de Maastricht et sur l'Union européenne. La menace d'une perte d'influence et de pouvoir des Länder ainsi que le reproche adressé à une bureaucratie bruxelloise trop éloignée des citoyens ont soudain accru la nécessité, mais aussi l'opportunité de participer à la genèse d'une union politique en Europe. Au-delà de leurs orientations politiques, les gouvernements des Länder partagent l'idée que, dans cette nouvelle Europe, les processus de régulation politique ne relèvent plus de la «politique étrangère» des Etats nationaux, mais d'une «politique intérieure» au niveau européen qui nécessite alors, d'après la Constitution allemande, leur participation.

Ce n'est pas uniquement la dimension juridique de l'unification politique et économique en Europe qui a attiré l'attention des collectivités régionales en Allemagne. La politique financière de la Communauté a, en effet, elle aussi joué un rôle décisif. Avec l'augmentation des fonds régionaux et d'autres moyens dirigés vers l'aménagement du territoire, il a semblé urgent de mettre en place un traitement professionnel et une information non canalisée par le gouvernement central sur les possibilités de financement. De nouvelles institutions, comme les bureaux ouverts à Bruxelles, ont commencé à opérer et ont cherché à justifier politiquement leur existence.

Au titre de premières conclusions, on peut donc constater que :

1. Les coopérations inter-régionales se présentent plutôt comme le résultat d'une politique influencée par des circonstances et des données extérieures que comme le fruit d'objectifs stratégiques concrets. Le rythme différent s'explique par les expériences spécifiques à chacun des Länder.

2. Les initiatives venant de Bruxelles (surtout les fonds structurels) ont déclenché l'impulsion la plus forte et conduit en partie à des réactions pragmatiques.

3. C'est principalement aux PME-PMI que s'adressent les projets de coopération inter-régionale. Les grandes entreprises se sont partagé, depuis longtemps, le marché mondial. Elles utilisent l'unification européenne pour réaliser des concentrations supplémentaires, mais elles ne dépendent pas de ces coopérations inter-régionales.

4. Les acteurs dominants de la coopération sont les politiciens. Même si elles sont les vrais destinataires des projets inter-régionaux, les petites et moyennes entreprises n'ont pu qu'à peine profiter de ce partenariat jusqu'à présent. Avec une activité économique régionale renforcée et une concurrence croissante entre les régions, on peut cependant escompter des changements à ce niveau. L'apparition de nouveaux réseaux pourrait jouer un rôle non négligeable dans ce processus. Les échanges culturels, pour leur part, restent limités aux jumelages entre villes. Mais ils pourraient aussi être revalorisés par un succès des coopérations inter-régionales.

II. Les partenariats européens de la Hesse

Il n'est donc pas surprenant que, en Hesse aussi, on ait développé des activités européennes. Conformément à la structure des fonds de développement régional, on a concentré ces activités essentiellement sur des questions économiques. Comme certaines régions fortes (par exemple, celles du «Quadrige européen») étaient déjà engagées dans des partenariats, la Hesse a du choisir parmi celles qui restaient. Elle a finalement réussi à établir une coopération avec l'Emilie-Romagne, une région puissante et très active quant à ses relations internationales.

Au cours de cette mise en réseau, la Hesse est aussi entrée en contact avec l'Etat du Wisconsin aux Etats-Unis, la région de Jaroslavl en Russie et la région Aquitaine en France. Comme les échanges avec le Wisconsin se limitent au secteur universitaire, nous concentrons notre analyse sur les partenaires européens, avec au premier plan l'Emilie-Romagne, car il s'agit là de la coopération la plus ancienne et la plus poussée. Il semble en outre avantageux d'observer cette relation du point de vue des deux régions concernées, d'autant plus que les effets de synergie ont été définis comme l'un des objectifs principaux au début de la coopération.

1 - L'engagement de la Hesse

Tandis que les Länder voisins du Bade-Wurtemberg et de la Bavière ont lancé leurs activités européennes relativement tôt, au début des années 80, la Hesse peut être qualifiée de «retardataire» sur ce plan. Gouverné par les chrétiens-démocrates et libéraux entre 1987 et 1991, le Land a manqué quelque peu ce développement et n'a inauguré son bureau à Bruxelles qu'en 1989. A cette époque-là, l'office dépendait du ministère de la Science et de la Recherche du Land, dirigé par un ministre libéral. C'est la relève du gouvernement conservateur par la coalition des sociaux-démocrates et des verts en 1991 qui a revalorisé l'idée européenne en augmentant son poids politique et institutionnel. Un Département des relations européennes (*Europa-Abteilung*) a été installé et subordonné au ministère de l'Intérieur à Wiesbaden, la capitale du Land. Comptant au début 7 collaborateurs, ce service comprend aujourd'hui un personnel de 25 personnes, dont environ la moitié stationnée à Wiesbaden et l'autre moitié à Bruxelles. Le responsable de ce département a changé trois fois depuis sa création. Après ces rattachements successifs, le département des relations européennes a été placé, à la suite d'un changement de cabinet en 1994, sous la direction du ministre social-démocrate de l'Economie et des Transports. Après les élections de 1995 et la confirmation de la coalition entre sociaux-démocrates et verts, ces derniers ont obtenu la responsabilité des affaires européennes. Par conséquent, le département a été rattaché au ministère de la Justice, dirigé par M. von Plottnitz, un écologiste. En raison de cette discontinuité, les collaborateurs de ce département ont eu parfois du mal à développer des orientations stratégiques à long terme. L'image d'une politique européenne faisant office de «trophée» et changeant de propriétaire presque tous les ans (*Frankfurter Rundschau*, 28 avril 1995) circule à Wiesbaden pour désigner un domaine politique qui court toujours le risque d'être utilisé comme «marge de manœuvre» pour des arrangements politiques ou personnels.

En dépit de ces difficultés, on note, depuis 1991, une croissance considérable des activités européennes et inter-régionales du
Land de Hesse. Le nouveau département a cherché à établir un
accès direct aux institutions communautaires et a essayé
d'améliorer les moyens de la participation régionale dans le processus d'intégration. Les tâches principales du bureau hessois à
Bruxelles consistent, d'après son directeur Hanns-Martin
Bachmann, «à être informé le plus tôt possible sur les projets communautaires concernant le Land, à savoir quels développements se
profilent dans l'Union et quels moyens de soutien financier sont mis
à disposition» (*Frankfurter Rundschau*, 26 septembre 1995). Par
l'intermédiaire du bureau de Bruxelles, le Land parviendrait donc à
obtenir, en moyenne, la somme de plus de 350 millions de
Deutschmarks de fonds régionaux par an (*Frankfurter Rundschau*,
26 sept. 1995).

Il semble que, par le passé, des projets de coopération inter-
régionale aient été freinés par le fait que la Hesse est située géogra-
phiquement au centre de l'Allemagne et ne dispose pas de frontières
communes avec des régions étrangères. Cela explique l'absence de
motivation d'une coopération inter-régionale qui — comme dans le
cas du projet «Saar-Lor-Lux» — tente souvent d'instaurer des espaces d'interactions économiques et culturelles entre des régions divi-
sées par les frontières nationales (Hrbek,Weyand, 1994, p. 44). Ce
point de vue a également changé. Suivant l'exemple du «Quadrige
européen» (Kukawka, 1995), le gouvernement a commencé à rechercher des contacts avec d'autres régions européennes. Le but des
acteurs politiques n'était pas «d'exporter» le modèle allemand du
fédéralisme, mais de nouer des relations, d'entrer en relation
d'échange avec des régions partenaires et de favoriser progressivement, par ce moyen, des initiatives de politiques publiques régiona-
lisées et fédéralisées. Par conséquent, on a privilégié des projets
susceptibles d'être clairement et positivement perçus par le public.

Aux yeux des responsables de la Hesse, la coopération inter-
régionale est d'abord un moyen de promouvoir l'intégration européenne[8]. Néanmoins, en Hesse comme dans d'autres Länder allemands, on ne néglige pas l'aspect économique d'une telle coopération[9]. L'expérience montre que c'est dans le domaine économique

---

8. Cf. la déclaration de coopération entre la Hesse et l'Emilie-Romagne du 29 juin
1992, le mémorandum du Quadrige européen du 9 sept. 1988 et une interview de
Lothar Späth, l'ancien ministre-président du Bade-Wurtemberg *in Wirtschaftswoche*,
n° 31, 1986.
9. Cf. le préambule de la déclaration de coopération entre la Hesse et l'Emilie-
Romagne du 29 juillet 1992 : «Dans le souci (...) de contribuer au développement de la
prospérité des deux régions (...), la région d'Emilie-Romagne et le Land de Hesse
s'engagent, dans l'intérêt commun et dans le cadre de leurs compétences, à promou-

que la collaboration est souvent la plus avancée et que, dans le choix d'un partenaire européen, on préfère des régions fortes et dotées d'une structure identique (Raich, 1995, p. 164)[10]. Dans le cas du Quadrige européen, quatre régions industrialisées et fortement développées, situées parmi les premières dans les domaines de la recherche et de la technologie dans leurs pays respectifs, se sont associées. Dans les protocoles de coopération, les domaines culturels, scientifiques et sociaux ont naturellement été mentionnés. Mais ces projets s'avèrent souvent être des «tigres de papier», ou ne sont pas mis en œuvre, malgré quelques débuts prometteurs, à cause d'un manque de ressources financières (Raich, 1995, p. 173 sq.)[11].

En encourageant les coopérations inter-régionales, la Commission européenne joue un rôle important de soutien pratique. Comme les programmes d'aide demandent de plus en plus la participation de plusieurs partenaires venant de pays différents, les coopérations permettent d'ouvrir de nouvelles voies, d'obtenir la «manne» venant de Bruxelles. Par la participation des partenaires étrangers, le gouvernement de la Hesse espère une meilleure mise en œuvre de certains programmes ainsi que des effets de synergie. Pour renforcer la position économique de la Hesse, les dirigeants du Land expriment aussi un certain intérêt à collaborer avec des partenaires forts, non seulement pour réaliser des projets particuliers, mais aussi pour établir une véritable coopération à long terme. Pour cette raison, le gouvernement a, dans le passé, rejeté des offres de collaboration venant des régions de Bretagne en France et de Navarre en Espagne car, aux yeux des responsables du Land, une coopération fructueuse n'était pas clairement prévisible. Il a aussi été décidé de limiter — au moins au début — le nombre de partenaires étrangers pour concentrer les moyens et obtenir une plus grande efficacité.

En évaluant les activités européennes des Länder allemands, il faut constater que, contrairement aux affirmations des gouvernements qui ont naturellement tendance à souligner le succès de ces projets, les grandes ambitions formulées dans les protoco-

---

voir (...) des relations et échanges entre institutions et entreprises.» Des objectifs semblables ont été exprimés dans les traités entre le Land de Bade-Württemberg et la Catalogne, la Lombardie et Rhône-Alpes, où on met surtout l'accent sur la coopération entre les PME-PMI. Cf. les déclarations communes des gouvernements du Bade-Württemberg et la Catalogne (3 nov. 1988), Rhône-Alpes (17 juin 1986) et la Lombardie (30 mai 1988).

10. D'après une interview avec M. Böhmeke-Tillmann, chargé de mission au Département des affaires européennes du Land de Hesse, décembre 1994

11. En 1990, les membres du Quadrige européen ont, par exemple, signé une charte de protection de l'environnement qui n'a jamais été appliquée.

les n'ont pas toujours été réalisées. Pour la plupart, les coopérations transnationales se trouvent encore dans une phase expérimentale (Raich, 1995). Tandis que le Quadrige européen semble le plus avancé (il entre déjà dans une nouvelle phase en mettant l'accent sur la coopération au sein d'organes européens supra-nationaux), le Land de Hesse est encore au début de ses efforts pour établir de véritables relations internationales. Face au point de vue officiel d'une politique européenne planifiée et coordonnée, les multiples aménagements du service concerné au cours des dernières années font preuve d'une stratégie plutôt confuse. Un autre aspect parfois étonnant est la manière d'entrer en contact avec les éventuelles régions partenaires. Malgré l'importance économique d'une telle coopération, ce sont plutôt des ambitions personnelles, des amitiés entre hommes politiques et des préférences subjectives pour certaines régions qui influencent, semble-t-il, le choix et la décision des acteurs[12].

Le succès des activités inter-régionales du Land de Hesse dépendra de la capacité de ses responsables politiques à tirer les leçons de cet apprentissage. Il sera en outre conditionné par leur aptitude à doter les politiques européennes de fondements plus solides en les articulant avec leurs propres objectifs de développement et d'aménagement régional et, finalement, à assurer le rang de la coopération inter-régionale dans le tissu institutionnel et politico-administratif du Land.

2 - L'Emilie-Romagne comme partenaire

La région Emilie-Romagne fait aujourd'hui partie, après une période de prudence à la fin des années 80, des régions les plus actives et les plus dynamiques d'Europe en matière de politique extérieure, pour des raisons spécifiquement régionales.

La première explication de l'investissement en politique extérieure de la région Emilie-Romagne réside dans l'affirmation de sa conscience identitaire régionale[13]. Il est le résultat du succès de

---

12. Dans le cas du Bade-Württemberg, c'est surtout l'engagement personnel de Lothar Späth, à l'époque ministre-président du Land, qui a donné le feu vert au projet du Quadrige. En Hesse, l'initiative de la coopération avec l'Emilie-Romagne a été le résultat d'un entretien entre un fonctionnaire hessois du bureau de Bruxelles et un professeur italien, qui se sont rencontrés — plus ou moins par hasard — à Bruxelles, qui ont discuté le sujet de la coopération et ont finalement proposé à leurs gouvernements régionaux respectifs d'examiner la faisabilité d'une telle opération. En ce qui concerne la région de Jaroslavl en Russie, les racines de cette coopération se trouvent dans un jumelage entre deux villes : Hans Eichel, maire de la ville de Kassel, avant son élection comme ministre-président hessois, a poursuivi ce projet et l'a étendu du plan communal au plan régional.

13. Cette affirmation a trouvé son point culminant dans le récent débat entre régionalisme et fédéralisme concernant l'élargissement des compétences des régions et

nouvelles politiques menées par les régions du Nord-Est, essentiellement dans les domaines de la qualification de la main-d'œuvre, de l'encouragement à la croissance régionale et du soutien à l'économie et à l'industrie, qui ont renforcé l'importance de l'échelon régional à l'intérieur de l'Etat italien (Grasse, 1995). Par des processus complexes de négociation (*bargaining*), elles ont réussi, souvent dans les limites de la compétence légale des régions et avec des ressources financières restreintes, à élargir constamment leur champ d'action spécifique (Nomisma, 1993, p. 257-289). Ceci vaut aussi pour le secteur de la politique extérieure, pour lequel les régions italiennes n'avaient au moment de leur création aucune compétence officielle[14].

Les activités de politique extérieure de l'Emilie-Romagne doivent en outre être considérées dans le contexte de modes d'action spécifiques et d'un style politique caractéristique. Il s'agit d'une certaine manière de la projection vers l'extérieur de stratégies fondées sur une culture politique spécifique. Ainsi que de nombreux travaux l'ont déjà établi, la région se distingue par sa continuité et sa démarche méthodique dans la construction politique de structures relationnelles horizontales entre les acteurs, favorisant un mode de décision (*decision-making*) consensuel en consultant le plus grand nombre de groupes concernés au plan régional — concept de la *Regione aperta* (Leonardi, 1990; Putnam, 1993). Ces stratégies s'appuient sur la tradition historico-culturelle qu'elle possède en la matière pour constituer les fameux districts industriels (*distretti industriali*).

La construction politique ainsi élaborée s'appuie notamment sur l'organisme régional *ERVET* (*Ente Regionale per la Valorizzazione del Territorio*), qui déploie des aides économiques ciblées sur la coopération et d'autres mesures infrastructurelles telles que le réseau de centres de services. Ces initiatives ont permis de relier les unités locales, historiquement dominantes en Italie, par l'établissement de relations économiques mais aussi sociales. Grâce à la densité atteinte par cette coopération horizontale intra-régionale, l'économie politique du localisme s'est réellement muée en une économie politique du régionalisme, dont le succès a largement contribué à la constitution de ce que l'on peut qualifier d'identité régio-

---

l'exigence d'une profonde réforme de l'Etat en relation avec la crise de l'Etat italien depuis le début des années 90.

14. Successivement, les régions ont toutefois réussi à obtenir des concessions de la part de l'Etat et à assouplir les réticences du tribunal constitutionnel, dans le domaine de la promotion économique et culturelle des régions à l'étranger. Il faut ici mentionner en particulier l'arrêt n°170/1975 du 3 juillet 1975, *Decreto 616* et à sa suite le *Decreto du PCM (Presidente del Consiglio dei Ministri)* du 11 mars 1980, ainsi que récemment le *DPR (Decreto del Presidente della Repubblica)* en date du 31 mars 1994.

nale, même si cette dernière est socialement située[15]. Grâce à cette stratégie de réseaux à plusieurs niveaux, la région a pu contribuer de manière décisive, en tant qu'initiateur, animateur et coordonnateur, à la formation d'une structure culturelle régionale commune (*common regional structure*)[16].

Dans le cas de la région d'Emilie-Romagne, la constitution de ces réseaux internes (*internal networking*) trouve à présent son prolongement au plan international (*external nerworking*). Le fondement des modèles d'interaction politique, à tendance horizontale, que l'on trouve en Emilie-Romagne, réside dans la faculté d'ouverture, que ce soit au niveau *intra*-régional vis-à-vis d'intervenants privés et publics, ou au niveau *inter*-régional, vis-à-vis d'autres entités régionales européennes. L'ouverture sociale et culturelle est donc un préalable à la capacité de coopération.

Par ailleurs, les thèmes de l'entente entre les peuples et de la solidarité internationale ont ici, depuis les années 70, une importance particulière due à l'histoire culturelle régionale. Avec la Toscane, l'Ombrie et, dans une certaine mesure, la Ligurie, l'Emilie-Romagne fait partie du «cordon rouge» des régions à forte tradition communiste. L'Emilie-Romagne s'est ainsi efforcée d'aider divers pays en voie de développement. Certes, une réflexion économique, considérant aussi les intérêts propres de la région, s'est progressivement affirmée, mais il existe néanmoins une étonnante continuité de cette «politique de développement active».

La structure économique de l'Emilie-Romagne est, comme celle des autres régions de ce qu'on appelle la «troisième Italie», fortement marquée par les PME. En raison de la globalisation des marchés et des exigences de modernisation technique, ces PME sont de plus en plus fortement et directement exposées à la concurrence mondiale, puisque les mesures nationales de régulation sont de moins en moins susceptibles d'intervenir dans ce contexte. Même les *distretti industriali*, qui passent pourtant pour très flexibles, en subissent les effets et, depuis un certain temps déjà, le «système Emilie-Romagne» est en crise. Les PME ont des rendements d'échelle trop réduits face à une concentration croissante des entreprises et des capitaux, et elles risquent de perdre de leur compétiti-

---

15. Concernant la signification de l'identité régionale, Holliday émet une réserve importante, confirmée par l'exemple de l'Emilie-Romagne : «It is possible that an elite-mass distinction is necessary here : at a current level of regional development in western Europe it may be sufficient for regional identity to pervade only the elites who actually staff and interact with regional governments, rather than the mass of the population» (Holliday, 1994, p. 12).
16. Un inventaire systématique des conditions nécessaires pour pratiquer le *networking* avec succès, et qui sont toutes confirmées (tendanciellement au moins) par l'expérience de l'Emilie-Romagne, se trouve dans l'article de Cooke, Morgan, 1993.

vité (Guagnini/Ruffini, 1989). La mise en place de réseaux inter-régionaux est censée offrir ici, en complément des réseaux régionaux déjà existants, une issue à cette crise. L'un des motifs essentiels pour l'élaboration de relations inter-régionales de coopération est donc précisément de proposer des mesures de soutien pour les plus petites entreprises dans le milieu de la concurrence internationale. Ces mesures doivent constituer une aide supplémentaire pour initier l'accès aux marchés et pour conserver ensuite les positions acquises[17]. Cet objectif est une caractéristique générale des partenariats régionaux, et donc valable également dans le cas de la Hesse[18].

En matière d'engagement en politique extérieure des régions, l'acquisition de ressources prend enfin une importance décisive : un nombre croissant de programmes européens présupposent en effet la participation transnationale de deux, le plus souvent trois régions ou plus[19], incitant ainsi à une coopération inter-régionale. Les instances européennes veulent renforcer l'importance institutionnelle du «troisième niveau» et le réévaluer.

Le gouvernement régional de l'Emilie-Romagne considère l'établissement de réseaux externes (*external networking*) comme l'une de ses attributions essentielles. Afin de réaliser et concrétiser ces objectifs, la région s'est dotée entre autres, depuis janvier 1994, d'un bureau de liaison à Bruxelles et se livre grâce à lui à des activités de *lobbying*. Etant donné que pendant longtemps les régions italiennes n'avaient pas le droit de se livrer à la moindre activité officielle institutionnalisée, et que des initiatives en ce sens de la part de l'Emilie-Romagne en 1990 avaient rapidement été stoppées par Rome, la région eut recours à des structures intérieures déjà existantes : l'Emilie-Romagne chargea tout simplement l'*ASTER* (*Agenzia per lo Sviluppo Tecnologico dell'Emilia-Romagna*, Bureau pour le développement technologique de l'Emilie-Romagne), l'un de ses centres de service créés pour aider les PME dans le réseau de l'*ERVET* — réseau faisant partie de la société régionale d'encouragement économique —, de la représenter.

---

17. Vu le fait qu'avec une part totale de 10,5 % (1991) la région Emilie-Romagne est la 4ᵉ région exportatrice du pays, derrière les régions Veneto, Piémont et Lombardie, il s'agissait là d'une conséquence nécessaire. L'Emilie-Romagne a de plus et de loin le plus fort taux de croissance à l'exportation (*Unione regionale Camere di Commercio dell'Emilie-Romagne*, 3/1993, pp. 105 et suiv.).

18. Résultat de plusieurs entrevues avec les directeurs des services de coopération régionale de la Hesse et d'Emilie-Romagne, Antonio Zini et Jan Böhmeke-Tillmann, en juin, juillet et décembre 1994 à Bologne et Wiesbaden.

19. En outre, la Commission considère comme particulièrement susceptible d'encouragement la participation d'une région de la catégorie 1.

En outre, afin de devenir plus concurrencielle dans la lutte pour obtenir des subventions dans le cadre de programmes européens, L'Emilie-Romagne créa en 1988 l'*Ufficio Fondi Strutturali CEE* (Bureau pour les fonds structurels de la Communauté européenne), organisme rattaché à la *Giunta Regionale*. Pour pénétrer sur de nouveaux marchés, s'internationaliser et consolider ainsi le système des PME, le centre pour le développement des exportations des entreprises d'Emilie-Romagne (*Centro di servizi per lo sviluppo delle esportazioni delle imprese dell'Emilia-Romagna*) fut fondé en juin 1988. Contrairement à l'*ASTER*, le *SVEX* intervient essentiellement hors de l'Union européenne. L'image de la politique extérieure de cette région qui se dessine ainsi est complétée par la présence de l'Emilie-Romagne au sein de l'Assemblée des régions européennes (ARE), créée en 1985, et son appartenance aux groupes de travail régionaux ARGE-ALP et ALPE-ADRIA. Au total, l'Emilie-Romagne dispose ainsi d'une vaste gamme de possibilités pour faire valoir ses intérêts hors de ses frontières.

3 - La coopération en pratique

Les institutions en charge de l'ensemble des relations de partenariat régional sont, pour l'Emilie-Romagne, l'*Ufficio Relazioni Internazionali* (Bureau des relations internationales), et pour la Hesse, le bureau V/2 dans le service Europe du «ministère de la Justice et des Affaires européennes». Le fait que le Bureau des relations internationales soit directement rattaché à la *Giunta Regionale* (gouvernement de région) souligne l'importance politique qui lui est accordée. Les institutions évoquées ont à la fois un rôle central pour l'établissement de réseaux, l'initiation des projets et la médiation en cas de problèmes rencontrés par des intervenants indépendants, qu'il s'agisse de services ministériels, d'organismes privés, d'associations, etc. Le but recherché est de lancer un maximum de projets fonctionnant ensuite, vu la faiblesse des effectifs disponibles, de manière autonome. En ce qui concerne les moyens financiers, à ce jour, tous les projets de coopération et de promotion internationales ont dû être financés, du côté de l'Emilie-Romagne, sur les budgets des *Assessorati* concernés. Le Bureau hessois des affaires partenariales dispose certes d'un budget, mais celui-ci se montait seulement à 200 000 marks (env. 700 000 F) en 1994. Une autre possibilité de financement de projets de nature partenariale est le recours à des moyens financiers mis à disposition dans le cadre d'accords existant entre les Etats.

L'engagement de la région se situe sur deux terrains biens distincts : d'une part il se concentre sur les relations avec divers pays en voie de développement et d'autre part, dans une mesure croissante, sur les échanges avec d'autres régions de l'Union européenne[20]. Des relations plus ou moins continues, le plus souvent spécifiquement sectorielles, existent avec des collectivités territoriales au Chili (*Bio-Bio*), en Chine (*Liaoning*), au Japon (*Ibaraki*), au Vietnam (*Bin Tri Thien*) et au Nicaragua. Des relations ont été également établies avec la Moldavie, la communauté de travail des anciennes républiques de l'Ex-Yougoslavie et depuis peu avec les territoires autonomes palestiniens.

Mais aujourd'hui, la priorité aussi bien qualitative que quantitative revient aux accords contractuels de coopération avec des collectivités régionales de l'Union européenne : de tels partenariats au sens propre existent depuis le 3 décembre 1991 avec la *Région Pays-de-Loire*, depuis le 10 mars 1992 avec la *Generalitat Valenciana* en Espagne et enfin, depuis le 29 juillet 1992 avec le *Land de Hesse*. Une coopération facultative existe avec la *Communidad Autónoma País Vasco*.

La gamme des intervenants est aussi étendue que celle des thèmes de la coopération. Elle inclue par exemple des services ministériels, des élus municipaux, des universités, des syndicats, les offices de tourisme ou des associations d'épouses d'exploitants agricoles. La coopération est particulièrement étroite entre *ERVET* et son émanation *ASTER*, et son équivalent hessois, la *HLT* (*Hessische Landesentwicklungs und Treuhandgesellschaft Wirtschaftsförderung Hessen Investitionsbank AG*), ainsi qu'entre les chambres régionales de commerce. Ces organismes sont responsables ou au moins partie prenante de la plupart des projets. Dans le domaine de la jeunesse, c'est le *Hessischer Jugendring* qui est devenu l'intervenant majeur. La collaboration est très poussée entre les partis politiques des deux régions, surtout entre le *PDS* et le *SPD*, et entre les écologistes de *Bündnis 90/Die Grünen* et *Verdi*.

Les partenariats sont essentiellement l'expression de décisions politiques régionales. L'une des voies pouvant mener à leur réalisation est l'intensification et l'extension de contacts préexistants de nature non institutionnelle entre des entités infranationales. Fréquemment, l'origine des accords de coopération se trouve dans l'initiative et l'engagement personnels de hauts responsables régionaux, c'est-à-dire qu'il s'agit là d'actes singuliers de

---

20. La région Emilie-Romagne a essayé de se donner un espace de manœuvre grâce à un important processus d'autoréforme impliquant le vote d'un nouveau statut régional en juillet 1989 (accepté par le parlement de Rome par la loi n° 336 le 9 novembre 1990, publiée dans la *Gazzetta Ufficiale della Republica Italiana* du 21 nov. 1990). Le nouveau statut est marqué par le désir de renforcer à la fois la coopération intrarégionale, c'est-à-dire avec les autres collectivités territoriales décentralisées et les intervenants privés, et la coopération extérieure, c'est-à-dire avec des régions italiennes ou de l'Union, ainsi qu'avec les institutions de la Communauté. Dans le nouveau statut, l'article 4 (§ 2, 3 et 4) est principalement consacré à la politique extérieure.

nature assez fortuite et très personnalisée. Ce genre d'entrées en contact ne garantit cependant nullement la réalisation ultérieure d'accords contractuels[21].

Plutôt que par le fait de décisions stratégiques, les partenariats régionaux sont souvent le résultat d'une situation donnée, déterminée par l'offre et la demande, l'habileté en matière de présentation et de négociation du potentiel politique et économique régional sur un marché international. L'expérience montre que les lieux propices en la matière sont les groupes de travail transrégionaux ou l'ARE (Assemblée des régions européennes). Ceci fait ressortir l'importance et la nécessité à la fois d'un engagement international accru et d'une présence renforcée des régions.

Parmi les principaux critères de sélection, on peut relever l'importance de structures économiques, politiques et sociales comparables, l'existence de problèmes du même ordre ainsi qu'une couleur politique identique ou compatible. Ce ne sont là cependant que des critères possibles, mais non nécessaires, qui bien souvent légitiment *a posteriori* des accords de coopération généralement conclus de manière non systématique[22].

L'un des traits marquants de la plupart des partenariats est le caractère ouvert de leur programme. Cela apparaît nettement par la formulation très générale des «déclarations d'intention» contenues dans le texte des accords. Ainsi, la substance de ces accords diffère d'un cas à l'autre, dépendant de manière décisive des personnes impliquées. C'est ce qui explique l'importance particulière que prend l'identification d'objectifs structurels et politiques concordants, d'intérêts et de problèmes de même nature, bref, généralement parlant, de points communs. Le succès d'une coopération inter-régionale dépend aussi et de manière non négligeable de la bonne connaissance que l'on a l'un de l'autre et d'une volonté — et faculté — de se comprendre. Pour cette raison, les débuts des projets de coopération sont marqués par l'échange intensif des expériences et des opinions de chacun des partenaires éventuels, échange pour lequel des soutiens financiers européens peuvent être obtenus.

La programmation dans le cas du partenariat entre la Hesse et l'Emilie-Romagne regroupe un ensemble d'initiatives et de projets

---

21. L'Emilie-Romagne a par exemple longtemps entretenu des contacts parlementaires informels avec le Land de Bade-Wurtemberg, sans pour autant réussir à entrer en partenariat officiel avec ce «moteur».
22. Par exemple, lors de sa recherche d'un partenaire adéquat en Allemagne, l'Emilie-Romagne s'est intéressée à des Länder aussi différents dans leur structure que la Sarre et la Rhénanie du Nord-Westphalie. Cette dernière, non intéressée, procura cependant des contacts avec la Hesse, avec laquelle on se mit rapidement d'accord.

difficiles à quantifier ou à évaluer en termes d'effets pratiques. Dans presque tous les domaines de compétence des deux collectivités territoriales, existent sous une forme ou une autre des relations d'échange au moins informelles. Une première vue d'ensemble de ces activités communes comprend les contacts parlementaires, la politique européenne, la politique économique, la politique sociale, les activités pour les jeunes et les activités culturelles, les contacts scientifiques, les jumelages de villes et d'arrondissements. Bien que le partenariat avec la Hesse soit pour l'Emilie-Romagne plus récent que celui avec deux autres régions, Valencia et Pays-de-Loire, il a vite acquis la prééminence dans tous les domaines et fait preuve d'une très grande intensité. Dès novembre 1993, 30 projets communs pouvaient être recensés. Ils étaient au nombre de 70 en septembre 1994 et sont environ 100 aujourd'hui[23]. Ceci montre de la manière la plus claire à quel point la réussite d'un partenariat est fonction des capacités effectives des intervenants à lui donner un contenu politique et social. En dépit du caractère plus général, par rapport à d'autres accords, du libellé de leur partenariat, la coopération entre l'Emilie-Romagne et la Hesse fonctionne incomparablement mieux.

Mais où se situent maintenant les effets de synergie potentiels et effectifs résultant de ce partenariat ? La Hesse est intéressante en tant que région disposant d'une longue expérience en matière de fédéralisme, étant donné que, par rapport à d'autres régions italiennes, l'Emilie-Romagne fait preuve d'initiatives de réformes considérables dans le domaine du régionalisme[24]. Réciproquement, l'Emilie-Romagne est un partenaire de choix pour la Hesse sur le plan de la politique européenne, puisque c'est sur la voie de la régionalisation et de la fédéralisation de l'Etat que l'objectif de renforcement du «troisième niveau» pourra être atteint, et c'est l'Italie qui semble être à l'heure actuelle l'Etat le plus engagé dans ce type de processus. L'échange intensif concernant les questions de compétence régionale, de structures étatiques fédérales, et les expériences faites en matière de relations intergouvernementales dans les systèmes les plus variés ont déjà eu des répercussions sur la politique italienne de l'Emilie-Romagne. En ce qui concerne l'élaboration d'un concept pour la transformation de l'Etat régional italien en un système fédéral, le *PDS* (*Partito Democratico della Sinistra*), présent dans le gouvernement régional, a pris, au sein du *PDS* national et de la gauche en général, une position de meneur. Et à l'évidence, il

---

23. Le terme de projet est ici pris au sens large et recouvre des manifestations uniques et des échanges d'opinion tout comme la création de structures durables ou des initiatives communes face aux institutions et dans les organes de l'Union européenne.
24. Avec la Lombardie et la Toscane, l'Emilie-Romagne fait partie des régions les plus actives au sein du «nouveau régionalisme italien».

suit en cela l'exemple du fédéralisme allemand, partiellement en raison des liens avec la Hesse et de l'appui de celle-ci. Outre la coopération dans ce domaine de la structure politique, un échange informel existe concernant les questions de politique économique régionale. Ce dialogue fait intervenir aussi bien les deux gouvernements régionaux que les partis politiques et les chercheurs.

Il faut également considérer les effets pratiques quotidiens de cette coopération : par exemple, le *lobbying* déjà évoqué de l'Emilie-Romagne par le biais d'*ASTER* a été rendu possible par un contrat de sous-location dans le bureau bruxellois de la Hesse. La question de savoir quelles seront les conséquences de ce voisinage sur les activités communes reste encore sans réponse, mais elle laisse espérer une plus grande imbrication et coordination des intérêts de chacun des partenaires à Bruxelles.

L'exemple le plus remarquable de la coopération économique est constitué par les mesures prises dans le domaine des villes d'eau, secteur également en crise dans les deux régions et mettant en cause la survie d'un certain nombre d'emplois dans des zones économiquement faibles. En alliance avec la région partenaire de la Hesse, l'Aquitaine, et la communauté autonome de Valence, ces régions ont réussi à débloquer des subsides de l'Union à hauteur de 150 000 marks destinés à élaborer des stratégies et concepts communs avec les intervenants locaux. En mai 1995 a eu lieu à Bad Wildungen en Hesse un «festival de la santé»[25] à vocation publicitaire et informative, et il est prévu de fonder dans le courant de l'année 1996 une «Union européenne des villes d'eau».

Cet exemple fait apparaître les avantages de la coopération inter-régionale : le partenariat des régions permet des candidatures rapides aux programmes de la Commission européenne et procurent des ressources financières supplémentaires aux régions participantes. La perspective de recevoir des moyens financiers de la part de l'Union a par exemple stimulé la mise au point commune de stratégies d'amélioration et de maintien des standards de qualité, ainsi que celle de modes de production respectant l'environnement. Les succès existent aussi en matière de relations entre les entreprises. Cependant, en comparaison avec les objectifs initialement annoncés, les résultats de la politique économique partenariale restent faibles. En revanche, les activités bilatérales dans les domaines de la jeunesse, de la culture et des sciences sont très positives.

En réaction à ce constat, on poursuit désormais du côté hessois une stratégie de liaison entre des projets culturels et touristi-

---

25. Un second festival similaire est prévu en 1996 à Salsomaggiore en Emilie-Romagne.

ques localisés et des initiatives plus axées sur une politique de développement. On cherche par exemple à articuler les échanges de
jeunesse patronnés par des intervenants locaux (groupements sco-
laires, associations, maires, conseillers généraux) avec des questions
relatives à la politique communale, telles que l'énergie ou la protection de l'environnement. Il reste à voir quelle sera la réussite de ces
tentatives.

Un élément significatif de la consolidation du partenariat
est la tendance à la constitution de premiers réseaux au niveau
communal et supracommunal. En Hesse, dans l'arrondissement de
Kassel par exemple, des intervenants de secteurs divers dont le seul
intérêt commun est qu'ils entretiennent chacun des contacts avec la
région partenaire se sont réunis en un réseau «*Emilia-Romagna –
Kassel-Land*». Cette évolution, dont il est encore difficile d'évaluer
la portée, est néanmoins déjà intéressante. La coopération *inter*-
régionale offre ainsi l'occasion d'un renforcement voire même de la
création d'une coopération *intra*-régionale. Là où ces tendances se
manifestent, la densité des relations entre les intervenants locaux
et régionaux augmente.

Les effets positifs des transferts de savoir-faire induits par
un partenariat régional peuvent aussi être montrés par l'exemple de
la coopération de l'Emilie-Romagne et la Communauté autonome de
Valence. Ici, la constitution de réseaux externes (*external networking*) a familiarisé la région espagnole avec *ERVET* et donné l'impulsion pour la création d'une société d'encouragement économique
du côté espagnol. En particulier en raison du statut plus favorable
des communautés autonomes espagnoles par rapport aux régions
italiennes sur les plans institutionnel, financier et juridique, le système d'encouragement local a d'ores et déjà surpassé *ERVET* en
performance et en efficacité.

Bilatéral à l'origine, le partenariat entre l'Emilie-Romagne
et Valence est à présent devenu une coopération multirégionale à
laquelle participe aussi la Hesse. La Hesse a mis à profit les contacts italiens pour entrer en partenariat *de facto* avec la communauté autonome espagnole, même en l'absence d'accord formel. On
est ici confronté à un phénomène nouveau : sur la base de logiques
bilatérales, les régions impliquées constituent des réseaux relationnels spécifiques, ces chevauchements n'excluant pas l'éventualité
d'une intégration durable dans le réseau de relations de la région
partenaire.

La constitution d'un réseau multirégional était d'ailleurs
explicitement inclue dans la «déclaration d'intention entre l'Emilie-
Romagne et la Hesse», où il est dit que «les parties s'accordent pour
continuer à développer également leur coopération vers l'extérieur.

A cette fin, elles cherchent à tisser des liens avec d'autres régions afin de promouvoir l'intégration européenne par la coopération directe des régions et réaliser ainsi le projet de renforcement du troisième niveau dans une Europe des régions». La relation triangulaire de coopération régionale entre l'Italie, l'Espagne et l'Allemagne montre bien que ce qui importe est moins le cadre contractuel formel que la réalisation dans la pratique de la coopération interrégionale, et que tout accord de ce genre ne fournit en soi guère de renseignements sur le rendement effectif et l'intensité de la coopération. En tout cas, les accords de partenariat semblent être un bon moyen pour entrer dans un réseau relationnel existant ou pour constituer rapidement un nouveau réseau.

Outre les avantages économiques mutuels et le renforcement du rôle politique du «troisième niveau», la création de réseaux extérieurs (*external networking*) comporte une composante identitaire. Étant donné qu'il s'agit de représenter la culture régionale sur une scène internationale, des processus de définition et de présentation de soi interviennent et favorisent une affirmation des identités régionales. La représentation culturelle sous forme d'expositions, de publications et d'échanges de jeunes implique directement la population, pour la première fois associée aux côtés des décideurs régionaux des milieux économique ou institutionnel. Et les processus d'auto-organisation ainsi amorcés renforcent encore cet éveil d'une conscience d'appartenance régionale.

La coopération régionale ne pourra pas supprimer la concurrence économique déjà existante et sans doute encore croissante entre les régions. Néanmoins, des coopérations horizontales, intégratives, peuvent mener à des effets de synergie réciproquement utiles. De ce fait l'une des tâches les plus importantes des gouvernements régionaux est de veiller au bon équilibre entre concurrence et coopération. La coopération avec la région Emilie-Romagne offre à la Hesse un très gros potentiel d'apprentissage et de transfert en matière de développement économique, de réseaux de PME, de centres de service, de politique d'infrastructures ou de culture politique, faisant ainsi de cette région un partenaire particulièrement précieux. Il reste à voir dans quelle mesure la Hesse et l'Emilie-Romagne sauront dans les faits exploiter ces effets de synergie potentiels. Cela vaut tout particulièrement pour l'économie de ce nouveau régionalisme, c'est-à-dire la promotion du développement, la politique technologique et la préservation de l'emploi. L'avenir nous dira comment ce partenariat se répercutera à plus long terme sur les pratiques d'apprentissage (*learning curve*) de chacune des deux régions, ce qui est d'une importance décisive pour leur place économique et politique dans la concurrence internationale.

4 - Les coopérations élargies : Aquitaine et Jaroslavl

La coopération entre le Land de Hesse et la région Aquitaine est toute récente. Le protocole de collaboration en a été signé le 1ᵉʳ novembre 1995 à Wiesbaden. Comme dans le cas de l'Emilie-Romagne, les premiers contacts ont été établis plutôt sur un plan personnel. Les réprésentants du Département des Affaires européennes de Hesse et du Secrétariat général aux Affaires européennes et à la Coopération interrégionale du Conseil régional d'Aquitaine se sont rencontrés, entre autres, lors de diverses manifestations européennes à Bruxelles. L'importance politique et la longue histoire de l'amitié franco-allemande au niveau national se sont révélées un facteur de motivation considérable dans la recherche mutuelle d'une région-partenaire. Au cours des années 1994 et 1995, les idées se sont rapidement concrétisées. La date de la signature de l'accord a quand même souffert de plusieurs décalages, dus en partie aux élections présidentielles et municipales en France.

Néanmoins, quelques activités communes avaient été déjà lancées avant la signature officielle du protocole. Il s'agit de petits projets-pilotes comme un congrès de délégués des stations thermales rassemblant des participants de quatre régions européennes (Aquitaine, Emilie-Romagne, Valencia et Hesse), qui a eu lieu en mai 1995 à Bad Wildungen (avec le soutien financier de l'Union), la diffusion d'une série de films sur l'Aquitaine à l'Institut français de Francfort et la présence du Comité régional de Tourisme d'Aquitaine au *Hessentag*, une foire annuelle importante. Des premiers contacts ont aussi été noués entre les chambres de commerce et de l'industrie des deux régions, ainsi que sur le plan universitaire. D'autres projets prévus concernent un système de stages proposés aux étudiants, un programme important de recherche dans le domaine de la biotechnologie, la formation commune d'experts dans les métiers de la restauration, la coopération des viticulteurs des deux régions et un échange étroit entre les deux comités de tourisme[26].

Concernant les moyens financiers, il faut noter que cette nouvelle coopération n'a pas amené une augmentation du budget hessois pour les affaires européennes. Par conséquent, les possibilités de réaliser des projets importants apparaissent assez limitées, d'autant plus que les compétences des régions françaises[27] sont moins étendues que celles des Länder allemands. Ce fait limite *a*

26. D'après les idées exprimées par M. Valade et M. Eichel lors de la signature du protocole le 1ᵉʳ nov. 1995 à Wiesbaden.
27. En ce qui concerne ces compétences, cf. le numéro spécial de *Regional Politics & Policy*, «The End of the French Unitary State ? Ten Years of Regionalization in France», n° 3/1994 ainsi que, pour une comparaison France/Allemagne, Engel, 1993.

priori le choix des initiatives communes. Actuellement, la collaboration avec l'Aquitaine est — malgré la joie d'avoir enfin trouvé un partenaire français — encore considérée comme une sorte de complément à la coopération existante avec l'Emilie-Romagne, qui est bien rodée et qui restera, selon les responsables, un point fort du gouvernement hessois[28].

Comparé à la déclaration de coopération signé en 1992 avec l'Emilie-Romagne, le protocole concernant l'Aquitaine apparaît plus concret quant aux compétences respectives des partenaires. On cite, par exemple, «les domaines de l'économie, de la recherche, de l'agriculture, de l'enseignement, de la formation professionnelle et de la culture». C'est à peu près exactement le champ de compétences de la région d'Aquitaine. Une autre nouveauté se trouve dans un paragraphe rappelant que «leur coopération s'effectue sans porter préjudice aux actions que, par la voie de la coopération interrégionale, les deux régions se proposent d'entreprendre ou ont déjà réalisées avec d'autres régions d'Europe (...)». On essaie donc d'éviter une situation de concurrence entre différents partenaires. De plus, on invite d'autres régions à «s'associer à ce protocole». Finalement, l'objectif d'obtenir des moyens venant de Bruxelles est exprimé assez franchement : les deux régions «conviennent (...) de rechercher les soutiens financiers de l'Union européenne pour la réalisation de projets de coopération (...)» (Land Hessen, *Abt. für Europaangelegenheiten*, 1995).

Malgré des différences structurelles — le statut et les compétences, la taille (sur environ la moitié de la superficie de l'Aquitaine, la Hesse compte une population double) et le poids supérieur de l'agriculture et du tourisme en Aquitaine —, les conditions de départ de cette nouvelle coopération semblent prometteuses. D'après le discours du ministre-président Hans Eichel lors de la cérémonie de jumelage, les points communs entre les deux régions sont nombreux. Pour l'Aquitaine qui, jusqu'à présent, concentrait ses activités internationales sur les voisins de la péninsule ibérique et l'Arc atlantique (Cons. Rég. d'Aquitaine, 1993), un appui au centre d'une Europe qui s'ouvre à l'Est peut être un atout. Du côté de la Hesse, en raison de son économie fortement exportatrice, l'approfondissement des liens avec la France, le premier partenaire économique, apparaît également souhaitable.

Les deux régions sont marquées par un centre dominant (la ville de Bordeaux et l'agglomération *Rhein-Main* autour de Francfort) et par des territoires périphériques consacrés à l'agriculture et

---

28. Ce point de vue a été formulé par M. Böhmeke-Tilmann, chargé de mission au département des affaires européennes, dans un entretien en décembre 1994.

dotés d'une infrastructure plutôt faible (Pyrénées, Landes, Périgord et Hesse du Nord, Hesse de l'Est). Sur le plan économique, on trouve la présence de grands groupes internationaux et nationaux (Ford, Elf-Aquitaine, Dassault et Opel, Volkswagen, Hoechst) d'un côté, et un grand réseau de PME-PMI, souvent formé de sous-traitants hautement spécialisés, de l'autre. Le tissu très dense des universités et institutions de recherche renommées en Aquitaine correspond bien à celui de la Hesse. Finalement, ces deux régions sont, pour ainsi dire, des perdants de la fin de la guerre froide. En Aquitaine, cela se manifeste par la crise de l'industrie aéronautique, en Hesse par le retrait des troupes allemandes et américaines qui, situées dans les territoires faiblement structurés près de l'ancien «rideau de fer», constituaient souvent le seul facteur économique des villes. La conversion des espaces militaires et de l'industrie d'armement est donc à l'ordre du jour dans les deux cas.

Dans un tout autre cadre, le bouleversement politique en Union soviétique a provoqué la formation de nouveaux Etats, mais a aussi accru la responsabilité des régions et des communes. Leur souci principal est d'éviter le déclin économique et ses conséquences politiques et sociales. Pour réaliser ce but, il n'existait, sur le plan régional, ni stratégies ni compétences. Les pays occidentaux ont donc été appelés à l'aide. Dans une mesure considérable, ce rôle est assumé par des programmes de l'Union (par exemple TEMPUS en matière universitaire). Mais l'ensemble des parties ont également exprimé leur désir d'établir des contacts bilatéraux au niveau régional. L'intérêt principal du côté russe est de trouver un accès aux marchés de la Communauté et d'obtenir des aides pour réorganiser l'administration et l'économie. Naturellement, les investissements sont également recherchés. Selon les responsables, les coopérations devraient donc améliorer la connaissance des sites industriels et des conditions d'investissement en Russie, et contribuer à développer les relations économiques avec l'Europe de l'Ouest. Pour les partenaires occidentaux, il s'agit de se préparer à l'ouverture de cet espace économique.

Ces orientations furent probablement décisives pour la conclusion d'un traité de coopération entre le Land de Hesse et l'*Oblast* (région) de Jaroslavl. Le choix de cette région est dû au fait qu'un jumelage préexistait entre les villes de Jaroslavl et de Kassel. En outre, Jaroslavl constitue, grâce à sa situation géographique favorable, une «porte» sur l'espace économique russe. Cette ville est une plaque tournante, liée par des voies fluviales avec la mer Noire, la mer Baltique et la mer Arctique et, par voie ferrée, avec le chemin de fer transsibérien. La région, dont la surface excède celle de la

Hesse d'environ la moitié, compte 1,5 millions d'habitants. L'industrie joue un rôle majeur dans sa structure économique.

L'accord a été signé en 1991, et un an plus tard, un bureau de coopération a été ouvert à Jaroslavl. Sa fonction est de promouvoir les contacts au niveau des entreprises, de soutenir la formation d'un système administratif et d'intensifier les échanges culturels. Au regard de ces objectifs, il faut constater que la coopération économique n'a pas réalisé ces exigences initiales. Elle se concentre actuellement sur un très petit nombre de PME hessoises. Au vu de l'instabilité de la situation en Russie, les investisseurs potentiels hessois restent réservés.

Un soutien plus intensif a été réalisé dans le domaine administratif. Des spécialistes russes ont été formés par des stages en Hesse. Le champ des relations culturelles se montre aussi plus actif que celui de l'économie. A Jaroslavl, un Centre de rencontres Kassel-Jaroslavl a été inauguré en 1994. Ces contacts s'étendent aussi à la coopération scientifique des universités des deux villes ainsi qu'aux échanges entre associations et clubs.

Dans le cadre de cette coopération, le gouvernement de la Hesse essaie d'encourager la création de nouveaux jumelages entre villes pour mieux enraciner la confiance et les liens d'amitié au niveau des citoyens. La question d'autres effets positifs — sur les plans politico-administratif, économique ou écologique — paraît, à l'heure actuelle, encore prématurée.

Conclusion

Le fonctionnement de la coopération inter-régionale s'équilibre par un travail commun fortement personnalisé et par des réglages fins en termes institutionnels, juridiques, financiers et naturellement politiques. En raison des variations des données de base et des possibilités d'action, chaque coopération bilatérale se développe de façon particulière. Il est toujours nécessaire de rechercher de nouvelles voies permettant la coopération, parfois dans des secteurs où l'une des deux régions n'a pas ou peu de pouvoir décisionnaire. La véritable fragilité des partenariats régionaux réside dans la difficulté à identifier des points communs en dépit des dissemblances structurelles et des différences de problèmes à résoudre. La réussite ou l'échec d'une coopération inter-régionale est fonction d'un nombre restreint d'intermédiaires. Même si jusqu'à présent cette situation est encore très avantageuse sur le plan de la flexibilité, puisqu'il n'y a pas de longues procédures bureaucratiques à suivre entre l'initiative d'un projet et sa réalisation, le haut niveau de personnalisation est aussi porteur de risques : en cas de mauvais fonctionnement de la communication personnelle entre ces médiateurs, si la coopération ne se stabilise pas après la phase initiale des échanges, ou si elle n'atteint pas un niveau qualitatif supérieur, le partenariat est directement menacé d'échec.

Les politiques extérieures des collectivités régionales, en particulier la pratique de la coopération inter-régionale, recouvrent un ensemble de questions à résoudre, de contradictions et de problèmes. Principalement du fait d'un manque d'expérience et des circonstances le plus souvent fortuites de leur naissance, la viabilité de ces relations reste encore incertaine car gérée selon un principe d'essais et d'erreurs. Un autre problème non résolu pour l'heure est que nombre de partenariats bilatéraux ne sont pas reliés par des réseaux, ce qui ne peut que nuire à l'utilité et à l'efficacité de la coopération. Ainsi, la Hesse et l'Emilie-Romagne par exemple, qui coopèrent étroitement, ont avec l'Aquitaine pour l'une et les Pays-de-Loire pour la seconde des partenaires différents en France. La Hesse entretient de plus un partenariat de fait avec Valence, région qui est liée par des accords officiels avec la Rhénanie du Nord-Westphalie, ce dernier partenariat fonctionnant cependant beaucoup moins bien que la relation informelle avec la Hesse. Au lieu de coopérations triangulaires ou multiples, ce sont des logiques bilatérales qui prévalent encore.

Par rapport aux attentes, les bénéfices économiques du partenariat demeurent maigres. Mais les buts économiques ne devraient pas être considérés comme les plus significatifs. L'accent porté sur les secteurs de la jeunesse, des politiques sociales et culturelles représente une évolution qui, au moins du point de vue de l'entente des peuples, mérite également de figurer au premier rang. Pourtant, il s'agit là d'objectifs plutôt négligés jusqu'à aujourd'hui. Ceci invite à un changement de mentalité des intervenants en ce qui concerne les enjeux socio-politiques entrant dans le champ des partenariats régionaux. On peut aussi relever un autre aspect critique dans la notoriété limitée des partenariats et la faiblesse de l'information à leur sujet. Le grand public n'a guère pris note des partenariats régionaux.

Il est trop tôt encore pour pouvoir dire quels seront les effets des coopérations inter-régionales sur la politique européenne. Tant que le travail au sein du Comité des Régions n'aura pas été notablement amélioré et tant que dans cette instance on continuera à voter conformément aux frontières nationales, les retombées politiques de l'action inter-régionale resteront limitées. D'un autre côté, les partenariats régionaux ont une influence positive sur le Comité des Régions, puisque ce dernier sert de relais à un nombre croissant de demandes et d'initiatives transnationales, de sorte que les structures mentales et les modes d'action traditionnellement ancrés dans des concepts nationaux seront à la longue assouplis.

Bibliographie

Bollettino Ufficiale della Regione Emilia-Romagna, n° 22, 13.03.1990 ; n° 17, 26.02.1990 ; n° 10, 03.02.1994.

BORCHMANN M., «Die Aktivitäten der deutschen Länder : Das Beispiel Hessen», *in* Bullmann, 1994.

BORKENHAGEN F., «Vom kooperativen Föderalismus zum "Europa der Regionen"», *in Aus Politik und Zeitgeschichte*, B 42/1992.

BULLMANN U. (dir.), *Die Politik der dritten Ebene. Regionen im Europa der Union*, Baden-Baden, Nomos, 1994.

CONSEIL RÉGIONAL D'AQUITAINE (dir.), *L'Aquitaine au cœur de la coopération interrégionale*, Bordeaux, 1993.

COOKE P., MORGAN K., «The Network Paradigm : new departures in corporate and regional development», *Society & Space*, 11/1993.

DEGENHART C., *Staatsrecht I, 7. Auflage*, Heidelberg, C. F. Müller, 1991.

EIßEL D., «Disparität oder Konvergenz im "Europa der Regionen"», *in* Bullmann, 1994.

ENGEL C., *Regionen in der EG Rechtliche Vielfalt und integrationspolitische Rollensuche*, Bonn, Europa Union Verlag, 1993.

EVERS T. (dir.), *Chancen des Föderalismus in Deutschland und Europa*, Baden-Baden, Nomos, 1994.

Gazzetta Ufficiale della Repubblica Italiana, 21.10.1990.

GRASSE A., *Neuer Regionalismus in Italien*, mémoire DEA, Université de Gießen, 1995.

GUAGNINI M., RUFFINI M. (dir.), *L'Emilia-Romagna nel sistema Europa*. Prometeia Calcolo, Assessorato programmazione e bilancio, Servizio programmazione, Regione Emilia-Romagna, Documenti, Studi e ricerche n° 1, Bologna, 1989.

HAUSER E., «Der mächtige Drang zu den Schalthebeln in Brüssel», *in Frankfurter Rundschau*, 19.11.1993.

HESSISCHE LANDESZENTRALE FÜR POLITISCHE BILDUNG (dir.), *Die deutschen Bundesländer und die Europäische Gemeinschaft*, Blaue Reihe : Europa im Werden, n° 15, Wiesbaden,1988.

HOLLIDAY I., *Critical Reflections on a Europe of the Regions. Identity and the Incidence of Success*, paper presented at the ECPR Joint Session of Workshops : The Political Economy of Regionalism, Madrid, April 1994.

HRBEK R., «Doppelte Politikverflechtung: Deutscher Föderalismus und Europäische Integration» *in* R. Hrbek / U. Thaysen (dir.), *Die Deutschen Länder und die Europäischen Gemeinschaften*, Baden-Baden, Nomos, 1986.

HRBEK R., WEYAND S., *Betrifft : Das Europa der Regionen*, München, Beck, 1994.

KUKAWKA P., *Le Quadrige européen (Bade-Wurtemberg, Catalogne, Lombardie, Rhône-Alpes) ou la coopération inter-régionale sans frontières*. Communication faite au colloque «Les régions en Europe» organisé par le CERI et le CRAP à l'Institut d'Etudes Politiques de Rennes, les 4-5-6 octobre 1995.

LAND HESSEN, ABTEILUNG FÜR EUROPAANGELEGENHEITEN (dir.), *Interregionale Zusammenarbeit mit der Emilia-Romagna*, papier d'information interne, Wiesbaden, Europa-Abteilung, septembre 1994. *Protokoll über interregionale Zusammenarbeit zwischen dem Land Hessen und der Region Aquitaine*, Wiesbaden, Europa-Abteilung, novembre 1995.

LENSCH R., «Die Finanzverfassung des Grundgesetzes und die neuen Länder», *in Evers*, 1994.

LEONARDI, R., «Political developments and institutional change in Emilia-Romagna, 1970-1990», *in* LEONARDI R., NANETTI R. (dir.), *The Regions and European Integration. The Case of Emilia-Romagna*, London, Pinter, 1990.

LEONARDY U., «Auswärtige Beziehungen und Europäische Angelegenheiten im Bund-Länder-Verhältnis», *in Evers*, 1994.

MARKS G., «Structural Policy in the European Community» *in* A. Sbragia (dir.), *Europolitics. Institutions and Policymaking in the «New» European Community*, Washington D.C., Brookings, 1992

MÜLLER-BRANDECK-BOCQUET G., «Ein föderalistisches Europa ? Zur Debatte über die Föderalisierung und Regionalisierung der zukünftigen europäischen Union», *in Aus Politik und Zeitgeschichte*, B 45/1991.

NOMISMA, (dir.), *Rapporto 1992 sull'industria italiana*, Bologna, Il Mulino, 1993.

PUTNAM R., *Making Democracy Work. Civic Traditions in Modern Italy*, Princeton, Princeton University Press, 1993.

RAICH S., *Grenzüberschreitende und interregionale Zusammenarbeit in einem «Europa der Regionen» : dargestellt anhand der Fallbeispiele Großregion Saar-Lor-Lux, EUREGIO und «Vier Motoren für Europa»,* Tübingen, Schriftenreihe des Europäischen Zentrums für Föderalismus-Forschung, 1995.

REGIONAL POLITICS & POLICY, *Special Issue on : The End of the French Unitary State ?: Ten Years of Regionalization in France (1982-1992),* vol. 4, n° 3, Autumn 1994.

REISSERT B., «Politikverflechtung» *in* D. Nohlen (dir.), *Wörterbuch Staat und Politik,* Bonn, Bundeszentrale f. polit. Bildung, 1995.

SCHARPF F. W., REISSERT B., SCHNABEL F., *Politikverflechtung. Theorie und Empirie des kooperativen Föderalismus in der Bundesrepublik,* Kronberg, Scriptor, 1976.

SCOCPOL T., «Bringing the State back in : Strategies of Analysis in Current Research» *in* P. Evans, D. Rueschemeyer, T. Scocpol (dir.), *Bringing the State back in,* Cambridge, CUP, 1985.

SEIFERT K. H., HÖMIG D. (dir.), *Grundgesetz für die Bundesrepublik Deutschland. 2. Auflage,* Baden-Baden, Nomos, 1985.

STAATSMINISTERIUM BADEN-WÜRTTEMBERG, ABT. V. (dir.), *Arbeitsgemeinschaft «Vier Motoren für Europa»,* papier de discussion, Stuttgart, Staatsministerium, janvier 1994.

UNIONE REGIONALE CAMERE DI COMMERCIO DELL'EMILIA-ROMAGNA (dir.), *Statistiche regionali,* 77/3 1993, Bologna, 1993.

Mobilisations et coopérations régionales au Royaume-Uni

par *John Loughlin et Jörg Mathias*

Le Royaume-Uni a la réputation d'être l'un des Etats les plus anti-européens de tous les pays membres de l'Union européenne. Probablement parmi les plus centralisés, il est aussi doté des politiques régionales les moins développées à l'égard de ses propres régions. Toutefois, il convient de nuancer ces affirmations pour plusieurs raisons. Ainsi, s'il est vrai que les gouvernements conservateurs en Grande-Bretagne ont souvent joué la carte anti-européenne, en particulier à l'époque où Margaret Thatcher était Premier ministre, mais également aujourd'hui où John Major est pris en otage par les «euro-sceptiques» de son parti, il existe, au sein de l'administration comme aux niveaux local et régional, des partisans pro-européens convaincus. De plus, le Royaume-Uni détient sur le plan administratif l'un des meilleurs résultats pour l'application de la législation de l'Union européenne, contrairement à certains Etats membres supposés plus «pro-européens» (*Department of Trade and Industry*, 1993). En outre, bien que le Royaume-Uni ait lui-même largement abandonné une politique régionale très active jusqu'à la fin des années 1970, ce retrait est dans une certaine mesure compensé, malgré le problème de l'additionnalité, par les fonds importants alloués par le programme de politique régionale de l'Union européenne. Les bénéficiaires de ces fonds se trouvent aux niveaux régional et local, essentiellement en Ecosse, au Pays de Galles, en Irlande du Nord et dans certaines localités d'Angleterre. C'est dans ces régions que l'actuel gouvernement conservateur est aussi très impopulaire et qu'il a perdu l'essentiel de son soutien. Compte tenu de la distance croissante entre «Westminster» et les régions britanniques, «Bruxelles» leur est devenue plus proche, tout au moins pour ce qui concerne les principales élites politiques, administratives et économiques qui voient dans l'Union européenne un moyen alternatif d'obtenir des ressources politiques et financières.

Toutes ces raisons ont créé en Grande-Bretagne une situation assez différente de ce que pourraient attendre des observateurs exlusivement informés par les prises de position du gouvernement britannique au niveau de l'Union européenne (comme par exemple l'échec récent de la coopération européenne sur la question de la «vache folle»). Ce qui est désormais en jeu en Grande-Bretagne c'est la perspective d'un gouvernement travailliste, au plus tard en 1997, qui devrait conduire à des réformes constitutionnelles importantes sur le plan régional. Celui-ci devrait également apporter une approche plus positive à l'égard de l'Europe. Ces changements transformeront et stimuleront les processus de mobilisation régionale et de coopération inter-régionale déjà amorcés. L'objet de cette étude est de définir le contexte de ces changements et d'analyser la mobilisation régionale en cours. Ainsi, dans un premier temps, nous présenterons le système constitutionnel du Royaume-Uni dans le cadre duquel ces changements interviennent. Ces précisions sont également importantes pour comprendre la relation entre nationalisme et régionalisme au Royaume-Uni. Nous envisagerons ensuite quelques exemples concrets de mobilisation et de coopération régionales au Pays de Galles, en Ecosse et, dans une certaine mesure, en Angleterre.

I. Le contexte constitutionnel du régionalisme au Royaume-Uni

Le Royaume-Uni de Grande-Bretagne et d'Irlande du Nord a souvent été décrit comme un Etat «multinational» (Rose, 1982). Ce terme fait référence à la particularité de son système administratif qui consiste en un «Etat» regroupant trois nations (l'Angleterre, l'Ecosse et le Pays de Galles) et un territoire (l'Irlande du Nord), revendiqué par la nation irlandaise. La relation entretenue entre chacune de ces composantes et le Royaume-Uni diffère fortement de l'une à l'autre. L'Angleterre constitue clairement l'entité politique centrale. Le Pays de Galles a été uni à la Couronne par les Actes d'Union (*Acts of Union*) de 1536 et 1542. Depuis cette période, le Pays de Galles, tout en conservant jusqu'à aujourd'hui une langue et une culture distinctes, est politiquement et administrativement presque totalement intégré au système anglais (Morgan, 1971 ; Rose, 1982). Pourtant ce n'est qu'en 1964 qu'une reconnaissance administrative de la singularité galloise a été officialisée avec la création, par le gouvernement travailliste nouvellement élu de Harold Wilson, du *Welsh Office* (Rhodes, 1988). De son côté, l'Ecosse a rejoint la Couronne en 1707 par une autre voie, au terme d'une union dynastique entre les deux monarchies d'Ecosse et d'Angleterre. Toutefois, l'Ecosse a conservé un certain nombre de particularités administratives : son propre clergé (l'Eglise calviniste d'Ecosse), son système d'éducation, un système juridique propre (de droit romain) et un processus législatif au Parlement grâce auquel les projets de loi écossais (*Scottish bills*) sont examinés séparément. En outre, certains secteurs de l'administration publique sont supervisés par le *Scottish Office*, créé en 1885 mais installé à Edimbourg depuis 1939 seulement (Rose, 1982).

La position de l'Irlande du Nord est assez différente (Hadfield, 1992), de même que l'était celle de l'Irlande, membre du Royaume-Uni jusqu'en 1920. A cette date, l'île fut soumise à une partition entre les six comtés du nord demeurant au sein de la Couronne et les vingt-six comtés du sud devenus «Etat libre» (tout en appartenant jusqu'en 1948 au Commonwealth britannique). A ce «semi-Etat» nouvellement créé au nord, dominé par une majorité unioniste (protestante) qui constituait dans l'ancienne Irlande unifiée une minorité, furent accordés un fort degré d'autonomie ainsi qu'un système politique et administratif reflétant celui de Westminster avec tous les apparats d'un Sénat et d'une Chambre des Communes, situés à Stormont près de Belfast (Arthur, 1980). L'Irlande du Nord dispose, selon les «Actes du Parlement» de 1949 et de 1973 et au regard de certains traités comme le *Anglo-Irish Treaty* signé entre les gouvernements de l'Irlande et de la Grande-Bretagne en 1985, du *droit de faire sécession,* à condition qu'une majorité des habitants le souhaite (Connolly et Loughlin, 1985). Toutefois, même si cette perspective semble peu vraisemblable dans un proche avenir, la conséquence de cet acte est que l'Irlande du Nord est laissée à distance du reste du Royaume-Uni et possède une fonction publique, un système de gouvernement local, des partis politiques et des clivages partisans qui lui sont propres. Par ailleurs, le Parti travailliste et le Parti conservateur n'ont pas, jusqu'à récemment, permis à leurs adhérents d'organiser ou de participer à des élections en Irlande du Nord. Lorsque les conservateurs ont levé cet interdit, les résultats obtenus ont été très décevants pour leurs partisans locaux en Irlande du Nord.

En dehors de ces arrangements particuliers qui concernent les ensembles principaux formant le Royaume-Uni, une mention supplémentaire doit être apportée sur l'île de Man et les îles de la Manche. Ces îles éloignées de la côte ne font pas partie du Royaume-Uni, mais bénéficient d'un statut de territoire associé *(associate status).* Dotées de leur propre parlement, elles administrent les affaires d'ordre interne, le Royaume-Uni étant responsable des affaires extérieures. Le gouvernement n'intervient donc que de façon occasionnelle dans leurs affaires intérieures. Ainsi, bien que le Parlement de Westminster ait le pouvoir de promulguer des lois directes concernant ces îles (Twining and Uglow, 1981), celui-ci préfère généralement accorder une large place à la consultation et aux procédures d'amendement, laissant en fait leurs parlements libres de déterminer dans quelle mesure la loi conçue pour l'Angleterre et le Pays de Galles sera adoptée.

Le Royaume-Uni semble ainsi présenter un système politique et administratif assez déroutant et paradoxal qui le différencie de la plupart des autres Etats européens. En effet, il n'existe pas d'Etat du Royaume-Uni au sens de l'*Etat* français ou du *Staat* allemand, entité légale supérieure et personne morale capable d'intervenir dans des contrats légaux le liant à d'autres personnes morales (Dyson, 1980 ; Loughlin, 1994). Toutefois, si l'on considère que le Parlement de Westminster est le lieu de souveraineté suprême et unique, le Royaume-Uni est un des Etats les plus centralisés d'Europe. En outre, il n'existe pas de constitution cohérente écrite protégeant les droits d'entités politiques comme le gouvernement local par exemple ou même les droits des citoyens par rapport au gouvernement central. Ce pouvoir détenu par le parlement a été très nettement démontré lors de la prorogation (en réalité l'abolition) du Parlement de Stormont d'Irlande du Nord en 1972 ou lors de l'abolition pure et simple du Conseil du Grand Londres (*Greater London Council*) ou des comtés métropolitains (*Metropolitan Counties*), par le gouvernement de Madame Thatcher en 1985. Seul le transfert de souveraineté concernant quelques domaines vers des institutions de l'Union européenne a modifié l'absolutisme de la souveraineté parlementaire au Royaume-Uni. Cependant, à Maastricht, le Premier ministre John Major a mené avec succès une bataille pour imposer une interprétation du principe de *subsidiarité* au sein de l'Union européenne fondée sur la défense des gouvernements nationaux face aux institutions européennes, mais n'entraînant pas une dévolution des pouvoirs comme son sens habituel l'implique généralement.

Le régionalisme au Royaume-Uni doit être compris dans le cadre de ce contexte politico-administratif. Il est de surcroît complexifié par le *nationalisme* périphérique des trois nations celtes : l'Ecosse, le Pays de Galles et l'Irlande (du Nord). Il y a toujours eu une dimension territoriale dans la politique britannique (Berrington, 1985 ; Bulpitt, 1983). L'important est que certaines élites politiques déterminantes de l'Ecosse ou du Pays de Galles ne définissent pas leurs territoires comme des *régions* mais plutôt comme des *nations* bien que, comme nous le verrons plus loin, cette position ait changé ces dernières années sous l'impact de «l'européanisation» croissante des politiques publiques au Royaume-Uni.

Il reste que le Royaume-Uni doit faire face à un problème massif de disparités régionales, le pouvoir politique et les richesses économiques étant largement concentrés dans le sud-est de l'Angleterre à la périphérie de Londres. Le nord et le sud-ouest de l'Angleterre et les nations celtes souffrent au contraire d'un des niveaux de pauvreté parmi les plus importants d'Europe. C'est dans le but d'atténuer ces disparités que les gouvernements du Royaume-Uni ont développé, à l'instar d'autres nations occidentales, entre les années 1950 et le début des années 1970, des politiques de développement régional basées sur le slogan «donner de l'emploi aux ouvriers» (Wood, 1987). Ceci fut mis en place par des mesures d'incitation financières et fiscales visant à attirer dans les zones économiquement pauvres de Grande-Bretagne des investisseurs extérieurs. Cette politique de développement régional était idéologiquement très liée aux théories macro-économiques néo-keynésiennes, dominantes à l'époque, qui considéraient que les gouvernements pouvaient modifier les processus économiques au moyen de mesures très incitatives et interventionnistes. Le jugement le plus répandu au regard de ces politiques est qu'elles furent dans l'ensemble inefficaces.

Au milieu des années 1970, les gouvernements travaillistes, cherchant à juguler les problèmes d'inflation en réduisant les dépenses publiques, commencèrent à réaliser des coupes franches au niveau de ces politiques. Avec l'arrivée au pouvoir en Grande-Bretagne de la nouvelle droite, à la suite de la victoire de Margaret Thatcher et du Parti conservateur en 1979, cet abandon de la politique régionale traditionnelle a été mené encore plus loin. L'agenda politique thatchérien, basé sur les théories néo-libérales, visait la réduction à tous les niveaux de l'intervention gouvernementale et en particulier de toutes les politiques, comme la politique régionale menée jusqu'alors, construites autour de ce que les conservateurs qualifiaient de culture de la «dépendance». La politique thatchérienne a eu pour résultat concret une aggravation des disparités régionales au sein du Royaume-Uni, les écarts s'aggrandissant entre le Nord et le Sud. L'Ecosse et le Pays de Galles ont aussi, globalement, souffert de l'impact des politiques thatchériennes (Keating, Midwinter, Mitchell, 1991). Les déséquilibres spatiaux au sein de ces entités ont également augmenté : ainsi si Cardiff et Glasgow ont connu une certaine prospérité, d'autres régions en Ecosse et au Pays de Galles ont vu leur situation économique et sociale se détériorer.

Toutefois, l'impact global des programmes d'austérité that-chériens a été, dans une certaine mesure, nuancé par l'importance croissante de la politique régionale de l'Union européenne. Plu-sieurs localités en Grande-Bretagne ont été sélectionnées pour bé-néficier des fonds du FEDER en tant que régions classées au titre de l'Objectif 1 (l'Irlande du Nord, Merseyside, *Scottish Highlands and Islands Enterprise Area*), ou de l'Objectif 2 (certaines zones en Angleterre, en Ecosse et au Pays de Galles). En outre, plusieurs initiatives de la Communauté européenne, telles que les program-mes RECHAR (pour la reconversion des régions minières) et STRIDE, ont été mises en œuvre au Royaume-Uni. Ainsi, malgré le problème de l'additionnalité (par laquelle le gouvernement du Royaume-Uni substitue des fonds de l'Union européenne à ceux du Trésor pour financer certaines opérations), cet apport de fonds eu-ropéens en Grande-Bretagne a beaucoup modifié les règles du jeu et le mode d'élaboration des politiques publiques.

II. La mobilisation régionale au Royaume-Uni

L'opportunité de recevoir des financements de la part de «Bruxelles» a conduit à une large mobilisation des intérêts régio-naux et locaux qui se sont regroupés en associations régionales dans le but de bénéficier de cette nouvelle situation. Cette mobilisation a pris différentes formes :

– un type de mobilisation intra-régionale par lequel des acteurs essayent de mobiliser leurs forces *au sein* d'une région ;

– des accords bilatéraux avec d'autres régions, généralement en dehors du Royaume-Uni ;

– l'installation d'agences à Bruxelles ;

– l'adhésion à des consortiums européens au sens large ou à des associations inter-régionales. Les autorités locales britanniques ont essayé chacune de ces stratégies. S'il convient de ne pas surévaluer le sens de cette mobilisation, elle ne saurait être considérée comme purement «symbolique» ou insignifiante.

1 - La mobilisation intra-régionale

Les associations regroupées au sein de cette catégorie sont généralement constituées de groupes du secteur privé ou public qui se sont réunis sans aide du gouvernement central. En effet, les dix dernières années ont été les témoins d'une européanisation crois-sante de l'administration et du gouvernement central en Grande-Bretagne ainsi que d'une mobilisation au niveau régional de la part de toutes les catégories d'élites (Yiantsios, 1996). Plusieurs associa-tions, constituées avec certaines des dix régions administratives d'Angleterre, d'Ecosse et du Pays de Galles, ont été choisies pour jouer à la fois la carte européenne et la carte régionale. Avec la formation de groupes comme la *North West Regional Association* (NRWA) (Burch and Holliday, 1993) par exemple, une coopération régionale s'est mise en place dans les régions. La NRWA regroupe le Ch shire, le Grand Manchester, le Lancashire, le Merseyside et la Cumbria. Ce groupe a tenté de mettre en place une stratégie économique régionale. La *Northern Development Company* qui rassemble les autorités locales, l'industrie et les syndicats constitue un autre exemple. Cependant, tel que l'écrit Elcock : «La fragmentation des dministrations locales et régionales représente un inconvénient majeur pour élaborer un accord établissant une stratégie régionale commune, en l'absence d'une instance de gouvernement régional qui serait susceptible de les fédérer» (Elcock, 1996). Parmi ces roupes élargis, il existe désormais la *Northern Assembly of Local Authorities* (précédemment dénommée *Northern Regional Council Association*) qui possède une Commission des relations extérieures composée des agents de développement européen de chacune des autorités locales. Cette commission supervise les demandes de financement européen formulées par les autorités locales.

A Londres, singulièrement pour une cité européenne de cette importance, il n'existe plus, depuis l'abolition du Grand Conseil de Londres, d'autorité représentative de l'agglomération londonienne. Toutefois, *l'Association of London Authorities* a tenté de combler ce vide, en faisant pression pour obtenir des fonds de l'Union européenne, et travaille à un projet de plan stratégique pour la capitale dans son ensemble (Yiantsios, 1996, p. 129).

On trouve un exemple intéressant de ce type de mobilisation dans la création, le 3 mars 1995, de *l'European Forum of Thames Valley* qui comprend les districts de Berkshire, Buckinghamshire et Oxfordshire[1]. Ces régions appartiennent au groupe dit «NUTS II», d'après la nomenclature de l'Union. La décision d'établir une association régionale fut prise à la suite d'une présentation de la Commission européenne en mars 1994 sur la façon dont les politiques et les programmes de l'Union européenne affecteraient le sud de l'Angleterre. Le Forum tend à répondre de façon efficace à ce qu'il définit comme des opportunités et des défis. Il est composé de 44 conseillers et fonctionnaires issus des conseils de comtés et de districts, de parlementaires nationaux et européens, ainsi que des représentants du Comité des régions. Selon Sue Roberts, responsable des relations extérieures, la première année d'existence du forum a été un succés marqué par une approche de plus en plus forte et

---

1. Les auteurs souhaitent remercier Madame Sue Roberts, le responsable des affaires extérieures du Forum européen de Thames Valley, pour avoir fourni cette information et celle qui suit.

cohérente des problèmes européens[2]. Ces activités seront mainte-
nues dans le futur.

Cependant, ce type de mobilisation intra-régionale reste encore limité en Angleterre pour plusieurs raisons. D'abord, il n'existe
pas de définition claire de la région. Les dix régions standard
(*Standard Regions*) restent avant tout des lignes tracées sur la
carte par commodité administrative. A l'exception des cas de *Corn-
wall* et de *Northumbria*, l'identité régionale est très faible. Surtout,
il n'existe pas d'institutions politiques régionales alors même que les
organes administratifs à ce niveau sont incohérents. Il existe donc
peu de motifs qui puissent encourager le sens d'une identité régionale. Ceci pourrait éventuellement évoluer avec l'arrivée au pouvoir
des travaillistes et la mise en application de leur programme de
régionalisation.

Il est plus facile de définir ce qu'est la région en Ecosse et au
Pays de Galles, car comme nous l'avons souligné plus haut, ces entités sont reconnues comme des pays distincts dont les frontières sont
établies depuis des siècles. Les deux pays possèdent de fortes identités *nationales* et sont dotés de leur apparat habituel : drapeaux,
hymnes nationaux, symboles et équipes de football. Il existe depuis
les années 1970 des agences de développement dans les deux pays :
l'Agence de développement de l'Ecosse (*Scottish Developpement
agency, SDA*) (Mitchell, 1996) et l'Agence de Développement du
Pays de Galles (*Welsh Developpement Agency*, WDA) (voir ci-après),
toutes deux fondées en 1975. Chacune des agences disposait d'un
programme qui couvrait l'intégralité de chacun des pays. La SDA a
été réorganisée sous le gouvernement conservateur à la fin des années 1980 pour devenir la *Scottish Enterprise*. Au Pays de Galles,
l'Assemblée des comtés gallois (*Assembly of Welsh Counties, AWC*) a
joué un rôle important en développant une stratégie européenne
destinée aux autorités locales. C'est l'AWC qui a assumé le leadership dans la définition d'un projet européen pour celles-ci. C'est en
Ecosse cependant que le Royaume-Uni s'est approché le plus de
l'idée de région, au sens où on conçoit le terme en Europe continentale, sous la forme du Conseil régional de Strathclyde (*Strathclyde
Regional Council*). Celui-ci est devenu une véritable autorité régionale, dotée de compétences et de capacités de programmation plus
étendues que celles des comtés métropolitains d'Angleterre
(Wannop, 1996).

---

2. Entretien du 19 février 1996.

2 - Les accords bilatéraux

On trouve des exemples de cette approche avec la création des Eurorégions et l'utilisation des fonds INTERREG par les autorités locales comme le Conseil du comté du Kent *(Kent County Council)*, qui sous l'impulsion de la construction du Tunnel sous la Manche, a établi des relations avec la région Nord-Pas de Calais en France. Des arrangements similaires se sont constitués entre certaines autorités locales du Pays de Galles comme le Comité du comté de Dyfed et l'autorité régionale du sud-est de l'Irlande qui a reçu des financements dans le cadre du programme INTERREG II. Des liens similaires sont en train de se tisser entre Swansea et Cork.

3 - L'ouverture d'agences à Bruxelles

En 1995, on dénombrait 29 «bureaux d'information régionaux» pour le Royaume-Uni à Bruxelles. Jeffery (1995) a pu les catégoriser comme suit :

1) les bureaux ouverts par des *autorités locales uniques,* créés par une ville ou un comté, comme le Kent, l'East Sussex, Strathclyde, Birmingham ou Nottingham par exemple ;

2) les *consortiums regroupant des autorités locales,* constitués autour des régions dites NUTS dans la nomenclature européenne : le Yorkshire et Humberside, les East-Midlands, le Devon, les Cornouailles et Londres par exemple ;

3) le troisième groupe réunit les *représentants des nations celtes :* le Centre européen du Pays de Galles *(Wales European Centre)*, le Centre d'Irlande du Nord en Europe *(the Northern Ireland Centre in Europe)* et le *Scotland Europa*. Chacun de ces centres opère comme les consortiums régionaux anglais, mais s'en distingue cependant par l'existence de relations directes (pour l'Irlande du Nord) ou indirectes (pour l'Ecosse et le Pays de Galles) avec les *Offices* régionaux de l'Irlande du Nord, du Pays de Galles et de l'Ecosse ;

4) le dernier ensemble regroupe toutes les agences qui ne correspondent à aucune des catégories précédentes : *Lancashire Enterprises plc* (financé en partie par le Conseil du comté de Lancashire) ; le Bureau de Manchester et le bureau franco-britannique conjointement ouvert par le Comté d'Essex et le Conseil régional de Picardie (Jeffery, 1995, p. 10).

Tableau 1
Bureaux d'information régionale du Royaume-Uni à Bruxelles

Types d'agences	Noms des agences
Autorités locales uniques	Bedford Co. Council, City of Birmingham, Cheshire Co. Council, East Sussex Co. Council, Essex Co. Council, Gloucestershire Co. Council, Kent Co. Council, Luton Borough Council, Manchester Office, Nottingham Brussels Office, Surrey Co. Council, Strathclyde Region, West Sussex Co. Council.
Consortium d'autorités locales	Convention of Scottish Local Authorities, Cornwall & Devon European Liaison Office, East Midlands Liaison Cffice, Greater London Enterprise European and Regeneration Services, Hampshire-Dorset, Highlands & Islands European Office-Grampian EU Office, North of England Office (Brussels), Yorkshire & Humberside.
Agences territoriales	Scotland Europa, Wales European Centre, Northern Ireland Centre in Europe.
Divers	ast of Scotland European Consortium, South of Scotland Liaison Office, Anglo-French Office of Essex Co. Council and Picardie Regional Council, Local Government International Bureau, Scottish Enterprise.

Source : Jeffery (1995) et *The European Public Affairs Directory* (1996).

Il faut remarquer que ces bureaux sont de taille assez modeste (comparativement aux agences allemandes par exemple), et plus souvent l'émanation des villes et des comtés que des régions, à l'exception des groupes 2) et 3). Il convient de n'exagérer ni leurs objectifs ni leur efficacité, leur fonction première étant avant tout de collecter des informations. Toutefois, le coût moyen annuel d'une de ces agences représentant environ 120 000 livres anglaises (Audit Commission, 1991), cela constitue en cette période de restrictions budgétaires draconiennes au Royaume-Uni une charge financière considérable pour un conseil ou une ville britannique. Il est clair que les autorités qui s'engagent dans ces dépenses considèrent qu'elles sont nécessaires et qu'elles en tirent avantage.

4 - Les associations inter-régionales

La mobilisation régionale a aussi pris la forme d'une participation d'autorités territoriales britanniques, comme la région écossaise de Strathclyde, ou d'autorités locales individuelles à des associations régionales transeuropéennes, telles que l'Assemblée des régions d'Europe (ARE), la Conférence des régions périphériques maritimes (CRPM) ou l'Arc atlantique mis en place en 1995 par la CRPM.

Tableau 2

Les régions et autorités locales du Royaume-Uni participant aux associations inter-régionales européennes (1994)

Associations inter-régionales	Régions ou autorités locales
Assemblée des régions européennes (ARE)	Avon, Bedfordshire, Central, Cleveland, Cornwall, Cumbria, Devon, Dorset, Dumfries and Galloway, Durham, East Sussex, Essex, Five, Gloucestershire, Grampain, Greater Manchester, Hampshire, Hereford & Worcester, Hertfordshire, Highland, Humberside, Isle of Man, Isle of Wight, Kent, Lothian, Merseyside, Northumberland, Nottinghamshire, Orkney, Shetland, Shropshire, Somerset, South Yorkshire, Staffordshire, Strathclyde, Surrey, Tayside, Tyne &Wear, Wales (group.of 8 Counties), Warwickshire, Western Isles, West Midlands, West Sussex, West Yorkshire.
Conférence des régions périphériques maritimes (CRPM)	Avon, Central, Cheshire, Cornwall, Devon, Dorset, Dumfries and Galloway, Fife, Gloucestershire, Grampian, Highlands, Isle of Man, Isle of Wight, Lothian, Orkney, Shetland, Somerset, Tayside, Wales (Association of Welsh Counties), Western Isles.
Association des régions européennes de tradition industrielle (RETI)	Dumfries & Galloway, Fife, Greater Manchester, Lothian, Merseyside, South Wales, South Yorkshire, Strathclyde, Tayside
L'Association des régions frontalières européennes (AREF)	Kent, Dyfed.
Le Centre européen du développement régional (CEDRE)	Cornwall, Devon, Tayside, Wales, Western Isles, Isle of Wight
Les Quatre moteurs pour l'Europe	Pays de Galles.

Source : Parlement européen, Direction de la recherche, *Organizations representing Regional and Local Authorities at the European Level*, Strasbourg, 1994.

En réalité, la représentation britannique dans ces organismes dépasse souvent en nombre celle des autres pays. Selon une étude dirigée par la Direction de la recherche du Parlement européen, on comptait en 1994 dans l'Assemblée des régions européennes 39 membres du Royaume-Uni, 25 représentants français, 22 italiens, 15 allemands pour ne mentionner que les plus grands pays de l'Union européenne. Au sein de l'Association des régions européennes de tradition industrielle (RETI), 11 régions viennent du Royaume-Uni, 3 d'Espagne, 2 d'Allemagne et 1 de France, de Belgique et d'Italie. La même étude notait que la Conférence des régions périphériques maritimes (CRPM) comptait 19 représentants du Royaume-Uni (9 d'Angleterre, 8 d'Ecosse, 1 du Pays de Galles et 1 de l'île de Man), 10 d'Espagne, 10 d'Italie et 12 de France (Parlement européen, 1994).

Une mention doit être faite du groupe connu sous le nom de «Consortium des Quatre moteurs» qui rassemble les quatre régions suivantes : Baden-Württemberg, Catalogne, Rhône-Alpes et Lombardie (Borras, 1993). Cette association entend représenter une forme embryonnaire de «l'Europe des régions» et mettre en commun les savoir-faire et les expertises de ses participants. Le Pays de Galles en est un membre associé aux côtés de la province de l'Ontario du Canada.

La force de la représentation du Royaume-Uni dans ces institutions peut être expliquée par plusieurs facteurs. La motivation première de la participation à ces associations semble être le désir d'obtenir un meilleur accès et une meilleure information sur les sources européennes de financement. De nombreuses autorités locales du Royaume-Uni ont créé des bureaux européens administrés par un personnel hautement qualifié, disposant souvent d'une formation très sûre (Goldsmith, 1993 ; Yiantsios, 1996). A cet activisme correspond précisément le manque d'un niveau régional de gouvernement en Grande-Bretagne, en Ecosse et au Pays de Galles mais *a fortiori* en Angleterre. Les autorités locales considèrent qu'en demeurant privées de ce niveau régional elles perdent du terrain dans la bataille pour l'allocation des ressources économiques rares en Europe. C'est pourquoi les associations inter-régionales représentent un moyen pour les autorités locales du Royaume-Uni d'accéder à l'expertise des régions d'autres pays, dotés de niveaux régionaux de gouvernement.

Ces associations constituent aussi un moyen pour les autorités locales au Royaume-Uni d'être présentes au cœur de l'Europe sans avoir à dépendre d'un gouvernement central perçu comme hostile à leurs intérêts. Il existe aussi une dimension partisane dans l'adhésion à ces associations dans la mesure où nombre de ceux qui sont engagés dans cette mobilisation sont des opposants politiques au gouvernement conservateur actuel, et trouvent dans l'Europe un moyen de le contourner. Il est clair en tout cas que de nombreuses régions et autorités locales du Royaume-Uni estiment utile de contribuer au financement de ces organisations.

On peut par conséquent interpréter la mobilisation générale au niveau régional en Grande-Bretagne comme une réponse à l'européanisation croissante des politiques publiques et de leurs sources de financement.

III. La mobilisation régionale et les partis politiques au Royaume-Uni

Ces dernières années, certains partis ont adopté une approche plus positive que dans les années 1970 à l'égard à la fois de l'intégration européenne et du régionalisme. Le gouvernement conservateur actuel est assez hostile aux deux concepts, même s'il a partiellement répondu à la nouvelle situation en créant en 1994 des Agences régionales intégrées (Hogwood, 1995). Ainsi, même le Parti conservateur, résolument unioniste et anti-régionaliste, a dû prendre en compte les revendications écossaises et galloises exigeant davantage de décentralisation (*devolution*), comme les expriment occasionnellement les commissions écossaises et galloises à Westminster[3]. De façon assez paradoxale, le Parti conservateur soutient la demande du Mouvement unioniste d'Irlande du Nord d'une assemblée élue localement au sein de l'Irlande du Nord : une façon pour les unionistes, dont la majorité est artificiellement constituée, de maintenir leur pouvoir sur la communauté nationaliste.

Le «nouveau» Parti travailliste sous la présidence de Tony Blair a assoupli son centralisme traditionnel et son anti-européanisme[4]. Il est devenu modérément favorable à la décentralisation (*devolution*) pour l'Ecosse et le Pays de Galles (à qui on a promis respectivement un Parlement et une Assemblée) et au projet d'intégration européenne. La question de la position du Parti travailliste sur le problème du gouvernement régional pour l'Angleterre reste confuse. Elle est au moins posée et le *Labour* l'a intégrée à son agenda politique. En 1995, une commission au sein du Parti a été créée afin d'examiner les options envisageables concernant ce projet. Le problème est qu'il n'existe pas en Grande-Bretagne de soutien comparable aux demandes formulées en Ecosse ou au Pays de Galles (voir *infra*). La mobilisation décrite plus haut est davantage une approche menée et organisée par des élites politiques, administratives et par celles du secteur privé.

Les libéraux-démocrates, fidèles à une tradition libérale plus ancienne, sont en réalité favorables à la fois à la dévolution des pouvoirs, à une Grande-Bretagne et à une Europe fédérales. Les

---

3. Il s'agit des *Scottish* et *Welsh Grand Committees*, et des *Committees on Scottish and Welsh Affairs*.
4. La ligne dure anti-européaniste avait déjà été abandonnée sous la présidence de Neil Kinnock à la fin des années 1980 et au début des années 1990.

prises de position des partis endogènes aux nations celtes sont assez différentes : le parti nationaliste écossais (SNP) et le *Plaid Cymru* cherchent désormais l'indépendance *au sein* de l'Europe.

La dernière question à aborder est de savoir si les revendications historiques des nationalismes écossais et gallois, basées sur l'auto-détermination nationale, se sont aujourd'hui transformées en revendications à teneur régionaliste. En outre, cette question conduit à examiner l'hypothèse du régionalisme comme nouvelle force dans le champ politique britannique. Les sections suivantes considèrent ces interrogations à partir des cas gallois et écossais.

IV. Le pays de Galles : du nationalisme au régionalisme

Le pays de Galles a été associé à l'Angleterre dès les années 1536-1542. Les principales caractéristiques des dispositions constitutionnelles organisant les deux pays, comme la présence de représentants du Pays de Galles au parlement de Westminster, la structure du gouvernement local (les comtés)[5] ou l'application automatique des Actes britanniques dans la Loi du Pays de Galles datent de cette période. Cependant, à travers les siècles, l'identité nationale du Pays de Galles put être préservée[6] ; essentiellement aux niveaux culturel, linguistisque et territorial, bien qu'en termes politiques et économiques, le Pays de Galles soit en situation de dépendance vis-à-vis de l'Angleterre.

En matière de développement économique, le Pays de Galles n'est pas une entité homogène mais comprend trois sous-régions distinctes : une ceinture très industrialisée le long de la côte sud, un arc partiellement industrialisé le long de la côte nord, et une vaste partie à dominante rurale, située au centre et qui constitue près de 75 % du territoire du Pays de Galles.

Alors que le pouvoir législatif du Pays de Galles se trouve à Westminster, le pouvoir exécutif échoit au gouvernement du Royaume-Uni. Celui-ci exerce ce pouvoir essentiellement par l'intermédiaire de l'une de ses administrations, le Bureau du Pays de Galles (*Welsh Office*), dirigé par le secrétaire d'Etat du Pays de Galles, membre du Cabinet. Le *Welsh Office* coordonne les activités des autres départements de *Whitehall* au sein du Pays de Galles et

---

5. Cette structure fut seulement abolie en 1996.

6. Ceci fut achevé avec succès malgré des défis très importants, comme l'arrivée massive d'ouvriers non gallois pendant la révolution industrielle et l'interdiction de l'usage du gaélique dans la vie publique (Williams, Raybould 1991, p. 2). Toutefois, les effets néfastes de ces situations ont été en partie contre-balancés par le fait qu'au fil des années, un nombre croissant de Gallois sont parvenus à accéder à des postes élevés dans la société et le monde politique britannique, leur permettant ainsi d'exercer une certaine influence en faveur du Pays de Galles.

assume certaines des fonctions de ces départements. D'autres administrations, comme le commerce et l'industrie, l'environnement et la défense, traitent généralement directement les affaires galloises. Le *Welsh Office* bénéficie d'une certaine liberté au niveau des politiques publiques, mais reste lié par les dispositions de la loi anglaise et du Pays de Galles. Ses principales activités et ses décisions budgétaires sont sujettes à l'examen du Parlement. Certains domaines comme les impôts, la politique étrangère et la défense sont considérés comme «hors de ses compétences».

Depuis la Seconde Guerre mondiale, la question de doter le Pays de Galles de capacités politiques constitutionnelles et économiques adéquates, reflétant son importance réelle et sa valeur pour le Royaume-Uni, a été à l'origine d'un débat politique intense, conduisant certaines catégories de la population à soutenir le mouvement nationaliste. Le soutien au *Plaid Cymru* s'est développé durant les années 1960, jusqu'à parvenir à son apogée dans les années 1970[7]. Ainsi, même si une séparation totale du Royaume-Uni n'a été sérieusement défendue que par un faible courant indépendantiste au sein du mouvement nationaliste gallois, représenté politiquement par certains membres du *Plaid Cymru*, le projet de décentralisation (*devolution*) était inscrit sur l'agenda politique du *Plaid Cymru* et même, de façon très controversée, sur celui du Parti travailliste. La décentralisation était perçue comme une série de changements institutionnels et de procédures qui conduiraient éventuellement à une autonomie plus grande du Pays de Galles sur le plan des affaires intérieures, de la politique économique et financière, de l'éducation, du contrôle du gouvernement local et de la représentation extérieure.

Cependant, ce débat doit être considéré d'un point de vue intérieur britannique. La représentation extérieure était en ce sens orientée exclusivement vers Londres, c'est-à-dire vers la «clé de voûte» de l'élaboration des politiques publiques. Ni la coopération inter-régionale ni l'Europe n'étaient alors d'actualité. Le concept original du *Welsh Office* devait permettre une représentation plus complète et plus directe du Pays de Galles au sein du Royaume-Uni. Toutefois, ces dernières années, sa fonction de représentation a progressivement laissé la place à un rôle de mise en œuvre de la politique gouvernementale au Pays de Galles.

---

7. Un indicateur de ce développement a été le succès électoral croissant du *Plaid Cymru* : alors que dans les années 1950 et au début des années 1960 le résultat moyen était de 5 % environ des votes au Pays de Galles, il fut de 11,5 % à l'élection générale de 1970, avec quelques pointes dans le nord et le centre du Pays de Galles, jusqu'à 30 % (Williams, 1982, p. 165).

Le soutien insuffisant manifesté par la population galloise en général, et par la communauté des décideurs économiques en particulier, au projet de décentralisation (*devolution*), a reflété l'inquiétude selon laquelle, laissé plus ou moins à lui-même, le Pays de Galles serait peut-être incapable de poursuivre son développement, en raison d'une «monoculture» industrielle persistante et d'un manque de ressources humaines et physiques alternatives. Ce problème a également mis en lumière des divisions internes au sein du Pays de Galles, notamment en termes culturels. La pratique linguistique du gallois s'est ainsi révélée concentrée dans les zones à dominante rurale du centre et du nord-ouest, et peu active dans les localités industrialisées du sud et du nord-est.

La définition d'un «intérêt national» gallois est donc apparue difficile à réaliser, pouvant au mieux conduire à une image contrastée composée d'intérêts locaux diversifiés, éventuellement contradictoires, et nuisible pour toute tentative de rassemblement de ces forces autour d'un projet commun. Ainsi, le projet de décentralisation (*devolution*) ayant été perçu par certains comme une chance et par d'autres comme une menace, les divisions s'alignèrent nécessairement sur celles des intérêts des communautés locales. Ces divisions provoquèrent de fait des fractures politiques intra-partisanes qui diminuèrent la cohérence des politiques publiques formulées par les partis politiques.

Face à des intérêts locaux hétérogènes et inarticulés, le gouvernement central s'est par conséquent affirmé comme l'acteur de premier plan, et s'est engagé dans une politique de moindre mal. Malgré l'établissement du *Welsh Office*, alors accueilli par les nationalistes gallois comme un pas dans la bonne direction, le gouvernement n'avait aucune intention de poursuivre la promotion de l'autodétermination du Pays de Galles[8]. Comme en Angleterre, l'Acte de réforme du gouvernement local de 1968 et 1969 fournit quelques avancées au niveau des pouvoirs et des libertés politiques exercés par le gouvernement local. Au Pays de Galles cette législation servit également d'outil efficace pour «apaiser» les politiciens locaux et les détourner des arguments nationalistes. Finalement, le gouvernement revint sur sa politique en fournissant une aide considérable en matière de développement et en menant une politique

---

8. Durant les deux années de son existence (1966-1967), la Commission gouvernementale sur la décentralisation (*Cabinet's Devolution Committee*) ne parvint pas à formuler des propositions pratiques précisant les moyens de la décentralisation. Le rejet en 1967 du projet porté par Cledwyn Hughes d'un Conseil régional (*sic!*) élu pour le Pays de Galles, et son remplacement consécutif au poste de secrétaire d'Etat du Pays de Galles par un porte-parole des opposants à la décentralisation, George Thomas, au début de 1968, fournissent une indication claire de la politique suivie alors par le gouvernement (Morgan, 1982, p. 391).

d'intervention économique active (Morgan, 1982, p. 391), et ce retournement contribua aussi à inverser le cours des choses.

L'entrée au sein de la Communauté économique européenne en 1973 a apporté une toute nouvelle dimension aux débats sur la réforme constitutionnelle et sur la politique économique. Le Pays de Galles est associé à la CEE par l'accord d'adhésion négocié par le gouvernement du Royaume-Uni. Alors que les intérêts du Pays de Galles n'étaient qu'indirectement représentés lors de ces négociations, les implications juridiques et économiques de la Communauté furent aussi sévères qu'immédiates. La dure concurrence économique élargie à l'échelle européenne posa un grave problème à certaines entreprises galloises, alors que les trois industries principales du Pays de Galles (le charbon, l'acier et l'agriculture) correspondaient précisément aux domaines d'intervention économique les plus développés au niveau communautaire.

Toutefois, de façon générale, l'adhésion à la CEE fut moins perçue comme une menace que comme une opportunité. L'entrée dans la Communauté économique européenne fut largement considérée comme une façon de sortir de la crise intérieure des années 1972-1974. Ce changement de perception a coïncidé avec la nouvelle expérience réalisée avec l'afflux des fonds communautaires au Pays de Galles. Bien que la Grande-Bretagne demeure un contributeur net au budget de la Communauté européenne, même à la suite de la re-négociation des conditions de son adhésion entre 1974 et 1975, une situation d'égilibilité automatique aux programmes de Bruxelles sembla indiquer que des soutiens financiers, qui n'auraient pas étaient obtenus de Westminster, seraient désormais alloués au Pays de Galles. Ces flux financiers étaient toutefois fermement controlés par le gouvernement central, à la fois à la table des négociations du Conseil des Ministres et au niveau de la distribution et de la mise en œuvre des projets par le *Welsh Office*. Ainsi, c'est le Royaume-Uni plus que l'Europe qui doit être considéré comme l'arène principale d'élaboration des politiques. Encore aujourd'hui, un nombre significatif de politiciens locaux et de membres importants de la communauté économique galloise, en aucun cas identifiables à d'irréductibles nationalistes, regardent avec envie l'Irlande et le Luxembourg. Leur présence au Conseil des Ministres donne en effet à ces pays une bien meilleure chance d'influencer les décisions politiques et l'allocation des crédits européens. Ceci est également vrai pour certaines autorités infra-nationales comme les *Länder* allemands, les communautés et les régions belges qui, sous certaines conditions, peuvent aussi participer aux réunions du Conseil.

Toutefois, le gouvernement a dans une certaine mesure admis la nécessité de procurer au Pays de Galles un instrument pour promouvoir son développement. La mesure décisive fut la mise en place en 1975 de l'Agence de développement du Pays de Galles (*Welsh Development Agency, WDA*). Ses fonctions essentielles sont de faciliter le développement de l'économie et des infrastructures ; d'attirer des investissements ; de contribuer à la mise en œuvre des programmes nationaux et européens ; d'établir des contacts internationaux jugés «appropriés» (c'est-à-dire à caractère plus économique et culturel que politique) ; enfin de lier contact avec toute personne ou toute institution susceptible par sa position de contribuer à la réalisation de ces objectifs. En dehors de son siège à Cardiff, la *WDA* gère trois bureaux locaux au sud, à l'ouest et au nord du Pays de Galles et a également créé une Division internationale. Cette agence est aussi le second propriétaire foncier du Pays de Galles.

Alors que cette étape répondait à un objectif immédiatement économique, elle a aussi contribué à un certain déclin du soutien en faveur du nationalisme politique le plus direct. La question de l'auto-gouvernement resta un enjeu et, du côté nationaliste, on regretta que Westminster et Whitehall demeurent les principaux centres de décision. Alors que l'adhésion à la Communauté européenne fournissait un ensemble d'opportunités économiques réduisant ainsi la forte dépendance du Pays de Galles vis-à-vis des autres parties du Royaume-Uni, en particulier avec l'Angleterre, cet argument eut également des conséquences sur le débat politique concernant la *devolution*.

Cependant, le gouvernement travailliste de 1979 se sentit assez menacé par les nationalismes gallois et écossais pour offrir un schéma de décentralisation à ces deux composantes du Royaume-Uni. Celui-ci a ainsi proposé la mise en place pour le Pays de Galles d'une Assemblée (*Welsh Assembly*) dotée de pouvoirs législatifs secondaires limités, essentiellement en matière de politique économique. Pour le gouvernement travailliste cela aurait pu devenir une opportune opération de désaisissement de ses responsabilités, transférant la politique de développement économique régional au Pays de Galles (et à l'Ecosse), tout en conservant un contrôle de l'ensemble du processus. La plupart des syndicats, surtout dans le secteur public, ont adhéré à cette idée. Toutefois, les «élus de base» travaillistes (*Labour backbenchers*[9]), les conservateurs et une coalition de groupes d'intérêt rassemblés sous la bannière de la *No Assembly Campaign* se sont farouchement opposés au projet. Ils soulignaient alors que, le projet ne délimitant pas clairement les pouvoirs réels accordés à cette Assemblée, le processus d'ensemble ouvrirait inévitablement la voie à la «pente dangereuse» (*slippery*

---

9. Dont le parlementaire gallois Neil Kinnock, devenu par la suite leader du Parti et actuellement Commissaire européen en charge des transports.

slope, Kinnock) de la séparation complète entre le Pays de Galles et le Royaume-Uni. Les conditions d'approbation de cette proposition par référendum étaient difficiles à réunir, compte tenu du fait qu'une majorité d'inscrits (et non simplement de votants) était nécessaire. Cependant, le vote du 1ᵉʳ mars 1979 indiqua clairement non seulement que les nationalistes étaient très loin de la victoire, mais en outre que tout effort pour convaincre la population que la nation galloise devrait s'engager dans un processus politique qui pourrait éventuellement la conduire à la constitution d'un Etat-nation gallois resterait vain.

Tableau 3
Résultat du référendum de l'Assemblée du Pays de Galles du 1ᵉʳ mars 1979

Résultat	Oui	% des inscrits	Non	% des inscrits	% de participation
Pays de Galles	243 048	11,8 %	956 330	46,5 %	58,3 %

Source : Jones, 1983, p. 138

Il est significatif de constater que même au cœur des régions de langue galloise comme Gwynedd et Dyfed, le «oui» ne fut pas majoritaire[10]. Le résultat dans les autres comtés fut encore plus clairement orienté en faveur des partisans du non. Le nouveau gouvernement conservateur arrivé au pouvoir la même année a ainsi refusé de poursuivre la discussion sur la question de la délégation de pouvoir (*devolution*) et les réformes contitutionnelles.

Toutefois, l'intégration potentielle du Pays de Galles dans la Communauté européenne ne fut réalisée que lorsque celle-ci s'engagea au milieu des années 1980 dans un projet de politique régionale active. Ce n'est qu'à la fin des années 1980 que les autorités locales galloises et leurs organisations[11] ont réalisé que les décisions prises à Bruxelles étaient directement liées à ce qu'elles essayaient d'accomplir sur le plan local. Ceci a coïncidé avec le déclin rapide de l'économie britannique après l'euphorie des premières années de l'ère Thatcher. Le Pays de Galles fut particulièrement touché par la crise et la fermeture presque complète des industries minières, du charbon et du textile. Etant donné l'absence

---

10.

Comtés	Oui	Non
Gwynedd	37 368	71 157
Dyfed	44 849	111 947

Source : Jones, 1983, p. 138

11. *L'Assembly of Welsh County Councils* et le *Welsh Council of District Councils.*

d'industrie alternative d'importance, ces changements ont provoqué une montée «en flèche» des chiffres du chômage, une grave récession au sein des industries de service récemment développées et un recul général des conditions de vie. Même les communautés agricoles furent touchées, la politique agricole commune (PAC) ayant dû aussi à cette époque faire face à des difficultés. C'est pourquoi, au début de la réforme du FEDER entre 1984 et 1985, lorsque les régions d'objectifs prioritaires furent définies, le Pays de Galles a été retenu comme région éligible, créant ainsi une demande de politiques publiques.

A ses débuts ce processus fut progressif, chacune des organisations cherchant d'abord à asseoir sa propre position sans disposer de réseaux intra-régionaux, même s'il existait des initiatives extérieures. Pour les organisations à caractère économique, cela signifiait avant tout qu'elles devaient prendre l'avis de leurs fédérations britanniques qui disposaient des contacts, des experts et, jusqu'à un certain point, de l'expérience relative à ces questions. Dans la sphère publique, les problèmes étaient légèrement différents, étant donné qu'aucune des autorités locales galloises ne disposait des moyens administratifs du Conseil régional de Strathclyde ou de la ville de Birmingham par exemple, pour constituer un service autonome en matière de politique européenne, et encore moins pour ouvrir un bureau à Bruxelles.

Les procédures ont également exercé leurs effets. Les propositions de réponse aux programmes communautaires doivent le plus souvent passer par le *Welsh Office*, qui consulte presque inévitablement la *WDA* et parfois le *Department of Trade and Industry*. Ce processus d'examen et de sélection interne certifie que les propositions qui parviennent à Bruxelles ont non seulement une chance raisonnable de succès, mais en outre qu'elles ont obtenu l'approbation du gouvernement. Une conséquence plus indirecte est représentée par le gain qualitatif d'une partie de l'administration, dont les agents, de plus en plus confrontés à ces enjeux, ont accumulé de leur côté une expertise spécifique. Le principe du contrôle gouvernemental de cette procédure est demeuré intangible, et des critiques prétendent même qu'il s'est renforcé. Durant la législature en cours, aucun changement n'est à attendre[12].

Au niveau de l'éligibilité, le Pays de Galles n'a jamais été considéré comme une unité territoriale. Toutefois, il comprend actuellement des zones d'interventions à la fois structurelles et régionales. Concernant les programmes structurels, de larges parties des trois anciens comtés de *Glamorgan* et du *Gwent* sont retenues

---

12. *House of Commons, Trade and Industry Committee*, 1995, p. VII.

comme zones d'Objectif 2. Il est également de première importance que plus des deux tiers du territoire gallois, c'est-à-dire l'intégralité du territoire de *Powys* et l'essentiel de *Dyfed, Gwynedd* et *Clwyd*, soient éligibles aux conditions de l'Objectif 5b. Les conditions de l'éligibilité ont été considérablement modifiées à partir du 1ᵉʳ août 1993. Le Pays de Galles comprend toujours des zones de développement et des zones intermédiaires, mais à l'exception de *Pembroke*, leur extension a été considérablement réduite, et certaines localités ont aussi perdu toute éligibilité.

Depuis les réformes de 1988, le Pays de Galles a obtenu en moyenne 12,5 % des fonds du FEDER et 8,6 % des crédits du Fond social européen (FSE) alloués au Royaume-Uni. Au premier abord, ces sommes ne semblent pas très importantes, mais compte tenu des restrictions au niveau de l'éligibilité, le fait de maintenir ce niveau doit être considéré comme un succès. Car au regard des autres régions du Royaume-Uni, le Pays de Galles ne fait plus partie du groupe le plus pauvre, comme c'était le cas à la fin des années 1980. Le sommet de la vague de restructuration des industries traditionnelles est désormais passé. Le Pays de Galles est, jusqu'à un certain point, parvenu à réaliser une transformation de son paysage économique dessinant un nouvel avenir post-industriel. Le niveau des investissements a globalement progressé de 30 millions de livres en 1985 à environ 230 millions de livres en 1992 (Cooke, 1992, p. 377). La source première de ces investissements est maintenant constituée de capitaux privés, et la part des investissements étrangers est en progression. Toutefois, le problème du chômage de masse, malgré la multiplication des mesures, demeure irrésolu.

Au niveau de l'usage des fonds européens, la priorité a évolué d'un développement purement axé sur les infrastructures (routières essentiellement) à la réalisation de projets plus communautaires, fournissant un réseau de soutien au développement durable et à l'amélioration de la qualité de vie dans les domaines du logement, de l'éducation, de l'information et des communications. Aujourd'hui, deux documents uniques de programmation (*Single Planning Documents*) sont en cours de réalisation : l'un au sud du Pays de Galles et l'autre dans le nord rural[13]. Il existe au moins cinq Programmes d'initiatives communautaires (PIC) importants au Pays de Galles[14].

Le début des années 1990 a vu naître une nouvelle période de mobilisation régionale, avec l'affirmation d'une prise de conscience des avantages éventuellement procurés par des efforts con-

---

13. *House of Commons, Trade and Industry Committee*, 1995, p. XIX.
14. RECHAR I et II, RETEX, LEADER, KONVER et INTERREG.

vergents pour la promotion des intérêts régionaux en Europe. Ce mouvement fut facilité par le constat que les intérêts économiques des différentes régions du Pays de Galles, débarrassés des controverses sur l'«identité nationale», étaient finalement moins contradictoires qu'il ne semblait, mais aussi par l'exemple d'autres régions européennes non britanniques, en particulier par le programme des Quatre moteurs.

Afin de faciliter la circulation de l'information sur les questions régionales et de développer à l'étranger la conscience du développement du Pays de Galles, un Centre européen gallois a été fondé à Bruxelles en 1992. Ce centre n'est en aucune façon une «ambassade», le Royaume-Uni étant l'un des Etats insistant le plus pour préserver les prégoratives gouvernementales de représentation internationale. Cependant, même si aucun financement ne peut être obtenu directement, ce centre représente à Bruxelles un marchepied pour la *WDA*, les conseils de formation et d'éducation et les autorités locales. Sur place, cet effort de restructuration a été cumulé à d'autres types de mesures telles que la création par les gouvernements locaux du *Welsh European Forum* et la fondation au nord du Pays de Galles du Centre européen pour les cultures régionales et traditionnelles.

Ces initiatives sont maintenant sur le point de porter leurs fruits. Le centre RELAY fut établi en 1993 dans le but précis d'aider l'industrie galloise à tirer le meilleur parti des programmes structurels communautaires. En outre, l'Union européenne et la *WDA* ont conjointement fondé au Pays de Galles le premier centre d'échange de données électroniques du Royaume-Uni[15]. En 1995, une autre aide fut octroyée par l'Union européenne avec la qualification du Pays de Galles comme l'une des régions nouvellement dotées d'un Plan de technologie régional (PTR). Toutefois, après plusieurs mois d'opération, l'enthousiasme initial a fait place à une approche plus réaliste chez les participants. Ceux-ci mesurent en effet les contrastes entre les gains éventuels, qui consistent davantage à établir des contacts et à accéder à certaines technologies qu'à obtenir une assistance financière substantielle, et l'effort considérable à fournir pour remplir les exigences du programme en termes d'additionnalité, de structure du réseau et de durée des engagements.

Dans tous les cas, les besoins devenant moins urgents, les crédits que le Pays de Galles peut espérer dans le futur seront moins importants qu'auparavant. Depuis 1993 on constate déjà une diminution annuelle d'environ 10 % en termes réels des fonds mis à

---

15. *Electronic Data Interchange (EDI) Awareness Centre.*

disposition par *Whitehall* pour la politique de développement économique.

Récemment, le Pays de Galles tend à se présenter comme le «cinquième moteur de l'Europe», ayant *de facto* rejoint le programme des Quatre moteurs. En mars 1990, la *WDA* a mis en place son programme EUROLINK. Par la suite, des accords de partenariats bilatéraux ont été signés entre le Pays de Galles (par le *Welsh Office* palliant l'absence de gouvernement régional), les gouvernements régionaux de Baden-Württemberg, de Lombardie et de Catalogne. Ces accords concernent de nombreux domaines dont l'industrie et le commerce, la science, la recherche et le développement, l'environnement, l'éducation et les affaires culturelles. Un accord de portée plus restreinte, géré essentiellement par les entreprises concernées, a également été signé avec la région Rhône-Alpes.

Les bénéfices secondaires qui en ont découlés sont peut-être plus significatifs que les accords eux-mêmes. C'est ainsi que le Pays de Galles a non seulement bénéficié d'utiles liens pour le commerce et l'investissement et d'une meilleure promotion sur le continent, mais qu'il a également obtenu l'accès aux réseaux de politiques publiques et aux partenariats établis par les Quatre moteurs avec d'autres régions, à la fois au sein de leurs pays respectifs et à l'extérieur de l'Union européenne. En 1993, les cinq régions ont toutes co-signées un accord avec la province de l'Ontario, au Canada. Un accord similaire a été signé avec la Nouvelle-Galles du Sud (Australie) en 1995. Ces arrangements sont complétés par de nombreuses initiatives locales, comme le jumelage des villes : Stuttgart et Cardiff, Mannheim et Swansea par exemple. Le partenariat a en effet facilité l'établissement de relations commerciales et aidé à attirer les investissements. La régularité des contacts, l'échange d'information et les mesures de coopération pratiques entre les acteurs régionaux (publics, semi-publics et privés) sont aujourd'hui très répandus. Il demeure que sur le plan politique, le partenariat a jusqu'à présent été principalement caractérisé par la volonté galloise de s'engager dans une «politique d'apprentissage» (*policy learning),* en dépit des difficultés générées par l'absence d'un gouvernement régional gallois. Cela étant dit, la finalité économique et politique de ces projets doit également être analysée. L'initiative des Quatre moteurs fut à l'origine envisagée dans le but de rassembler les efforts des régions les plus avancées en Europe. En ce sens, considérer le Pays de Galles comme le « cinquième moteur » reste encore un exercice d'auto-persuasion.

Néanmoins, l'expérience acquise ici est précieuse et pourra notamment révéler ses effets à l'avenir dans la participation à d'autres cadres de coopération régionale. Au cours des trois dernières années, le nombre d'organisations, d'initiatives ou de partenariats européens dans lequel le Pays de Galles s'est engagé a considérablement augmenté[16]. Les exemples types sont l'Assemblée des régions européennes *(Assembly of European Regions)*, la Conférence des régions périphériques maritimes *(Conference of Peripheral Maritime Regions)*, la Commission de l'Arc atlantique *(Atlantic Arc Commission)*, l'Association des régions européennes de technologie industrielle *(Association of European Regions of Industrial Technology : RETI)* et le Congrès des autorités locales et régionales en Europe *(Congress of Local and Regional Authorities in Europe)*. Une conséquence de ce travail relationnel actif est la constitution de nouveaux réseaux. Ces réseaux n'ouvrent pas un accès direct aux sources de financement, mais à des ressources essentielles comme l'information sur les programmes, les relations personnelles avec des dirigeants européens de premier plan, dont la Commission et son membre gallois, M. Kinnock, et les contacts avec des pairs européens. Le développement récent le plus significatif est que plus encore que le personnel du *Welsh Office,* les politiciens locaux et les représentants d'organisations non-gouvernementales participent en nombre croissant à ces activités.

Ce faisant, la nécessité pratique pour le Pays de Galles de s'affirmer en tant que région en Europe a progressé. Il est probablement trop tôt pour juger du succès ou de l'efficacité de ce nouveau type d'activité politique, qui dépendront pour beaucoup de la façon dont l'Union européenne elle-même poursuivra ce processus. Mais l'expérience acquise par les collectivités galloises en participant à la politique régionale de l'Union européenne, combinée à une conscience de soi renforcée par la représentation d'intérêts définis comme gallois, non seulement au sein du Royaume-Uni mais aussi au niveau européen, permet désormais une réévaluation du concept de nation appliqué au Pays de Galles. Les développements de ces dernières années ont montré que l'identité nationale galloise exprimée en termes territoriaux, culturels, linguistiques et partiellement économiques (au sein d'un ensemble complexe caractérisé par une économie globale et le marché unique) peut se réaliser avec succès, en dépit de l'absence d'un Etat-nation gallois.

Toutefois, des projets de réformes conséquents ont durant ces deux dernières années renouvelé le débat politique. De façon générale, de nombreux groupes d'intérêt semblent partager une certaine sympathie pour l'idée de création d'une assemblée régionale galloise. Mais les modèles de référence ont changé : plutôt que

---

16. *House of Commons Welsh Affairs Committee*, 1995a :31-2.

l'Irlande ou le Luxembourg, ce sont des *régions* aussi puissantes et développées que la Catalogne ou les Länder allemands qui semblent aujourd'hui servir d'exemples.

Politiquement, le moyen d'achever cet objectif pourrait être réalisé avec l'existence d'un gouvernement régional fort. La solution avancée par les *Tories* a le mérite de la clarté. Elle se base sur le principe selon lequel l'organisation actuelle du *Welsh Office*, auquel pourrait être rattaché des autorités para-administratives (les *Quangos*[17] dont le nombre s'est considérablement accru ces derniè-res années), parmi lesquelles la WDA, constituerait un substitut fonctionnel équivalent au gouvernement régional. Il resterait dans cette perspective à privatiser le plus grand nombre de services pos-sibles, et à transformer la structure du gouvernement local au nom de l'efficacité et d'une auto-détermination, cette fois locale plutôt que régionale ou même infra-régionale.

En 1995, le Parti travailliste a mené une campagne s'engageant à créer une Assemblée au Pays de Galles dans l'année suivant son arrivée au pouvoir à Westminster. Ce projet est en fait une version renouvelée de l'idée émise dans les années 1960 d'établir un Conseil régional élu. Il s'agit aussi d'une résurgence du projet de donner à l'Assemblée un statut quasi parlementaire, clai-rement rejeté lors du référendum de 1979. Il n'est donc pas surpre-nant qu'il n'ait pas été initialement assorti d'une nouvelle proposi-tion de référendum. Cependant, en Ecosse, où la question des pou-voirs fiscaux de l'éventuel Parlement écossais s'est constituée en enjeu politique, le Parti travailliste a ressenti la nécessité d'établir un mandat clairement exprimé sur ce sujet. En conséquence le *La-bour* a introduit dans son projet politique de juillet 1996 un référen-dum sur la constitution d'un Parlement écossais dans le cas de son accession au pouvoir à Westminster. Dans un souci global (*package deal*) d'équité de traitement entre le Pays de Galles et l'Ecosse, l'idée d'un référendum a également été ajoutée aux propositions concernant le Pays de Galles. Cependant, contrairement à la situa-tion de 1979, une majorité simple devrait suffire pour constituer le mandat recherché par le Parti travailliste.

Dans le cas du Pays de Galles, la controverse sur les droits et les pouvoirs à accorder à cette Assemblée et sur ses relations avec le Parlement de Westminster s'est inévitablement trouvée relancée. Il est désormais proposé de doter l'Assemblée de pouvoirs législatifs secondaires, dans le cadre défini par Westminster, et du pouvoir de tutelle effectif du *Welsh Office* par le contrôle budgétaire de ses dépenses. Au plan financier, Westminster continuerait d'allouer des

---

17. *Quasi non-governmental organizations.*

fonds au Pays de Galles au moins à concurrence de leur niveau actuel, sans que le projet ne mentionne la création d'un pouvoir fiscal. Cette proposition envisage aussi de placer tous les *quangos* du Pays de Galles sous le contrôle direct de cette Assemblée qui, au niveau européen, disposerait aussi du pouvoir de nommer ou de confirmer les représentants gallois au Comité des régions.

Le débat au sein du Parti travailliste, comme dans l'ensemble de l'opinion publique n'est pas encore clos. Au moins deux groupes au sein du Parti travailliste[18] reprochent leur manque d'ambition à ces projets et redoutent leur mise en œuvre comme une opportunité perdue pour plusieurs décennies. L'exécutif national du Parti travailliste souligne de son côté que les changements ultérieurs devront être intégrés dans une réflexion plus large sur les modifications constitutionnelles concernant l'ensemble du Royaume-Uni.

Tout en accueillant l'idée de constitution d'une Assemblée comme un pas dans la bonne direction, le *Plaid Cymru* aurait préféré des dipositions plus affirmées, comprenant en particulier un plan précisant plus clairement les étapes de ce processus de *devolution*. Cependant, même si un renforcement de la dimension européenne et une représentation directe au Conseil des Ministres seraient considérés comme bienvenus, l'indépendance complète vis-à-vis du Royaume-Uni n'est plus, même au sein de ce parti, un objectif à court ou moyen terme. De façon générale, penser en termes européens signifie pour le *Plaid* prendre un nouveau départ. Ayant réalisé que le Royaume-Uni ne constitue plus le seul niveau décisif auquel la cause galloise doit être représentée, ses dirigeants sont allés jusqu'à établir un échange avec le gouvernement conservateur, garantissant au *Plaid* l'un des trois sièges gallois au Comité des Régions contre leur position favorable à la ratification du traité de Maastricht.

Bien qu'en général, une majorité de la population galloise soit assez favorable à l'idée de gérer les affaires galloises depuis le Pays de Galles, celle-ci a toujours développé un sentiment d'appartenance à la Grande-Bretagne. Ceci n'est d'ailleurs pas nécessairement considéré comme contradictoire avec le développement d'une identité nationale galloise spécifique. La Communauté économique a fait preuve jusqu'à présent d'une bienveillante neutralité. Dans ce contexte, de nouveaux aménagements constitutionnels auront des chances raisonnables de succès. La question décisive sera de savoir si ces nouvelles dispositions résisteront à l'épreuve du

---

18. L'Action travailliste galloise (*Welsh Labour Action*) qui mène campagne en faveur de la création d'une véritable Assemblée et celle en faveur d'un Parlement pour le Pays de Galles (*Parliament for Wales*).

temps et si elles sauront répondre aux exigences actuelles, dont la nécessité d'une action efficace au niveau européen n'est pas la moindre.

V. L'Ecosse : *Still a nation ?*

L'Ecosse diffère considérablement du Pays de Galles au sens où celui-ci a toujours bénéficié d'un degré d'autonomie plus large, comme nous l'avons souligné en introduction. Bien que le gaélique, la langue distinctive de l'Ecosse, ait cessé d'être parlé par la grande majorité des Ecossais, il demeure un sentiment très fort d'identité et de fierté nationales. Pour le moins, les Ecossais ne se pensent pas du tout en tant qu'Anglais, mais plus positivement, ils sont aussi fiers de ce qu'ils considèrent comme des traditions culturelles différentes.

Comme au Pays de Galles, il existe en Ecosse des régions distinctes, chacune disposant de caractéristiques économiques et sociales propres. Au XIXe siècle, les *Highlands* et les îles se sont massivement dépeuplées à la suite de remembrements fonciers. Aujourd'hui, elles vivent essentiellement de la pêche et de l'agriculture. La région de Strathclyde aux environs de Glasgow a suivi une évolution similaire à celle du sud du Pays de Galles en devenant le centre du capitalisme écossais avec le développement d'industries lourdes comme le charbon, l'acier et les chantiers navals. Edimbourg, la capitale de l'Ecosse, était aussi un centre administratif important. Toutefois, l'industrie écossaise a, comme celle du Pays de Galles, été dévastée par la restructuration économique des années 1970 et 1980. La ville de Glasgow, comme Cardiff, a connu une certaine renaissance par la reconstruction de son tissu industriel et l'attraction d'activités de services.

L'Ecosse a bénéficié d'un degré plus élevé d'autonomie administrative que le Pays de Galles. Le gouvernement local dispose aussi d'une structure différente de celle de l'Angleterre et du Pays de Galles avec les «régions» écossaises établies en 1968 et 1969. Toutefois, l'actuel gouvernement conservateur les a abolies depuis 1995. Parmi ces anciennes régions, la plus dynamique était celle de Strathclyde qui rassemblait la majorité de la population écossaise. Strathclyde a développé une politique européenne active rencontrant un succès considérable, notamment au niveau des associations pan-européennes.

En termes de représentation parlementaire, l'Ecosse est actuellement au Parlement de Westminster légèrement privilégiée par rapport au reste du Royaume-Uni. Comme l'ont souligné Midwinter et *al.* (1991, pp. 64-65), les 72 sièges écossais représentent une moyenne de 55 370 votes chacun, contre les 69 137 votes en moyenne pour un siège anglais (données de 1986). Au niveau des partis politiques, la représentation écossaise a été marquée par la domination du Parti travailliste, particulièrement dans les régions d'industries lourdes, où une classe ouvrière socialiste s'est constituée à partir du XIXe siècle. Le Parti conservateur n'a obtenu que peu de sièges écossais, et le rival principal du Parti travailliste écossais est aujourd'hui le Parti national écossais (*Scottish National Party-SNP*). Les libéraux-démocrates ont hérité en Ecosse d'une partie des votes de l'ancien Parti libéral. Concernant la décentralisation (*devolution*), le Parti travailliste écossais et les libéraux-démocrates ont proposé la constitution d'un Parlement d'Ecosse doté de pouvoirs législatifs plus importants que ceux envisagés pour l'Assemblée du Pays de Galles. Cette position représente désormais la politique officielle du Parti travailliste, mais, comme mentionné ci-desssus, le débat public virulent sur la question du pouvoir fiscal du parlement a conduit le *Labour* à introduire l'idée d'un référendum pour la constitution du parlement[19]. Le Parti conservateur est farouchement opposé à cette proposition au nom d'une conception unioniste du Royaume-Uni. Le Parti national écossais (*SNP*) y est également hostile pour des raisons exactement contraires : sa trop grande prudence. Le *SNP*, intérieurement divisé entre autonomistes modérés (*Home rulers*) et séparatistes, a viré durant ces dernières années vers l'idéal d'une Ecosse indépendante au sein de l'ensemble européen.

L'Ecosse a manifesté un intérêt très fort envers l'Union européenne. Ceci est largement dû au fait que trois régions écossaises sont éligibles aux crédits des fonds structurels européens au titre des Objectifs 1 et 2. La zone relevant de l'Objectif 1 comprend les *Highlands* et *Islands Enterprise Area,* ce qui correspond à la zone qui était gérée par l'ancien Conseil régional des Highlands[20] : les îles de l'Ouest, les îles Shetland et l'île de Skye. Alors que l'agriculture, la pêche et le tourisme constituent les secteurs principaux de l'économie, l'employeur le plus important demeure le ministère de la Défense, qui maintient là des bases navales et aériennes. Toutefois, depuis la fin de la guerre froide, les coupes considérables dans le budget de la Défense ont conduit à un déclin considérable de ces activités.

---

19. En Ecosse, deux questions seraient posées : la première concernant l'existence du parlement, et la seconde celle de son pouvoir fiscal. Au Pays-de-Galles, seule la première serait posée.

20. Les Conseils régionaux d'Ecosse constituaient jusqu'en 1995 le niveau supérieur d'un système de gouvernement territorial à deux étages. Le terme «régional» désigne l'unité administrative située au-dessus du niveau local (le district) mais en dessous du niveau écossais. Ces «régions» furent l'équivalent territorial et fonctionnel des Comtés anglais et gallois.

L'éloignement prononcé combiné à un déficit d'infrastructure a jusqu'à présent empêché la constitution d'une base industrielle alternative dans cette région. C'est pourquoi pour la période
1994-1999, le document unique de programmation (*Single Planning
Document*) définit six priorités : le développement du commerce ; du
tourisme, de la culture et du patrimoine ; la préservation et la mise
en valeur de l'environnement ; le développement des secteurs pri-
maires et de ceux liés aux industries alimentaires ; le développement communautaire ; l'amélioration des communications et des
réseaux de services. Le lien étroit établi entre développement économique et développement communautaire, résultant de la menace
persistante du dépeuplement, permet à ces localités de prétendre à
une large gamme de mesures de soutien[21].

Toutefois, il est permis de douter que suffisamment
d'infrastructures technologiques et administratives locales soient en
place pour gérer efficacement ces mesures. L'agence de développement local[22] est le principal responsable de la mise en œuvre de ces
programmes, sous la direction du Comité de pilotage dont le siège
est situé au *Scottish Office* à Edimbourg. La distance physique entre la gestion administrative du programme et le site de son application ajoute aux difficultés de mise en œuvre, importantes de toute
façon en raison du sous-développement des infrastructures de
transport.

Cependant, l'amélioration des infrastructures en général
constitue l'objet d'un débat politique virulent. Ainsi par exemple, le
développement des transports routiers, apparemment souhaitable
pour la communauté des investisseurs, se heurte à l'objectif de protection et de mise en valeur de l'environnement. Un autre enjeu
réside dans la question de l'industrie touristique. Alors qu'il semble
nécessaire de faciliter l'accès aux touristes, cette activité doit aussi
pouvoir proposer un cadre naturel, préservé des pollutions industrielles mais aussi des aménagements de masse. La question du
développement des infrastructures privatisées est encore une autre
source de difficulté. Le nouveau pont qui mène à Skye, construit
avec l'aide d'investisseurs privés et ouvert en 1996 en remplacement
de l'ancienne liaison par ferry, en fournit un exemple parmi
d'autres[23]. Le même problème se révèle dans la suppression de la

---

21. La somme totale des fonds alloués à la région pour 1994-1999 représente 1,012
milliards d'écus dont 311 millions d'écus viennent des Fonds structurels, 406 millions
d'écus des fonds nationaux et 295 millions de fonds privés (*European Commission*, DG
XVI, 1994, p. 3).
22. *Highlands and Islands Programme Partnership.*
23. Le péage du pont sera aussi élevé que le prix de l'ancienne traversée en ferry, mais
les bénéfices iront désormais à des actionnaires privés et non au Conseil local. En
outre, cet aménagement est dénoncé comme étant en contradiction avec la priorité

liaison inter-urbaine déservant Fort-William, programmée dans la logique de privatisation des chemins de fer[24].

D'un point de vue politique, il convient de noter que la question d'un développement durable est beaucoup moins un enjeu partisan qu'une tentative de construction communautaire. Alors que l'expérience a montré que la coopération entre conseils locaux favorise la réalisation de projets d'intérêt commun, ces mêmes conseils se retrouvent aussi en compétition au niveau de l'allocation des fonds communautaires. C'est finalement l'agence de développement, fortement influencée par le *Scottish Office,* qui mène le jeu, garantissant tout au long du processus l'influence du gouvernement central au niveau pratique. Ainsi, à l'exception de la mouvance conservatrice qui est sans grande influence dans la région, chacun, quelle que soit sa profession ou son affiliation politique, accueillerait volontiers toutes mesures visant à accroître la représentation des communautés locales pour administrer leurs propres affaires. Ceci n'explique pas seulement pourquoi le *SNP*, qui a mené une campagne active dans cette optique, a pu ces dernières années augmenter considérablement son influence, mais aussi pourquoi la proposition d'un parlement écossais doté d'un pouvoir législatif a été accueillie favorablement. Selon cet argument, c'est seulement dans ces conditions que l'Ecosse pourrait utiliser pleinement son nouveau statut légal.

L'abolition du système de gouvernement local à deux niveaux avec la suppression des régions et leur remplacement par des autorités unitaires en 1995 ne fut pas aussi bien accueillie. Bien que cette mesure semblât davantage décentraliser le pouvoir politique, celle-ci servit surtout l'intention du gouvernement central d'affaiblir le gouvernement local selon la méthode classique de «diviser pour régner». Les Conseils régionaux d'Ecosse s'étaient affirmés comme des acteurs politiques puissants ayant commencé à exprimer les intérêts locaux et régionaux de manière efficace, et surtout indépendante. L'exemple probablement le plus connu est celui du Conseil régional de Strathclyde qui, jusqu'à son abolition, gérait l'une des deux régions du programme classé à l'Objectif 2 : la partie ouest de l'Ecosse. La zone d'Objectif 2 comprend aujourd'hui la conurbation de Glasgow et la majeure partie de la région de Strathclyde. Le Conseil régional avait fait l'effort de développer une stratégie de représentation active et directe d'intérêts non seulement vis-à-vis

---

numéro 2 du programme qui vise à la mise en valeur, et non à l'abolition, des attractions touristiques existantes.
24. Après que des groupes de pression locaux ont échoué à imposer le maintien d'un service par la négociation avec l'exploitant, la question a été portée devant les tribunaux.

du *Scottish Office*, ce qui était la démarche formellement prescrite (Midwinter et *al*. 1991, pp. 72-80), mais également vis-à-vis de l'Europe. A l'instar du Conseil de la ville de Birmingham, qui en Angleterre prit très tôt (c'est-à-dire dès le milieu des années 1980) l'initiative dans un mouvement par lequel les autorités locales défendent leur cause au niveau européen, Strathclyde est devenu un modèle de comportement pour les Conseils régionaux d'Ecosse. Non seulement une agence de développement local fut créée avec une perspective européenne spécifique (Le Partenariat européen de Strathclyde, *Strathclyde European Partnership*), mais une représentation directe fut également ouverte à Bruxelles en plus du *Scottish European Office*, et contre le conseil du gouvernement central (*Audit Commission*, 1991)[25].

Un des avantages principaux offert par l'existence d'un Conseil régional fort est qu'il est responsable de toute une région. Ceci a facilité le processus de développement, non seulement en termes de représentation des intérêts mais aussi en termes administratifs dans la phase de mise en œuvre. Cet avantage a été perdu avec la réforme du gouvernement local. Désormais, les nouvelles autorités unitaires doivent prendre le relai, ce qui crée un véritable casse-tête administratif, celles-ci souffrant inévitablement de leur manque d'expérience sur le plan institutionnel. La situation est maintenant devenue semblable à celle prévalant en Ecosse orientale, dans l'autre zone d'Objectif 2. Cette région est constituée de pas moins de cinq parties des anciens Conseils régionaux : *Tayside, Central, Five, Lothian* et *Borders*. Ici, l'impact de la réforme du gouvernement local a été moins sensible, car les effets des redécoupages ont été minimes dans ce secteur. Le *patchwork* des zones éligibles et une structure administrative complexe ont jusqu'à présent empêché l'institutionnalisation de la coopération entre autorités locales. Pour la représentation extérieure, comme pour la mise en œuvre de projets plus importants, cette localité a accepté avec plaisir la direction et l'assistance du *Scottish Office* et de l'Agence de développement écossaise (ici beaucoup plus active que dans l'ouest de l'Ecosse). Ainsi, les fonds obtenus pour la période 1994-

---

25. Il convient de souligner que, de même qu'au Pays de Galles, la portée des activités de cette agence était, et demeure encore, limitée au lobbying et au transfert d'information. Demeure exclue de ces activités la prise en charge effective des fonds, qui est toujours réalisée *via* Westminster et le *Scottish Office*. Toutefois, l'examen des effets de ces activités en démontre le succès. Entre 1994 et 1996, 660 millions d'écus seront mis à la disponibilité de la région, dont 286 millions d'écus provenant des fonds structurels et 374 millions d'écus provenant des fonds publics (*European Commission* DG XVI, 1995). Ces crédits sont en principe destinés aux priorités suivantes : développement du secteur économique régional, création d'une infrastructure commerciale de grande qualité, développement du tourisme et du secteur culturel et accomplissement de l'objectif de cohésion économique et sociale.

1996 ne furent proportionnellement pas moins importants que ceux obtenus par l'ouest de l'Ecosse[26].

Certes, cela peut être perçu comme une tentative du gouvernement central de miner toute idée selon laquelle une région, assumant elle-même son avenir, s'en sortirait mieux que par une gestion centralisée du développement économique et social. Toutefois, ce problème doit être considéré dans le contexte plus large de la décentralisation au niveau de l'ensemble de l'Ecosse. Il est clair que, dans l'éventualité d'une victoire travailliste en 1997, la position de l'Ecosse au sein du Royaume-Uni changera considérablement. Le Parti travailliste, les libéraux-démocrates ainsi qu'une large majorité de l'opinion publique écossaise sont favorables à la constitution d'un parlement. Plus qu'au Pays de Galles, règne ici le sentiment que l'Ecosse est une nation à part entière et qu'en conséquence elle devrait détenir les pouvoirs d'un gouvernement doté d'autonomie (*self-governement*), incluant un pouvoir législatif[27]. Ceci fut solennellement proclamé dans le cadre de la Convention constitutionnelle de l'Ecosse (*Scottish Constitutional Convention*) qui rendit public son rapport à la fin de 1995. En Ecosse, le fondement de la demande de décentralisation (*devolution*) reste fondamentalement nationaliste. Toutefois, même le nationalisme écossais doit ajuster ces demandes au contexte de la nouvelle Europe : ceux qui se font l'avocat de l'indépendance écossaise (une minorité significative) le font désormais en parlant «d'indépendance *au sein* de l'Europe».

Conclusion

Malgré la rhétorique et les actions anti-européennes et anti-régionalistes du gouvernement conservateur actuel, il y a eu une mobilisation considérable de la part des partis, des autorités locales et des intérêts du secteur privé en faveur à la fois d'une plus grande intégration européenne et d'une représentation plus forte des régions et des autorités locales du Royaume-Uni au sein de l'Europe. Les autorités locales ont souvent pris des initiatives individuelles en établissant des liens avec d'autres autorités au niveau régional au Royaume-Uni, mais aussi avec des régions et des associations régionales dans le reste de l'Europe. Quelle que soit l'issue des prochaines élections, ces initiatives se poursuivront probablement. Cependant, dans l'éventualité d'une victoire travailliste et de la mise en application de la promesse de régionalisation du Royaume-Uni, ces

---

26. La somme totale représentera 292 millions d'écus dont 121 millions provenant des Fonds structurels et 171 millions des fonds publics, qui devront être dépensés pour des objectifs prioritaires proches de ceux définis pour l'ouest de l'Ecosse. Bien que les résultats en valeur absolue soient moins importants que dans l'ouest, ceci est justifié par la taille, proportionnellement plus petite, de la zone éligible.

27. Dont éventuellement un pouvoir fiscal à déterminer par référendum (voir *supra*).

tendances seraient considérablement renforcées. Les régions en Angleterre, en Ecosse et au Pays de Galles disposeraient avec leurs gouvernements régionaux d'un atout beaucoup plus important au sein de l'Europe et des ressources nécessaires pour renforcer les processus de mobilisation déjà engagés.

Bibliographie

ARTHUR P., *Government and Politics of Northern Ireland*, Londres, Longman, 1980.

AUDIT COMMISSION, *A Rough Guide to Europe : Local Authorities and the European Community*, Londres, HMSO, 1991.

BERRINGTON H., «Centre-Periphery Conflict and British Politics», *in* Y. Mény et V. Wright (éd.), *Centre-Periphery Relations in Western Europe*, Londres, George Allen & Unwin, 1985.

BLACKABY D. et *al.*, «Wales : An Economic Survey», *in* J. Day et D. Thomas (éd.), *Contemporary Wales - An Annual Review of Economic and Social Research*, vol. 7, Cardiff, University of Wales Press, 1994, pp. 173-259.

BORRAS S., «The "Four Motors of Europe" and its Promotion of R&D Linkages : beyond geographical contiguity in interregional agreements», *Regional Politics and Policy*, vol. 3, 1993, n° 3.

BULPITT J., *Territory and Power in the United Kingdom*, Manchester, Manchester University Press, 1983.

BURCH M., HOLLIDAY I., «Institutionnal Emergence : The Case of the North-West Region of England», *Regional Politics and Policy*, vol. 3, 1993, n° 2, pp. 29-50.

Cmnd. 4040, *The Report of the Royal Commission on Local Government in England* (the Redcliffe - Maud Report), Londres, HMSO, 1969.

CONNOLLY M., LOUGHLIN J , «Reflections on the Anglo-Irish Agreement», *in Government and Opposition*, vol. 21, 1986, n° 2, pp. 146-160.

COOKE P. et. *al.*, «Regulating Regional Economies : Wales and Baden-Württemberg in Transition», *in* M. Rhodes (éd.), *The Regions and the New Europe*, Manchester, Manchester University Press, 1992.

COUNCIL, «Council Regulation (EEC) n° 2080/93 of 20 July 1993» (The Framework Regulation), *Official Journal of the European Communities*, n° L 193/5.

DEPARTMENT OF THE ENVIRONMENT, *The Functions of Local Authorities in England*, Londres, HMSO, 1992.

DEPARTMENT OF THE ENVIRONMENT, *The Structure of Local Government in England*, Consultation Paper, Londres, DoE, 1991.

DEPARTMENT OF TRADE AND INDUSTRY, *Review of the Implementation and Enforcement of EC Law in the UK*, Londres, DTI, 1993.

DYSON Kenneth, *The State Tradition in Western Europe : A study of an Idea and Institution*, Oxford, Martin Robertson, 1980.

ELCOCK H., «The North of England and The Europe of the Regions, or, When is a Region not a Region ?», *in* M. Keating et J. Loughlin (éd.), *The Political Economy of Regionalism*, Londres, Frank Cass, 1996.

EUROPEAN COMMISSION, *Community Support Frameworks 1989-1991, Objective 2, United Kingdom*, Luxembourg, Office for Official Publications, 1991.

EUROPEAN COMMISSION, *Community Support Frameworks, 1989-1993, Objective 5b, United Kingdom*, Luxembourg, Office for Official Publications, 1991.

EUROPEAN COMMISSION, *Community Structural Funds 1994-1999. Revised Regulations and Comments*, Luxembourg, Office for Official Publications, 1993.

EUROPEAN COMMISSION, DG XVI, «The EC Structural Funds and the development of the Highlands and Islands, 1994-1999», *in Inforegio*, November 1994 EN.

EUROPEAN COMMISSION, *EC Structural Funds Highlands and Islands Single Programming Document 1994-1999*, Luxembourg, Office for Official Publications, 1995.

EUROPEAN COMMISSION, DG XVI, «The structural Funds and the reconversion of regions affected by industrial decline in the United Kingdom, 1994-1996», *in Inforegio*, May 1995 EN.

EUROPEAN COMMISSION IN THE UK, *Wales in the European Union*, Londres, HMSO, 1994.

GASTER L., O'TOOLE M., *Local Government Decentralisation : An Idea Whose Time Has Come ?*, Bristol, SAUS Publications, 1995.

GOLDSMITH M., «The Europeanisation of Local Government», *Urban Studies*, vol. 30, 1993, n°° 4-5.

HADFIELD B. (éd.), *Norhtern Ireland : Politics and the Constitution*, Buckingham et Philadelphia, Open University Press, 1992.

HOGWOOD B., «Regional Administration in Britain since 1979 : Trends and Explanations», *Regional and Federal Studies*, vol. 5, 1995, n° 3, pp. 267-291.

HOUSE OF COMMONS TRADE AND INDUSTRY COMMITTEE, *Regional Policy*, HoC 356-I (Report), Londres, HMSO, 1995.

HOUSE OF COMMONS WELSH AFFAIRS COMMITTEE, *Wales in Europe*, HoC 393-I (Report), Londres, HMSO, 1995a.

HOUSE OF COMMONS WELSH AFFAIRS COMMITTEE, *Wales in Europe*, HoC 393-II (Evidence), Londres, HMSO, 1995.

JEFFERY C., «Regional Information Offices and the Politics of "Third Level" Lobbying in Brussels», Paper presented to the UACES Conference, Leicester, 6 October 1995.

JONES B., WILFORD R. A., «The Refendum Campaign : February - 1 March 1979» *in* Foulkes et *al.* (éd.), *The Welsh Veto*, Cardiff, University of Wales Press, 1983.

KEATING M., «Regionalism, Devolution and the State», *in* P. Garside and M. Hebbert (éd.), *British Regionalism 1900-2000*, Londres, Mansell, 1989.

KEATING M., MIDWINTER A., MITCHELL J., *Politics and Public Policy in Scotland*, Londres, Macmillan, 1991.

LABOUR PARTY, *The Future of the European Union - Report on Labour's Position in Preprarion for the Intergovernmental Conference 1996*, Londres, The Labour Party, 1995.

LOUGHLIN J., «Nation, State and Region in Western Europe», *in* Leonce Bekmans (éd.), *Culture : The Building - Stone for Europe 2002*, Bruxelles, European Interuniversity Press, 1994.

MASSEY D., ALLEN J., *Even Re-Development : Cities and Regions in Transition*, Londres, Sydney, Auckland, Hodder and Stoughton, 1988.

MITCHELL J., «Scotland, the Union State and the International Environment», *in* M. Keating et J. Loughlin (éd.), *The Political Economy of Regionalism*, Londres, Frank Cass, 1996.

MORGAN K., *The Learning Region - Institutions, Innovation and Regional Renewal*, Papers in Planning Research, n° 157, Cardiff, Department of City and Regional Planning, University of Wales, 1994.

MORGAN K. O., *Rebirth of a Nation : Wales 1880-1980*, Oxford, Basil Blackwell, 1982.

MORGAN K. O., «Welsh Nationalism : The Historical Background», *in Journal of Contemporary History*, vol. 6, 1971, n° 1, pp. 153-172.

MORRIS J., HILL S., *Wales in the 1990s - A European Investment Region*, Londres, The Economist Intelligence Unit, Special Report n° 2143, 1994.

PRICE A. et al., *The Welsh Rennaisance : Inward Investment and Industrial Innovation*, Regional Industrial Research Centre for Advanced Studies, Report n° 14 (January 1994), Cardiff, University of Wales, 1994.

OSMOND J., «The Modernisation of Wales», *in* N. Evans (éd.), *National Identity in the British Isles*, Coleg Harlech Occasional Papers in Welsh Studies, n° 3, Harlech, Coleg Harlech Centre for Welsh Studies, 1989.

PARLEMENT EUROPÉEN, Direction de la recherche, *Organizations Representing Regional and Local Authorities at the European Level*, Strasbourg, 1994.

RHODES R.A.W., *Beyond Westminster and Whitehall*, Londres, Sydney, Wellington, Unwin Hyman, 1988.

ROSE R., *Understanding The United Kingdom*, Londres, Longman, 1982.

SHARPE L.J. (éd.), *The Rise of Meso Government in Europe*, Londres, Newbury Park, New Dehli, SAGE, 1993.

STOKER G., *The Politics of Local Government*, 2ᵉ éd., Houndmills, Basingstoke, Londres, Macmillan, 1991.

STRUM R., *Nationalismus in Schottland und Wales, 1966-1980. Eine Analyse seiner Ursachen und Konsequenzen*, Bochum, Brockmeyer, 1981.

TWINING W., UGLOW J. (éd.), *Law Publishing and Legal Information : Small Jurisdictions of the British Isles*, Londres, Sweet & Maxwell, 1981.

WALES LABOUR PARTY, *Shaping The Vision - Report on the Powers and Structure of the Welsh Assembly*, Cardiff, Wales Labour Party, 1995.

WALES LABOUR PARTY, *Wales and Europe - Setting the Democratic Agenda*, Policy Statement, April 1994, Pontypridd, Wales Labour Party, 1994.

WANNOP U., *The Regional Imperative : Regional Planning and Governance in Britain, Europe and the United States*, Londres, Jessica Kingsley Publishers, 1996.

WELSH OFFICE (éd.), *Digest of Welsh Statistics*, n° 40, 1994, Cardiff, The Welsh Office, 1994.

WELSH OFFICE, *The Government's Expenditure Plans 1994-1995 to 1996-1997*, Cm. 2515, Londres, HMSO, 1994

WILLIAMS C. H., «Separatism and the Mobilisation of Welsh National Identity», *in* C. H. Williams (éd.), *National Separatism*, Vancouver et Londres, University of British Columbia Press, 1982

WILLIAMS C. H., RAYBOULD W. H., *Welsh Language Planning - Opportunities and Constraints*, Conference Paper, Seminario Internacional sobre Planification Linguistica, Auditorio de Galicia, Santiago de Compostela, 1991.

WILLIAMS G., «The Political Economy of Contemporary Nationalism in Wales», *in* E. A. Tiryakin et R. Rogowski (éd.), *New Nationalisms of the West*, Boston, Londres, Sidney, Allen & Unwin, 1985.

WOOD P., «United Kingdom», *in* H. Clout (éd.), *Regional Development in Western Europe*, 3ᵉ éd., Londres, David Fulton Publishers, 1987 .

YIANTSIOS E., *The Regionalization and Europeanization of Subnational Government in the United Kingdom, Greece and Germany*, University of Manchester, unpublished PhD thesis, 1996.

YUILL D. et *al.*, *European Regional Incentives, 1994-95*, Londres, Melbourne, Munich, Bowker Saur, 1994.

Du développement structurel à l'espace euro-méditerranéen : les îles et la construction européenne

par *Claude Olivesi*

Le Traité sur l'Union européenne prévoit que durant l'année 1996 soit dressé le premier bilan des modifications consécutives à son entrée en application, et soient envisagées les adaptations nécessitées par les contraintes auxquelles l'Europe sera confrontée aux débuts du prochain millénaire. Le Conseil européen de décembre à Madrid a défini le mandat donné à la Conférence intergouvernementale (CIG) et le calendrier de ses travaux qui prépareront le toilettage du Traité. Celui-ci devra donc préciser les termes d'une association en devenir pour permettre notamment l'adhésion vers la fin de ce siècle d'une demi-douzaine de nouveaux membres, essentiellement situés en Europe centrale et orientale. Cet élargissement produira un «glissement» du centre de gravité de l'Union et une densification du croissant Londres-Milan nommé *decision belt*. Le mouvement ne manquera pas d'influencer l'ensemble des politiques communautaires et notamment la politique régionale. Son principal objectif vise à enrayer les risques de dualisation en réduisant les écarts de développement entre les régions les plus riches et celles moins développées. L'analyse qui suit privilégie l'influence de la problématique européenne sur l'expression des demandes de la Corse. Cependant, en raison de l'importante mobilisation de moyens, nécessitée par l'expression des besoins des nouveaux adhérants, elle intéresse aussi à la fois l'ensemble des îles sous souveraineté des Etats membres et les régions méditerranéennes de l'Union européenne.

Pour la construction des projets nécessaires à son développement, la Corse (ses représentants politiques et socio-économiques) a dû depuis une dizaine d'années intégrer l'émergence d'un nouvel interlocuteur-partenaire. Aujourd'hui il ne s'agit plus d'un simple dialogue, très souvent conflictuel, avec l'Etat mais d'un approfondissement de la relation triangulaire Union européenne-Etat-Collectivité territoriale[1]. Les politiques publiques dont bénéficie la Corse, de leur conception aux contrôles de leur mise en œuvre en passant bien évidemment par leur financement, sont le produit de cette triangulation (Olivesi, 1995)[2]. Sans préjuger des conclusions vraisemblablement rendues aux termes d'une année de réflexion, il est probable qu'à l'avenir elles résulteront du croisement de deux orientations.

La première à titre principal et traditionnel se situerait dans la prolongation des politiques européennes de développement régional et d'aménagement du territoire, avec toutefois une dimension insulaire renforcée (I). La seconde, complémentaire, basée sur la coopération transfrontalière, émergera de la structuration progressive d'un espace euroméditerranéen de partenariat dont les contours ont été précisés lors de la Conférence de Barcelone des 27 et 28 novembre 1995 (II). Ainsi la valorisation de chacun des deux versants de son identité l'intégrera dans un réseau de solidarités et fournira l'armature nécessaire à la construction d'une politique européenne adaptée.

I. Vers la reconnaissance communautaire de la spécificité insulaire

L'insularité est une dimension constitutive de l'Union européenne. Celle-ci prend diverses formes. Certains de ses Etats membres sont totalement insulaires comme le Royaume-Uni et l'Irlande. D'autres peuvent être qualifiés de semi-insulaires en raison de l'importance de leurs îles tant sur les plans de la superficie et de la démographie ou encore de l'histoire et de l'économie. La Grèce et l'Italie, par exemple, sont à classer dans cette catégorie. Le «fait» insulaire y représente respectivement 19 % et 17 % du territoire national et 14 % et 12 % de la population totale. Que dire du Danemark ? Son territoire se compose, pour l'essentiel, d'une partie eu-

1. Avec la promulgation de la Loi n°91-428 du 13 mai 1991 la région de Corse, dotée du statut particulier depuis le 2 mars 1982, a été érigée en Collectivité territoriale *sui generis*.
2. L'élection, en juin 1994, au Parlement européen de Jean Baggioni, président du Conseil exécutif de la Collectivité territoriale, comme la présence de Jérôme Polverini, membre du même Conseil exécutif chargé des Affaires européennes, au sein du Comité des régions, situent la Corse en bonne place dans le processus décisionnel européen et renforcent leur position d'interlocuteurs privilégiés du Gouvernement.

ropéenne de 43 069 km² (pour un tiers insulaire Copenhague, sa capitale, y est située) et du Groenland, la plus grande île du monde (2 175 000 km²) après l'Australie. Cette situation originale est affirmée dans le préambule de son statut d'autonomie interne du 1ᵉʳ mai 1979 qui mentionne : «l'exceptionnelle position nationale, culturelle et géographique que le Groenland occupe à l'intérieur du Royaume». En définitive seuls la Belgique, le Luxembourg et l'Autriche ne disposent d'aucun territoire insulaire. C'est dire que même si la question reste globalement marginale, elle n'en intéresse pas moins 4,5 % de la population totale de l'Union européenne vivant sur environ 5 % de sa superficie ; soit près de 14 millions de citoyens européens répartis sur 120 000 km² (en excluant le Groenland).

1 - La diversité de l'Europe des îles

L'Europe des îles, par son caractère «mosaïque», semble impossible à appréhender d'une façon homogène. La difficulté ne diminue en rien l'indispensable reconnaissance de cette dimension. Celle-ci est tout d'abord nécessitée par la logique communautaire qui repose essentiellement sur la réalisation d'un vaste espace de libre échange dans lequel le marché est supposé réguler les déséquilibres. A cette logique de continuité s'oppose une logique de «discontinuité maximale» selon la formule de Georges Pierret. Car les îles sont très souvent confrontées à des ruptures de charge qui entraînent des interventions dont la finalité cherche à rectifier l'existence de déséquilibres divers. Ce phénomène explique pourquoi de nombreuses règles du jeu économique, conçues dans et pour les grands ensembles, sont objectivement inapplicables aux îles en l'absence de correctifs réels. On peut alors se demander, avec Jean-Didier Hache, «en quoi le concept d'espace unique européen est pertinent pour des îles qui, en tant que milieux isolés, subissent inévitablement de multiples limitations spatiales et humaines»[3].

Elle est aussi justifiée par leur dimension géopolitique intrinsèque. En effet un chapelet d'îles-archipels forme la ceinture extérieure de l'Union et constitue une ligne d'avant, vitrine des «bienfaits» de la construction européenne. Enclaves, îlots, îles ou archipels... les derniers vestiges de l'Europe conquérante ont des dimensions et une notoriété variables. Cependant, avec l'extension à 200 miles marins de la zone économique exclusive (ZEE), le plus petit des rochers immergés représente désormais une superficie de 400 000 km² et devient un enjeu économique. Leur éparpillement

---

3. Jean-Didier Hache, «La Communauté européenne et la reconnaissance du fait insulaire», secrétaire de la commission des îles de la CRPM, ULTRAPERIPHERIA.

assure aussi à l'Europe une présence dans la quasi-totalité des mers et des océans[4].

Selon l'IGN quelque 2 100 îles participeraient à la structuration de l'espace européen. Cependant la préface de *Portrait des îles*, conjointement signée par les Commissaires européens Bruce Milan et Hennig Christophersen, avance le nombre de 440 îles habitées. Ils y soulignent par ailleurs l'extrême diversité des situations en déclarant : «Certaines sont minuscules, ne comptent que quelques résidents et ne constituent même pas une entité administrative à elles seules ; d'autres comme la Sicile, la Sardaigne ou les Canaries, comptent plus d'un million d'habitants et disposent d'une certaine autonomie»[5].

On peut être surpris par la différence du nombre d'îles recensées. La définition proposée par EUROSTAT tout en permettant de la comprendre, reste cependant trop générale pour servir de base à l'élaboration d'une typologie. Pour l'Office statistique de la Communauté, est définie comme île : «Toute étendue terrestre de surface supérieure à 1 km² habitée en permanence par une population statistiquement significative (c'est-à-dire plus de cinquante habitants), qui n'est pas reliée par une infrastructure fixe au continent (européen) dont elle est éloignée d'un kilomètre au moins, et où ne se trouve aucune des douze capitales nationales»[6].

Certes l'insularité induit des difficultés communes à l'ensemble de ces 440 entités. Mais peut-on sincèrement appréhender uniformément les difficultés rencontrées par l'île de Ré et la Sicile ; mesurer en termes identiques l'impact de l'éloignement de La Réunion et celui de l'archipel des îles Aland sur leur développement respectif ; considérer que les rigueurs du climat du Groenland sont similaires à celles de la Corse ; comparer l'influence de l'environnement géopolitique de la Martinique à celle de l'archipel des Baléares ; considérer que la superficie de Madère n'a pas plus d'importance que celle de la Sardaigne sur la gestion des écosystèmes ; que le fait d'avoir une unité géographique ou un caractère «archipélagique» n'a aucune incidence sur la structuration des ré-

---

4. Par exemple la France et le Royaume-Uni exercent des droits sur près de 22 millions de km² de mers et d'océans, soit 15 % des espaces maritimes contrôlés du globe. Le Portugal, grâce aux archipels des Açores et de Madère, possède une .ZEE marine d'une superficie dix fois supérieure à celle de son territoire continental.
5. Le chiffre de 2 100 îles est mentionné dans le n° 193 de *7 Jours d'Europe* du 19 juin 1995. *Portrait des îles* à l'instar du *Portrait des régions* présente par Etat-membre une «liste complète des îles avec cartes et statistiques». Il a été édité par la Commission en 1994 (Office des publications officielles des Communautés européennes, Luxembourg).
6. Définition citée par Sandy Matheson, président de la Commission des îles de la CRPM, 3e Conférence des régions insulaires européennes, Mariehamn, îles Aland, 16-17 juin 1991, *Etudes et travaux*, n° 22, 1992, Conseil de l'Europe.

seaux de communication intra et extra insulaires et par conséquent sur la libre circulation des marchandises et des hommes, etc. ?

Le *Dictionnaire de géopolitique*, tout en retenant une définition classique («étendue de terre ferme entourée d'eau de toute part»), reconnaît sa faible opérationnalité pour appréhender le phénomène insulaire. Aussi suggère-t-il la combinaison de différents critères pour en mesurer l'acuité : «Ce sont les phénomènes d'insularité... qui définissent les situations véritablement insulaires... Leur importance relative est d'autant plus grande que l'île est plus petite et que sa population est en contact direct avec la mer... Il ne suffit cependant pas de caractériser une île en fonction de sa taille, il faut aussi tenir compte de ses caractéristiques géologiques... Il convient aussi de définir la situation d'une île dans le cadre d'ensembles plus vastes, celui d'un archipel, ou de telle étendue marine et en fonction du plus ou moins grand éloignement par rapport à un continent» (Lacoste, 1993).

Face à cette diversité l'approche de la réalité insulaire doit prendre en compte les interconnexions complexes entre les facteurs (superficie, démographie, éloignement du continent, climat, ressources naturelles, situation géopolitique, etc.) qui déterminent la nature de l'insularité. Elle débouche sur l'idée qu'il existe bien, dans la perspective d'une politique européenne de développement insulaire, des degrés très différents dans la gravité du handicap à surmonter.

2 - Les prémices d'une typologie

On peut considérer que la totalité des îles sous souveraineté des Etats membres de l'Union se répartie sur différents cercles concentriques qui définissent un lien juridique plus au moins tenu influençant les politiques publiques élaborées à leur égard. Cette esquisse reprend, pour l'essentiel, les propositions de Fred Constant qui considère que «sur le plan institutionnel il convient de distinguer au moins trois cercles concentriques statutaires qui, au fil de la construction européenne, ont confié des droits et des obligations différents à l'égard du traité de Rome» (RSAMO, 1991).

L'ensemble des îles relevant du régime d'association et figurant sur la liste des Pays et Territoires d'Outre-mer (PTOM) décrit le premier cercle. Leur statut est précisé par la «quatrième partie» du Traité sur l'Union européenne (articles 131 à 136 bis). Y sont inscrits : les deux Collectivités territoriales et les quatre TOM français ; le Groenland ; les Antilles néerlandaises et Aruba ; les onze

overseas countries and territories britanniques[7]. Quatre Etats
membres sont donc concernés. Ce classement exclut ces îles du territoire de l'Union. Les interventions qu'elle promeut à leur égard
s'apparentent aux actions de coopération définies par la convention
de Lomé pour les soixante-neuf pays ACP.

Le deuxième cercle regroupe les îles bénéficiant des dispositions découlant du concept d'ultra-périphéricité. Conscient que le
patrimoine insulaire de l'Europe des douze présente des atouts pour
elle-même mais aussi pour les pays tiers, le Sommet européen de
Rhodes du 3 décembre 1988 a reconnu «les problèmes socio-
économiques particuliers que connaissent certaines régions insulaires de la Communauté» et a invité la Commission à présenter des
propositions adaptées à ces îles. Cette impulsion nouvelle devait
déboucher sur la présentation du premier Programme Spécifique lié
à l'Eloignement et à l'Insularité (POSEI), sous la forme d'un cadre
juridique permettant l'adaptation de différentes politiques communautaires par l'intermédiaire de dérogations.

De ce pragmatisme fondé sur le double principe de
l'appartenance entière de ces entités insulaires à l'espace communautaire et de la prise en compte concomitante de leurs situations
spécifiques résultant d'un grand éloignement et de l'insularité était
ainsi forgé le concept «d'ultra-périphéricité». Rassemblant différentes dimensions (retard structurel, grand éloignement, insularité,
faible superficie, relief et climat difficiles, dépendance économique
vis-à-vis de quelques produits), il figure dorénavant dans la déclaration n° 26 «relative aux régions ultrapériphériques de la Communauté» annexée au Traité sur l'Union européenne. Celle-ci précise
que «si les dispositions du traité (...) et du droit dérivé s'appliquent
de plein droit aux régions ultrapériphériques, il reste possible
d'adopter des mesures spécifiques en leur faveur, dans la mesure et
aussi longtemps qu'il existe un besoin objectif de prendre de telles
mesures... »[8]. Tardivement apparue, cette notion est désormais passée dans le langage et les textes communautaires favorisant

---

7. Seuls trois d'entre-eux ont une population dépassant 150 000 habitants. Les PNB
per capita y sont très divers. Cinq apparaissent nettement plus développés avec des
PNB compris entre 10 666 $/hab. (Groenland) et 5 630 $/hab. pour la Nouvelle Calé-
donie; pour les quinze autres le minima se situe à 700 $/hab. et le maxima à 3 500
$/hab. Leur balance commerciale y est systématiquement et très largement déficitaire.
Leur situation géographique s'étale d'est en ouest du Pacifique à l'Atlantique et du
nord au sud de l'Arctique à l'Antarctique (cf. «La Communauté européenne et les pays
et territoires d'outre-mer», *Développement*, n° 76, oct. 1993). Pour les implications
juridiques du régime d'association, «Traité instituant la CEE. Commentaire article par
article», s/d de Vlad Constantinesco et *alii*, pp. 781-801, Economica, oct. 1992 .
8. *Traité sur l'Union européenne*, Luxembourg, 1992, p. 238.

l'émergence de politiques spécifiques[9]. Pour Justin Daniel et Emmanuel Jos ce concept de «faible consistance juridique correspond à une tentative pragmatique de gestion du dilemme de l'harmonisation communautaire dans le respect des différences... D'un point de vue politique, elle représente une intéressante tentative d'approche globale des problèmes auxquels se trouvent confrontées ces régions en les invitant à se regrouper pour mieux défendre leurs intérêts». Lors de la XVe réunion annuelle de la Commission des îles de la CRPM, Mota Amaral, président du gouvernement de la région autonome des Açores rappelle dans son rapport l'attachement des régions concernées au concept d'ultrapériphéricité. Il s'interroge aussi sur la pertinence de la démarche qui souhaiterait traiter simultanément, en les confondant, insularité et ultrapériphéricité : «... Je considère (que cette stratégie) est non seulement inadaptée, mais qu'elle risque aussi d'en-traîner des effets négatifs pour l'ensemble de nos régions»[10].

L'analyse de leur situation conduit donc à séparer clairement les deux critères d'ultrapériphéricité et d'insularité même si le premier peut être englobé par le second. Cette approche semble être partagée par Monica Wulf-Mathies, commissaire européen en charge de la politique régionale, alors qu'un important mouvement revendicatif s'est développé en Corse depuis 1992 pour obtenir un POSEI. L'Assemblée de Corse qui a fait sienne cette demande le 20 octobre 1995 travaille à l'élaboration de propositions de POSEI. Celles-ci sont par ailleurs reprises et soutenues par les plus hautes autorités de l'Etat comme un des éléments centraux de leur politique pour l'île[11].

---

9. Sont mentionnées par cette «déclaration» les sept régions destinataires de POSEI. Sur la base de l'alinéa 2 de l'article 227 du Traité de Rome, les quatre départements français d'outre-mer (DOM) furent les premiers à en bénéficier par décision du Conseil du 22 décembre 1989 (POSEIDOM). La mise en œuvre de certains articles des traités d'adhésion de l'Espagne et du Portugal, relatifs aux archipels des Açores, de Madère et des Canaries, allait conduire à la promulgation, le 26 juin 1991, de POSEI spécifiques aux archipels portugais (POSEIMA) et espagnols (POSEICAN). Le principe du «parallélisme» régit l'ensemble des POSEI. Il implique que les mesures approuvées pour une région peuvent être appliquées aux autres. Dans le même temps la Commission allait promouvoir un programme d'initiative communautaire visant ces mêmes régions en situation d'extrême périphéricité (REGIS).

10. Cette réunion s'est déroulée les 30 et 31 mars 1995 à la Guadeloupe. Mota Amaral est président de la Commission des îles, membre du Comité des régions de l'Union. Un protocole de coopération entre les sept régions ultrapériphériques y a été signé afin de présenter une démarche commune vis-à-vis de la Communauté.

11. Le Commissaire européen devait déclarer dans un entretien accordé au quotidien *La Corse* le 7 août 1995 : «(...) point n'est nécessaire de faire appel au modèle POSEI qui s'applique aux régions très éloignées du continent européen pour répondre aux handicaps et aux particularités de la Corse (...) La Commission ne s'est pas opposée à certaines mesures fiscales prises par la France en faveur de la Corse, réservées

A ces deux premiers cercles s'en ajoute un troisième sur lequel figure l'ensemble des îles considérées comme partie intégrante du territoire de l'Union. Les îles méditerranéennes (Crète, Sicile, Sardaigne, Corse, Baléares), en raison de leur proximité du continent européen, se trouvent dans cette situation. Cependant leur retard structurel de développement, constaté par les différents rapports périodiques sur la situation socio-économique des régions de l'Union (à l'exception des Baléares), les classe dans l'objectif n° 1 de la politique régionale et les fait bénéficier de la solidarité de l'Union européenne. La «proximité» représente dans leur cas à la fois un avantage et un inconvénient. C'est la raison pour laquelle le président du Conseil exécutif de la Collectivité territoriale de Corse, soutenu par ses homologues baléares et sarde propose de promouvoir ce nouveau concept d'îles proches et d'esquisser statut et politiques publiques dont elles pourraient bénéficier.

Cette typologie pragmatique n'embrasse pas les diverses situations intermédiaires, difficilement «classables» (Dubouis, Gueydan, 1996)[12]. De nombreux exemples, dans lesquels se multiplient dérogations de toutes sortes, peuvent être cités. En témoignent les îles anglo-normandes et l'île de Man ; la Corse avec son statut fiscal spécifique ; les îles grecques de la mer Egée[13] ; l'archipel danois des Féroé qui ne fait pas partie de l'Union européenne mais ne figure pas non plus sur la liste des PTOM. Plus récemment est venu s'ajouter l'archipel des îles Aland sous souveraineté finlandaise[14]. De plus la prise en compte des spécificités insulaires par le droit communautaire dépend souvent de leur

---

d'ordinaire aux régions les plus défavorisées de la Communauté (...)». Sur le mouvement revendicatif, voir C. Olivesi, «La Corse et la construction européenne», réf. cit.

12. L'illustration est fournie par la complexité rédactionnelle de l'article 227 du Traité de Rome modifié.

13. Sans relever des POSEI, la Commission a mis en œuvre en faveur de ces îles une politique articulée sur trois axes : premièrement le renforcement des interventions structurelles (relevant de l'objectif n° 1, 210 millions d'écus îles Egée Nord et 224 millions d'écus îles Egée Sud sont inscrits dans les cadres communautaires d'appui 1994-1999) ; deuxièmement la reconnaissance d'une fiscalité indirecte particulière consacrée par le Conseil en octobre 1992 ; troisièmement la mise en place d'un dispositif spécifique tendant à faciliter les approvisionnements en produits agricoles de base ainsi qu'à maintenir et à développer les productions locales (Règlement CEE n° 2019/93 du 19 juillet 1993, JO, L 184 du 27 juillet 1993).

14. Le 20 novembre 1994, après le référendum finlandais, les *alanders* se sont prononcés à 73,7 % pour l'adhésion à l'Union européenne (*Le Figaro*, 21 février 1995). Un protocole n° 2 relatif aux îles Aland est annexé au Traité d'adhésion de la Finlande. Celui-ci définit des dérogations qui visent d'une part à «maintenir une économie locale viable...» (limitations au droit d'établissement des personnes physiques et morales, exclusion de l'harmonisation des fiscalités indirectes), d'autre part à aménager la citoyenneté européenne pour tenir compte des spécificités locales (limitations pour l'exercice du droit de vote et pour l'acquisition des biens immobiliers). JOCE, 29 août 1994, p. 352.

«statut» en droit national. Cette dimension complexifie encore un peu plus l'efficience d'une approche globale. Mais il semble bien que «les régions les plus différenciées ont une meilleure influence sur Bruxelles en raison de leurs compétences juridiques et organisationnelles» (Balme, 1995).

Le Traité sur l'Union Européenne (TUE) représente incontestablement une avancée dans la reconnaissance du rôle des collectivités territoriales (principe de subsidiarité) pour la définition et la mise en œuvre de nombreuses politiques. Il apporte en outre, au travers de sa déclaration n° 26, la reconnaissance d'une certaine dimension de l'insularité. Le TUE contient aussi pour la première fois l'obligation d'adapter certaines politiques communautaires à la spécificité de l'insularité. Cette mention est formulée pour la nouvelle politique des réseaux trans-européens, support indispensable de l'aménagement du territoire, introduite à l'article 129 B. Son alinéa 2 mentionne que la Communauté «tient compte en particulier de la nécessité de relier les régions insulaires, enclavées et périphériques aux régions centrales de la Communauté». Cette modulation de l'action communautaire s'avère indispensable si l'on souhaite que les régions insulaires réussissent leur décollage économique. Elles subissent souvent la concurrence de régions plus centrales, plus riches qui parfois sont classées dans la même catégorie. Cette référence à la situation spécifique des îles, bien que sectorielle, figurant dans le corps du Traité porte en elle d'intéressantes potentialités. De plus son article 7 C énonce le principe d'une adaptation possible de la règle communautaire et d'un assouplissement du principe d'unicité du droit communautaire aux situations particulières en introduisant ce que le Professeur Simon nomme «une forme de différenciation négative»[15]. Son interprétation ne semble pas devoir se limiter aux Etats. La formule «certaines économies», reliée au titre V du traité relatif à «la cohésion économique et sociale», peut s'appliquer à l'objectif de réduction des déséquilibres régionaux que recherche la politique régionale. Les mesures susceptibles d'être prises doivent permettre d'éviter que les progrès de l'intégration soient préjudiciables aux zones moins favorisées pénalisées structurellement. On peut donc logiquement penser que cet

---

15. Reprenant, sans les modifier, les dispositions contenues dans l'article 15 de l'Acte unique européen (entré en vigueur en 1987), il impose à la Commission de tenir compte «de l'ampleur de l'effort que certaines économies présentant des différences de développement» supporteront durant la réalisation du Marché intérieur. La Commission, afin d'en atténuer les effets, peut élaborer des «dispositions adaptées» pouvant prendre la forme de «dérogations». Dans ce cas de telles mesures auront un «caractère temporaire» et apporteront le «moins de perturbations» au fonctionnement du marché commun. «Traité instituant la CEE : commentaire article par article», réf. cit.

article puisse être invoqué pour atténuer les handicaps spécifiques
des régions périphériques et/ou insulaires de l'Union.

Cependant les représentants des communautés insulaires
ne considèrent point ces avancées comme suffisantes pour les pré-
munir des contraintes qui pèseront sur l'Union dans les années à
venir et des évolutions qui affecteront les politiques communes. La
perspective du «toilettage» du Traité, tracée par la convocation sous
présidence italienne d'une Conférence intergouvernementale dont
les travaux débuteront le 29 mars 1996 à Turin, encourage les prises de positions. Ainsi vingt-quatre députés européens représentant
certains territoires insulaires, dès la constitution de «l'intergroupe
parlementaire des îles»[16], le 25 octobre 1994, ont souligné la mécon-
naissance par l'Union européenne des problèmes spécifiques rencontrés par les îles. Ils ont souhaité, pour y remédier, que la Commission élabore en leur faveur des mesures s'inspirant des POSEI[17].

Récemment, des propositions se sont faites plus précises.
Lucette Michaux-Chevry, président du Conseil régional de la Guadeloupe, lors de la réunion annuelle de la Commission des îles de la
CRPM en a appelé «à la solidarité des régions ultrapériphériques
(...) pour formuler rapidement des propositions de modification du
Traité de Maastricht (...) C'est là une condition incontournable,
pour qu'une politique européenne spécifique aux régions ultrapériphériques puisse être développée avec des moyens appropriés».
Cette position se retrouve dans la Déclaration finale signée par
l'ensemble des présidents des régions intéressées. Tout en réaffir-
mant la pertinence du concept d'ultrapériphéricité, elle suggère
qu'à l'occasion de la Conférence intergouvernementale un nouvel
article le concernant soit inséré au Traité. Cette problématique
figure aussi dans le rapport intermédiaire du groupe de réflexion
présidé par M. Carlos Westendorp lequel mentionne que «certains
membres jugent nécessaire d'introduire dans le traité une disposi-

16. Il s'agit en réalité de reconstitution. Un intergroupe comparable, «des îles et des
régions périphériques», avait été fondé le 17 novembre 1987 à l'instigation de l'euro-
député gaulliste François Musso, vice-président du Parlement européen. Ce groupe de
pression de la périphérie a joué un important rôle d'influence et a alimenté la réflexion
sur le concept d'ultrapériphéricité. Le président du Conseil exécutif de la Collectivité
territoriale de Corse en est actuellement un des vice-présidents (*Les échos du Parlement européen*, n° 98, oct. 1994, p. 25).
17. En témoignent les propos tenus par Jean Baggioni : «(...) Les îles apparaissent
souvent comme les parents pauvres, voire oubliées, de l'action communautaire (...) je
travaille (...) afin d'obtenir de la Commission la définition d'une politique spécifique de
soutien et d'accompagnement du développement économique des régions insulaires.
J'ai réclamé à ce titre l'unicité d'une politique en faveur des îles, à travers notamment
des programmes susceptibles de corriger et d'effacer les handicaps de ces régions,
accentués par l'éloignement et l'insularité» (EIPASCOPE, n° 1995/3, p. 21, Institut
européen d'Administration publique).

tion prévoyant un traitement spécifique de soutien aux régions ultrapériphériques»[18].

Procédant d'une démarche comparable, mais avec des motivations différentes (proximité du continent européen et situation géopolitique en Méditerranée), les autorités politiques des Baléares, de Sardaigne et de Corse ont également manifesté de l'intérêt pour cette question. Les présidents des exécutifs insulaires ont conclu, le 9 mai 1995 à Palma de Mallorca, un protocole de coopération appelé " I.MED.OC " (Iles de la Méditerranée Occidentale). Bâti sur un modèle proche de celui qui lie les régions ultrapériphériques, il s'est fixé comme objectifs : l'établissement d'un cadre stable de coopération ; la promotion des intérêts communs ; l'encouragement aux échanges. Dans son allocution de bienvenue à la séance de travail du 19 octobre 1995 à Ajaccio, le président du Conseil exécutif de la Collectivité territoriale devait formaliser cet objectif en déclarant : «La Conférence intergouvernementale de 1996 devra entériner la reconnaissance officielle des îles, la prise en compte de leurs handicaps communs et la nécessité d'y apporter des solutions durables et appropriées»[19]. En définitive la démarche proposée consiste à s'inspirer de l'introduction, à l'article 130 A, de la référence «aux zones rurales» lors de l'écriture du Traité de Maastricht. La politique régionale de la Communauté est essentiellement fondée sur cet article et elle se fixe comme objectif de «réduire l'écart entre les niveaux de développement des diverses régions et le retard des régions les moins favorisées». L'insertion des mentions relatives à «l'ultrapériphéricité et à l'insularité» permettraient de rapprocher les articles 129 B et 130 A du TUE et garantirait la reconnaissance d'une politique européenne des îles.

Mais pour aboutir, une telle ambition devra réunir au moins quatre conditions. Tout d'abord cet objectif et la démarche qu'il nécessite devront être partagés par le plus grand nombre d'autorités insulaires ; être ensuite relayés par des institutions européennes comme le Parlement européen (intergroupe des îles) et le Comité des régions ; procéder aussi et nécessairement à la sensibilisation, d'autant plus importante que la première condition sera remplie, des gouvernements centraux et de la Commission qui seront à

---

18. Ce groupe a été créé lors du sommet européen de Corfou pour préparer la Conférence intergouvernementale de 1996 ; «Rapport intermédiaire du président du Groupe de réflexion sur la conférence intergouvernementale de 1996», 44 pages, Madrid, le 30 août 1995, SN 509/95 (REFLEX 10).

19. Cette thématique est reprise dans l'entretien accordé aux *Echos du Parlement européen* («Le partenariat euroméditerranéen», n° 109, octobre 1995). «Une telle perspective ne peut être pérennisée que par la reconnaissance, dans le texte même du Traité sur l'Union, de la spécificité des régions insulaires, et par conséquent de l'engagement formel de pallier les handicaps qui en découlent».

l'origine de la rédaction du nouveau traité ; encourager, enfin, l'expression des opinions publiques insulaires au moment où la volonté de réduction du déficit démocratique se trouve au centre des préoccupations gouvernementales et communautaires. Ainsi ces différentes expressions des spécificités insulaires illustrent la proposition formulée par Richard Balme : «(...) les gouvernements locaux et régionaux, (...) sont intégrés à cet espace public en participant à la périphérie de cet agenda, dans sa partie plus informelle ou systémique» (Balme, 1995). Pour accentuer leur influence et tenter d'apporter des modifications aux politiques communautaires, les représentants de certaines des îles européennes vont aussi utiliser l'argument de leur appartenance méditerranéenne.

II. Vers la structuration d'un espace euro-méditerranéen

Nul ne peut contester l'importance de la rive sud méditerranéenne pour l'Union européenne tant aux niveaux politique et économique qu'en matière de sécurité. Pour des raisons historiques et de proximité, sans évoquer la dimension humaine liée aux migrations, l'Union, avec ses Etats membres, en est à la fois premier client et premier fournisseur. L'intégration de fait dans le marché communautaire des pays qui la composent est sans doute bien plus avancée que celle des Pays d'Europe Centrale et Orientale (PECO). En décidant en décembre 1994 d'organiser une «Conférence euro-méditerranéenne» pour redéfinir, améliorer et adapter la politique méditerranéenne aux nouvelles exigences[20], les chefs d'Etat et de gouvernement des Etats membres de l'Union européenne ont voulu prouver que la Méditerranée n'était pas oubliée et qu'elle comptait autant que les PECO. Les pays méditerranéens de l'Union européenne formulèrent à plusieurs reprises cette volonté à l'instar des ministres des Affaires étrangères d'Espagne et d'Italie, qui l'exprimèrent dans une déclaration rédigée à l'occasion du séminaire commun organisé à Naples en mai 1995[21]. Le Conseil européen de Cannes, en juin 1995, a confirmé cet intérêt et le président de la République française devait lui-même intervenir dans une optique similaire devant la Conférence des Ambassadeurs : «... c'est en ancrant la Méditerranée et l'Afrique à l'Europe que notre pays

---

20. Une analyse détaillée de cette politique est présentée dans la thèse de Gilles Siméoni, *Les incidences de l'élargissement de la CEE à l'Espagne et au Portugal sur les engagements communautaires en Méditerranée*, soutenue à l'Université de Corse le 3 février 1996, 576 pages.
21. «Spagna ed Italia, due nazione mediterranee, hanno acquisito nel corso della loro storia una particolara sensibilità a fronte dei rischi e delle sfide, ma anche delle opportunità è possibilità, nascenti nel area (...) La Spagna e l'Italia, tra gli altri, non hanno cessato di stimolare tale presa di coscienza e il Presidente di turno dell'Unione Európéa, la Francia, ha attivamente iniziato a tradurla in pratica», *Corriere della Sera*, 10 mai 1995.

contribuera le mieux à leur développement économique comme à leur progrès social... La France ne ménagera aucun effort pour que, fin novembre, la Conférence de Barcelone, rencontre sans précédent entre les deux rives de la Méditerranée, marque le point de départ d'un rapprochement entre deux mondes que menacent aujourd'hui l'incompréhension et l'intolérance et qui doivent au contraire dialoguer et mieux s'enrichir de leurs différences... C'est à un pacte de stabilité pour la Méditerranée que j'ai proposé à nos partenaires de réfléchir...»[22]

La Conférence méditerranéenne s'est donc tenue les 27 et 28 novembre 1995 à Barcelone. Revêtant un caractère exceptionnel, ne serait-ce qu'en raison du nombre de participants[23], la déclaration finale adoptée à l'unanimité a retenu «la création d'un espace euro-méditerranéen à l'horizon 2010» entre les Pays Tiers Méditerranéen (PTM) et l'Union européenne. Pour parvenir à une organisation qui aille au-delà de la seule coopération financière (pour laquelle l'Union consacrera 4,685 milliards d'écus sur la période 1995-1999 et autant de prêts par l'intermédiaire de la BEI), trois axes ont été retenus : soutien à la transition économique pour l'établissement d'une zone de libre échange ; appui pour un meilleur équilibre socio-économique dans les sociétés du Sud ; développement, enfin, de l'intégration régionale.

Ce troisième axe ambitionne d'accroître la structuration de l'ensemble méditerranéen. Celui-ci comporte des composantes hétérogènes : une partie orientale dans laquelle l'Union européenne n'est présente que par la Grèce ; un versant occidental délimité par les détroits de Sicile et de Gibraltar qui séparent Europe et Maghreb de quelques kilomètres. Tels les anneaux du drapeau olympique plusieurs cercles le composent.

Au nord, appartenant à l'Union européenne, et relevant de la souveraineté de trois de ses membres, se trouve l'ensemble des treize «entités» régionales de la façade méditerranéenne du continent européen, de l'Andalousie au Latium, constitutif de «l'Arc méditerranéen». Cet ensemble, dont l'unité reste encore à trouver, rassemble une population de 40 millions d'habitants. Au sud, l'Union du Maghreb Arabe a été construite tant pour développer la solidarité et la coopération de ses membres que pour servir de contrepoids partenarial à la puissante Union européenne. Entre les

---

22. Extrait du discours prononcé le jeudi 31 août.

23. Les Quinze, les pays du Grand Maghreb, excepté la Libye, ceux du Machrek, Autorité palestinienne incluse, Israël, la Turquie et à titre d'invités la Ligue arabe et l'Union du Maghreb Arabe. L'Union du Magrheb Arabe a été constituée par le Traité de Marrakech, signé le 17 février 1989, entre la Libye, la Tunisie, l'Algérie, le Maroc et la Mauritanie ; soit prés de 70 millions d'habitants.

deux, pour des raisons qui relèvent à la fois de la géographie, de l'économie et de la culture appartenant, pour certaines d'entre elles, à «l'Arc méditerranéen» : les îles méditerranéennes.

1 - La place des îles méditerranéennes

En Méditerranée le fait insulaire européen, tel que défini *supra*, prend toute sa signification. En effet, il représente près de 60 % de la superficie insulaire et regroupe plus de 64 % de la population. Cependant l'ensemble des îles, pour les raisons déjà évoquées, se situe en dessous du niveau moyen de développement de l'Union européenne. Elles représentent une sorte «d'entre-deux» par le croisement complexe des différentes dimensions qui façonnent leur identité à la fois insulaire, méditerranéenne et européenne. Sont-elles en mesure de jouer un rôle dans la structuration de cet espace euroméditerranéen ? La réponse n'est pas simple.

Compte tenu du caractère tardif de son positionnement, la Corse ne peut prétendre, pour l'heure, y développer un rôle déterminant. Cette dimension géopolitique est cependant clairement évoquée dans le Plan de développement de la Corse adopté le 29 septembre 1993 par l'Assemblée de Corse. Le document présente les différents sous-ensembles qui structurent l'environnement immédiat de l'île sans toutefois préciser des priorités : «La Corse, souligne-t-il, vogue à proximité immédiate de régions en fort développement technologique (Grand Sud-Arc méditerranéen)... D'autre part (elle) ne peut ignorer sa situation de pont entre l'Italie du Nord et la Sardaigne... Enfin (elle) appartient au groupe des sept îles principales de la Méditerranée avec les Baléares, Chypre, la Crète, Malte, la Sicile et la Sardaigne... »[24].

Iles Principales	Superficie en km²	Population en milliers	PIB/habitant*
Baléares	4 979	768 000	98,3
Sardaigne	24 080	1 674 000	74,2
Corse	8 681	254 371	79,8
sous-total Méd. Occidentale	37 740	2 692 371	
Sicile	25 708	5 110 953	67,5
Crète	8 305	536 980	45,5
Total îles méditerranéennes	71 753	8 339 933	
% Total des îles	59,79	64,15	

Moyenne SPA 89/90/91 Europe 12=100 ; Cinquième rapport périodique sur la situation et l'évolution socio-économique des régions de la communauté.

24. Collectivité Territoriale de Corse, Plan de développement de la Corse, janvier 1994, p. 19-20.

Cette voie à explorer est confirmée par les contributions préparatoires de la DATAR qui servirent à l'élaboration de la Loi sur «le Développement du Territoire». Le document d'étape insiste sur la fonction «de pont naturel entre l'Italie continentale et la Sardaigne» ; il invite aussi le sud de l'île (Ajaccio) «à tisser des liens avec la Catalogne, Majorque, le Monde arabe dans l'espoir de devenir un jour un pôle de rencontres et d'échanges en Méditerranée occidentale» (DATAR, 1994). Cette analyse est reprise au niveau gouvernemental. Michel Barnier, ministre délégué aux Affaires européennes, l'a confirmée dans un courrier adressé au président du Conseil exécutif de la Collectivité territoriale de Corse avant la Conférence de Barcelone. «Pour la France, souligne-t-il, il est clair que la Corse peut occuper une place prépondérante dans certaines politiques que le partenariat (euroméditerranéen) suscitera : l'environnement, les transports maritimes, le tourisme et la pêche sont des exemples parmi d'autres priorités qui devraient bénéficier d'une attention importante dans le cadre du suivi de Barcelone. Au-delà de ces politiques globales qui relèvent de la coopération entre Etats, la Corse devrait profiter du développement de la coopération décentralisée entre les acteurs locaux des deux rives de la Méditerranée»[25].

Cependant pour être efficiente, la «mention» affirmée de la vocation méditerranéenne de la Corse par le discours politique doit se concrétiser par l'élaboration de politiques publiques qui transformeront les déclarations en actes. Une esquisse est tracée dans différents documents officiels élaborés pour la mise en œuvre de la Loi du 4 février 1995, dite Loi d'orientation pour l'aménagement et le développement du territoire. En effet le schéma régional de développement de l'enseignement supérieur et de la recherche, réalisé par les services rectoraux, mentionne explicitement cette dimension. Il suggère à la fois d'accentuer l'ouverture de l'Université de Corse sur son environnement méditerranéen et de réfléchir à la création d'une Université des îles méditerranéennes par l'association étroite de celles de Sassari et de Cagliari en Sardaigne, de Palma de Mallorca aux îles Baléares et de Corse (soit un ensemble de près de 65 000 étudiants)[26]. D'une veine identique, le Repré-

---

25. «La place de la Corse dans le futur espace euroméditerranéen», *Corse Matin*, 15 novembre 1995.
26. Schéma régional de développement de l'enseignement supérieur et de la recherche, Région de Corse, 25 novembre 1995, Rectorat de la Corse, 30 pages. Ces schémas régionaux sont rédigés en application du chapitre V «Des schémas sectoriels», et plus particulièrement des articles 11 à 15 relatifs à l'enseignement supérieur et à la recherche de la loi n°95-115 du 4 février 1995. Ils doivent conduire à l'élaboration d'un schéma national qui «organise une répartition équilibrée des établissements d'enseignements supérieurs (...) et de la recherche sur le territoire national».

sentant de l'Etat dans l'île considère que le schéma national de développement du territoire devra pour la Corse prioritairement «consolider les démarches de coopération interrégionales et transfrontalières et réaliser l'ouverture de la Corse dans l'espace méditerranéen»[27].

Cette image/fonction de «pont-passerelle» invoquée au bénéfice des îles est partagée par les autorités de niveau insulaire. Les trois présidents des exécutifs insulaires la mentionneront dans leurs propos introductifs à la réunion de travail d'Ajaccio du 19 octobre 1995 du groupe I.MED.OC. La déclaration d'Ajaccio adoptée à l'issue de la deuxième rencontre officielle souligne que les trois îles sont dans la situation de «passerelles naturelles entre les deux rives de la Méditerranée»[28] et qu'à ce titre elles «ont un rôle primordial à jouer au sein du partenariat euroméditerranéen»[29]. Cet argumentaire a été présenté conjointement par le président de la Communauté autonome des îles Baléares et le président du Conseil exécutif de la Collectivité territoriale de Corse, lors du Forum méditerranéen du 26 novembre 1995 qui précéda la Conférence de Barcelone[30]. Organisé par l'Assemblée des Régions d'Europe, ce Forum avait pour objet de rappeler le rôle qu'entendent jouer les collectivités régionales européennes dans le développement des relations économiques et culturelles et la mise en œuvre de réseaux de coopération dynamique entre les deux rives de la Méditerranée.

Comme le souligne Paolo Fois, président de la Commission Europe Méditerranée du Parlement de la Région autonome de Sardaigne, «l'élaboration de projets communs dans les régions méditerranéennes(...) pourrait favoriser l'établissement de rapports nouveaux et intenses entre l'Union européenne et les pays tiers de la Méditerranée, par l'intermédiaire de régions qui comme la Corse et la Sardaigne jouent un rôle important dans le contexte méditerranéen»[31]. Ce rôle est d'ailleurs explicitement reconnu et figure dans le rapport préparatoire à la Conférence de Barcelone. Le document mentionne la volonté de «promouvoir la coopération transfrontalière (et) la coopération entre les collectivités locales»[32]. Cet objectif

27. Correspondance du préfet de Corse adressée au ministre de l'Aménagement du Territoire le 30 novembre 1995 transmettant les premières réflexions de la Commission régionale d'aménagement et de développement du Territoire, 15 pages.
28. Manifeste IMEDOC, «Par le rapprochement de nos peuples, nous construisons l'Europe», Ajaccio, 19 octobre 1995, 3 pages.
29. Entretien Jean Baggioni, «Le partenariat euroméditerranéen», *Les Echos du Parlement européen*, réf. cit.
30. *Corse Matin*, 29 novembre 1995.
31. *Res Méditerranéa*, revue scientifique internationale, n° 1, décembre 1994.
32. Conférence euroméditerranéenne : rapport de synthèse, Union européenne, Le Conseil, 12 avril 1995, p. 13.

se retrouve dans la déclaration finale adoptée par la Conférence. Elle stipule, notamment, que les participants «s'engagent à encourager la coopération en faveur des collectivités locales et de l'aménagement du territoire»[33]. Cet engagement constitue une piste pour le «contournement» de la difficulté qui ressort de l'examen comparatif du cadre institutionnel des collectivités territoriales propre à chacun des Etats de la zone. En effet, apparaît une différence de nature entre «l'autonomie» attribuée aux entités infra-étatiques de la façade Nord et celle accordée aux collectivités du Sud. Les fondements démocratiques communs à «l'Arc méditerranéen» qui manquent cruellement à la rive Sud n'en font pas pour autant un modèle politique unique. De réelles différences existent entre l'exemple français de décentralisation administrative et les systèmes hispano-italien de «gouvernance» régionale. Mais la structuration et le développement des réseaux trans-méditerranéens s'efforcent de s'enrichir de ces différences. En témoigne l'évaluation du programme communautaire de coopération transfrontalière entre la Corse du Sud et la province de Sassari. Celui-ci est jugé positif par les parties, notamment en raison des «échanges de *know how* entre des administrations territoriales n'ayant ni la même organisation ni les mêmes pratiques»[34].

La Charte du bassin Méditerranéen, «initiative juridiquement limitée mais politiquement importante» (Siméoni, 1996)[35], signée le 16 septembre 1992, en fournit un excellent exemple. Elle associe des collectivités locales des deux rives autour d'un projet de mise en réseau transméditerranéen des signataires. Cette démarche entend répondre au triple défi économique, géopolitique et social par la valorisation de l'appartenance méditerranéenne et la construction d'un scénario de développement alternatif. Les régions sud-européennes sont convoquées pour y jouer «un rôle très important de fixation des investissements, de transmission des connaissances scientifiques et de promotion des échanges culturels et technologiques avec des territoires moins développés de la rive sud de la Méditerranée»[36]. Cette forme de coopération décentralisée souple coïncide avec les attentes des populations et implique des acteurs proches des réalités. En définitive elle est susceptible de diffuser ses

---

33. Projet de déclaration à adopter lors de la Conférence euroméditerranéenne de Barcelone, texte résultant de la réunion de la «Troïka» et des partenaires méditerranéens du 5 et 6 octobre 1995, Bruxelles, 6 octobre 1995.
34. Union européenne, Programme d'initiative communautaire INTERREG II 1994-1999, Corse-Sardaigne/Corse-Toscane, Communication n° 94/c 180/13.
35. Formule utilisée dans la thèse, p. 391.
36. La citation est du président de la «Généralitat» de Catalogne, Jordi Pujol ; elle est reproduite dans un article du quotidien *Le Monde* du 18 décembre 1993, «Le lien méditerranéen».

effets au sein de la société civile, contribuant ainsi à sa mobilisation. Le développement de ces relations entre les différentes collectivités locales acquiert de surcroît une dimension civique et œuvre utilement au renforcement des processus démocratiques demandés aux pays du Sud.

Les collectivités signataires de la Charte (comme par exemple Languedoc-Roussillon et Provence-Côte d'Azur pour la France, Catalogne et Andalousie pour l'Espagne, Ligurie et Toscane pour l'Italie, la province de Tétouan au Maroc, le gouvernorat de Tunis) ont récemment rappelé lors d'une entrevue avec le commissaire européen chargé de l'éducation et de la formation, Mme Edith Cresson, et le directeur général des politiques régionales qu'elles devaient être considérées comme des acteurs efficaces de la coopération entre le Nord et le Sud[37]. Dans cette optique, l'Union européenne a confirmé sa décision d'élargir le champ d'application du programme Ecos-Ouverture-Med (6 millions d'écus sur deux ans) et d'ouvrir à cet effet, à Marseille, un bureau décentralisé dont la mission sera d'animer les réseaux de coopération en Méditerranée occidentale et de gérer cette enveloppe.

La Corse, avec ses homologues insulaires méditerranéens, revendique sa participation à l'édification des projets et réseaux constitutifs de ce pont immatériel à lancer entre les deux rives de la Méditerranée, «continent liquide aux contours solides et aux populations nomades» selon la formule de Bruno Etienne. Mais la proximité brandie comme atout n'est pas forcément synonyme d'efficacité dans la conduite des réseaux transméditerranéens. C'est la conclusion à laquelle arrive Paul Alliès en étudiant les différents programmes communautaires constitutifs de la politique méditerranéenne rénovée. «La position riveraine de la Méditerranée de certaines régions, reconnaît-il, ne leur donne pas une vocation naturelle à prendre la tête des réseaux (et) il apparaît clairement que la vocation méditerranéenne des régions n'est pas assurée par leur appartenance géographique à cet espace.»[38] Il y a encore loin de la

---

37. «La Méditerranée à Bruxelles», *Nice-Matin*, 19 novembre 1995.

38. «Les régions du Sud et les programmes méditerranéens de l'Union européenne», in «L'Europe au Sud», *Pôle Sud*, n° 3, automne 1995. L'analyse de Paul Alliès s'appuie notamment sur une étude réalisée pour le compte du Bureau de la Représentation à Marseille de la Commission européenne. Cette dernière s'est fixée comme objectif de vérifier si l'appartenance géographique de certaines régions confirmait leur vocation méditerranéenne et se traduisait en termes de politiques publiques. Elle analyse leur position en regard des différents programmes dits Med (Invest, Campus, Media, Urbs et Avicenne) constitutifs de la politique méditerranéenne rénovée de l'Union européenne. Les conclusions sont mitigées et font ressortir un fort positionnement, pour la France, de la région Ile-de-France. Thierry Bonicel, «Provence-Alpes-Côte d'Azur, Languedoc-Roussillon, Corse : positionnement dans les programmes euroméditerra-

pétition de principes à la réalité des faits comme l'illustre parfaitement la situation de la Corse.

Si la Sardaigne et la Sicile, le 11 mai 1995, ont rejoint la Charte du bassin méditerranéen, la Corse (comme les Baléares) n'en est pas à ce jour signataire. De plus, comme l'analyse l'étude sur le «positionnement des régions méditerranéennes françaises dans les programmes euroméditerranéens», réalisée par le Bureau de la Représentation à Marseille de la Commission, elle est quasiment absente de ces démarches et n'y apparaît qu'au titre de Med-Urbs par l'intermédiaire du syndicat des communes du Cap-Corse. Par ailleurs il est pour le moins surprenant qu'affichant une ambition méditerranéenne, l'alinéa 2 de l'article 55 du Statut de la Collectivité territoriale de Corse n'est pas trouvé, à ce jour, d'application. Celui-ci permet à la Collectivité territoriale, avec l'aide de l'Etat, de «favoriser les initiatives et promouvoir des actions dans les domaines de la création et de la communication avec toutes personnes publiques ou privées ressortissantes des Etats membres de la Communauté européenne et de son environnement méditerranéen». Ces dispositions devraient, pourtant, tracer la voie d'une participation au programme Med-Media qui vise à encourager les échanges culturels de part et d'autre de la Méditerranée par l'utilisation des moyens modernes de communication. Si l'on admet que la participation à un réseau représente la manifestation intangible d'une volonté de coopération et de construction d'un espace de solidarité, on peut provisoirement conclure que pour l'heure la Corse ne l'a pas classée parmi ses priorités.

Cependant cette approche, partagée par les différentes catégories de décideurs politiques (collectivités insulaires, étatiques et communautaire), est brandie comme justification à l'élaboration et la mise en œuvre de nouvelles politiques publiques. Elle s'accompagne «d'un travail symbolique de présentation de soi» (Balme, 1995)[39], véritable stratégie de représentation, au moment où la révision du Traité peut conduire à une modification des politiques communautaires. L'appartenance méditerranéenne, combinée à l'insularité, sert de référant pour revendiquer de nouvelles ressources. Cette «mobilisation identitaire» effectuée par les autorités insulaires en direction à la fois de l'Union européenne et du centre politique national mais aussi vers les sociétés qu'ils représentent

néens», 33 pages, publication du Bureau à Marseille de la Commission européenne, manuscrit terminé le 1er septembre 1994.

39. Cette analyse est appliquée par Richard Balme aux régions de l'Arc atlantique : «Elle se manifeste par un travail symbolique de présentation de soi, par une invention de «l'antlanticité» comme labellisation d'une condition commune qui préfigurerait et légitimerait leur inscription, en tant que catégorie, dans les interventions européennes».

«permet (...) de réactiver des aspirations convergentes et des intérêts communs susceptibles de constituer le ressort d'une action collective»[40]. Pour la Corse l'introduction dans le discours politique de
cette «imagerie» s'efforce de tracer la voie du dépassement de la
crise intérieure.

2 - Pour une euro-région insulaire

La politique régionale participe à la mise en œuvre d'un des
trois piliers du Traité. L'existence de fractures territoriale et sociale, une nouvelle fois constatée par le cinquième rapport périodique sur la situation socio-économique des régions de l'Union, confirme s'il en était besoin l'importance de son renforcement, mais
aussi de sa nécessaire adaptation.

L'éligibilité de la Corse à l'objectif n° 1 des fonds structurels[41], rattrapée de justesse pour la période actuelle (1994-1999),
pourrait fort bien s'éteindre à terme. Cette éventualité affleure
d'ailleurs dans les commentaires du dernier rapport périodique sur
la situation socio-économique des régions de l'Union européenne[42].
Afin de ne point voir disparaître l'expression de la solidarité de
l'ensemble des Etats membres, de nouvelles voies des possibles sont
explorées par les différents acteurs publics comme celle évoquée à
propos de cette «politique de voisinage» que constitue le partenariat
euroméditerranéen. Mais, d'une manière générale, la mondialisation des échanges provoque la création de grands ensembles régionaux et métropolitains et encourage la compétition accrue entre ces
espaces. Elle agit à la fois selon Jean-Philippe Leresche «comme
pulvérisateur des territoires anciens et comme précipiteurs
d'espaces nouveaux (...) et requiert un renouvellement des instruments de gestion politique» (Leresche, 1995). La coopération transfrontalière appartient à la panoplie de ces nouveaux instruments de
gestion politique. Pour la Corse une initiative et une expérience,

---

40. Philippe Braud, «Réflexions sur la problématique identitaire», «Les régions à forte
identité et le référendum sur l'Union européenne», RSAMO, juin 1993.

41. Son Document Unique de Programmation (DOCUP) a été arrêté par décision de la
Commission le 29 juillet 1994. Il mobilise 250 Mécus auxquels s'ajoutent 32 Mécus au
titre des différents Pic (Interreg, Leader, Pesca, PME, Adapt, Emploi) auxquels la
Corse est éligible. «La Corse dans l'Union européenne», Représentation en France de
la Commission européenne, Paris, édition 1996.

42. «Comme critère central d'éligibilité au titre de l'objectif n° 1, les règlements adoptés par le Conseil ont maintenu que cet objectif concernait les régions... ayant un PIB
par habitant inférieur à 75 % de la moyenne communautaire... ce critère était toutefois
appliqué avec plus de souplesse, ce qui permettait d'élargir le champ d'action de
l'objectif n° 1... cette flexibilité a permis d'y inclure l'Irlande du Nord et la Corse...,
p. 129», «Compétitivité et cohésion : tendances dans les régions. Cinquième rapport
périodique sur la situation et l'évolution des régions de la Communauté», Commission
européenne, Luxembourg, 1994.

s'inscrivant l'une et l'autre dans la stratégie de recomposition du territoire européen, peuvent être évoquées.

L'initiative I.MED.OC (Iles de la Méditerranée Occidentale) constitue une démarche innovante car pour la première fois trois régions insulaires de la Méditerranée ont manifesté conjointement de manière solennelle leur volonté d'explorer tous les espaces de coopération possible. Il s'agit, comme le souligne Gilles Siméoni, «en croisant les deux dimensions structurantes communes de leur identité (insularité et méditerranéité), de constituer entre elles des synergies (...) avec un objectif principal : la promotion auprès de l'Union européenne des intérêts communs à ces trois régions» (Siméoni, 1996). Le protocole officialisé, le 9 mai 1995 prévoit d'impulser la structuration d'un espace de solidarité inter-insulaire ; de défendre en commun les intérêts de ces îles proches du continent européen ; de proposer les aménagements aux politiques communautaires jugés indispensables à la préservation de leur équilibre. L'initiative a été unanimement saluée par la classe politique des trois régions comme «l'acte fondateur de l'invention d'un destin commun des îles de la Méditerranée»[43] et «d'une politique stratégique d'alliances régionales»[44], dans le but de défendre les spécificités générées par l'insularité méditerranéenne auprès de l'Union européenne. Pour assurer sa mise en œuvre des institutions communes ont été instaurées, entre autres un organe d'impulsion politique appelé Comité de direction. Composé par les présidents des exécutifs insulaires, il est présidé à tour de rôle pour un an et dans l'ordre alphabétique du nom de l'île. Des groupes mixtes de travail regroupant élus et administratifs sont chargés d'élaborer des propositions communes dans les domaines jugés stratégiques. Un secrétariat technique, composé de représentants des administrations, est chargé de coordonner l'ensemble des travaux et de préparer le programme des réunions.

Ces trois îles, partie prenante de l'Arc méditerranéen, représentent une communauté humaine de près de 2,7 millions d'habitants. Deux d'entre elles sont classées parmi les régions en retard de développement avec des PIB/habitant inférieurs de 25 % à la moyenne communautaire. Sardaigne et Corse bénéficient à ce titre, toutes deux, de la mobilisation prioritaire des fonds structurels induite par leur classement en objectif n° 1 de la politique régionale. Comme le souligne le rapport 2000+ «les îles représentent chacune un cas spécifique : dépendance des Baléares par rapport au

---

43. Quotidiens, *Corse Matin* et *La Corse* du 11 mai 1995.
44. Cet argumentaire est développé par Jaume Payeras, «Per une xarxa de cooperacio amb les illes del mediterrani», fonctionnaire de la Communauté autonome des îles Baléares, membre du secrétariat technique I.MED.OC.

tourisme, plus grande diversification et dynamisme des PME/PMI en Sardaigne, avenir incertain en Corse du fait du vieillissement de la population, de la faiblesse des créations d'emploi et du tissu industriel» (Commission européenne, Europe 2000, 1994).

La stratégie d'alliance interrégionale que représente I.MED.OC appréhende le développement des îles en termes de complémentarité et non de concurrence en dégageant des positions communes et en construisant un espace de solidarité. Cette coopération inter-insulaire de proximité demeure pour l'heure balbutiante. En l'absence d'un INTERREG qui couvrirait les trois entités, l'article 10 du règlement Feder peut utilement servir de support à des réalisations originales qui valideront la démarche. En effet celui-ci permet, à côté des interventions lourdes, de financer aussi des actions au contenu innovant privilégiant les zones et régions éligibles aux objectifs 1, 2, 5b, 6. Pour la période 1995-1999 le budget prévu, d'environ 400 millions d'écus, financera des actions qui s'articuleront autour de quatre thèmes : celui de la coopération interrégionale intra et extra-communautaire (180 millions d'écus) ; l'innovation pour le développement économique régional et local (90 millions d'écus) ; l'aménagement du territoire (45 millions d'écus) ; la politique urbaine (80 millions d'écus)[45].

La complémentarité des deux îles tyrrhéniennes et la nécessité d'encourager les échanges entre elles est un thème qui apparaît dès le début du XXᵉ siècle. A partir des années soixante-dix, il surgit de manière récurrente. Cependant il faudra attendre la résolution du Parlement européen du 26 mai 1989, puis l'expérimentation du programme d'initiative communautaire de coopération transfrontalière INTERREG, pour que des moyens soient attribués pour la coopération corso-sarde. La résolution du Parlement, adoptée à l'unanimité, invite la Communauté à accorder «une attention (...) à ces deux régions en raison de leur situation géographique voisine, de leurs caractéristiques socio-économiques particulières (dues) à leur caractère insulaire et périphérique». Elle souligne en outre la nécessité «d'instaurer d'ici 1992 une politique de développement des échanges économiques, culturels et sociaux (...) notamment par le développement des liaisons maritimes et aériennes» (Olivesi, Pastorel, 1990 et 1991)[46].

Le programme INTERREG est lancé en 1990 et dès la première génération l'ensemble Corse du Sud/Province de Sassari (nord de la Sardaigne) fut retenu. Pour la période 1990-1993, la

---

45. «Guide des actions novatrices du développement régional», Commission européenne, 61 pages, Luxembourg, 1995.
46. Le rapport Delannay rédigé à la demande de Georges Clémenceau évoque, dès 1909, cette problématique.

participation de l'Union européenne s'élève à 21 millions d'écus. L'essentiel des opérations inscrites cherche à surmonter la rupture de continuité que représente le détroit de Bonifacio, large de quatorze kilomètres. Cette césure a, en effet, orienté vers les métropoles respectives la vie socio-économique des deux îles. Les mesures relatives au désenclavement interne de l'entité géographique corsosarde (transports aériens, maritimes et télécommunication) afin de promouvoir une véritable continuité territoriale représentent en effet près de 62 % du programme total[47]. La valorisation de l'espace marin commun, notamment par la création d'un parc international marin dans les bouches de Bonifacio, et le développement des échanges économiques, scientifiques et culturels constituent les autres axes de coopération retenus. Malgré les difficultés dues à la lenteur de la mobilisation des crédits européens, l'absence de contacts entre les deux îles et les difficultés de communication le bilan est apprécié positivement. L'évaluation précédant le lancement du programme de la deuxième génération souligne que «l'aspect le plus important, sûrement non mesurable avec les indicateurs traditionnels, se traduit par le fait que les deux communautés régionales sont entrées pour la première fois en contact (...) autour d'objectifs communs», et que des équipes s'y sont constituées et ont appris à travailler ensemble. Avec les deux volets d'INTERREG II (1994-1999 : 21 Mécus), l'un continuant l'expérience précédente[48], l'autre nouveau offrant des moyens pour que se développe une coopération entre le département de la Haute-Corse et la Province de Livourne, se prolonge l'expérimentation d'un intéressant outil pour la structuration d'un axe Nord-Sud[49]. Ces régions sont situées à la croisée de deux axes majeurs européens de développement : la dorsale alpine qui prolonge l'aire des mégalopoles des Pays-Bas à la plaine du Pô et l'arc méditerranéen qui s'étire de la Catalogne à la Toscane.

Dans cette perspective, la finalité principale du programme INTERREG II est de soutenir et de renforcer l'établissement d'un réseau italo-corse dont l'axe serait constitué par la Toscane, la Corse et la Sardaigne. Ce réseau permettrait de rattacher ces dernières à la partie la plus prospère de l'Union européenne qualifiée fréquemment de «banane bleue», et d'accroître les échanges avec la Toscane. Cette articulation de deux volets, au centre de laquelle se

---

47. «Programme d'initiative communautaire INTERREG II Corse/Sardaigne, Corse/Toscane», réf. cit.

48. Le mensuel *Il Messagiero Sardo* a apprécié en ces termes le premier programme Corso-Sarde : «Il successo della prima iniziativa è stato tale che la Comunità Europea ha deciso di raddopiare», anno XXVII/n° 3-4, marzo-aprile 1995.

49. Le programme a été arrêté lors des différentes réunions qui se sont tenues en Corse durant le mois de juillet 1995 en présence de l'ensemble des parties ; *Corse Matin*, 26 juillet 1995.

trouve la Corse, constitue l'armature d'une véritable pénétrante Nord-Sud, trait d'union entre les deux rives de la Méditerranée. En vérité, l'initiative communautaire INTERREG propose un cadre pour le développement des relations entre les deux îles tyrrhéniennes et leur environnement immédiat. Elle implique, outre les considérations économiques et financières, la volonté de rompre l'isolement des entités insulaires trop souvent considérées comme des terminaux dans leur relation d'exclusivité avec leur métropole respective.

L'interpénétration des deux démarches réalise le septiéme chantier mentionné dans l'étude sur «L'évolution prospective des régions de la Méditerranée-Ouest» : «On ne réduira pas leur condition insulaire, mais on peut penser que le scénario de l'intégration leur fournirait quelques chances supplémentaires de devenir les pôles secondaires des pôles principaux ainsi consolidés. Education, culture, technologie, infrastructures de transport sont les enjeux majeurs qui permettront la diversification des économies et permettront d'offrir des conditions de vie rompant avec l'isolement insulaire»[50]. Cette option volontariste permettrait d'enrayer la dépendance des îles et leur assurerait un meilleur ancrage au reste de l'économie méditerranéenne par intensification des relations entre elles et avec les régions du Sud et de l'Est méditerranéen. L'avènement de ce scénario, complété par l'intégration des effets d'une coopération poussée et réussie entre les signataires d'I.MED.OC, dépend très largement des politiques conduites conjointement par les autorités insulaires et par celles de niveaux étatiques et communautaires. Le renforcement du rôle des îles implique donc une volonté et une responsabilité partagées qui mériteraient d'apparaître explicitement à travers une concertation politique durablement organisée. C'est en cela que l'initiative I.MED.OC contient d'intéressantes potentialités. Son développement, par-delà les tropismes nationaux, pourrait accroître le poids stratégique de ses composantes.

Cette démarche participe de la création d'une euro-région comme il en existe ailleurs au sein de l'Union européenne. L'émergence d'espaces transnationaux de coopération entre des régions possédant des structures sociales et économiques proches est renforcée par l'intégration européenne et la mise en place de ces instruments de coopération transfrontalière. A partir d'exemples comme ceux de Meuse-Rhin, Saar-Lor-Lux, ou encore de celui de l'association de la Catalogne avec les régions françaises de Midi-Pyrénées et Languedoc-Roussillon, les euro-régions s'appréhendent

---

50. «Evolution prospective des régions de la Méditerranée-Ouest», p. 191, Commission européenne, Luxembourg, 1995.

à la fois en termes négatifs et positifs. Ni entités administratives, ni collectivités territoriales de droit communautaire, elles peuvent, en revanche, être définies comme associations régionales de coopération transfrontalière, cherchant à promouvoir des relations plus étroites sur la base de caractéristiques et intérêts communs. Il s'agit de regroupements fonctionnels dépassant les formes traditionnelles de coopération et se dotant généralement d'instances politiques et techniques de direction «structurées par des phénomènes de croyances, de valeurs partagées qui permettent de les qualifier de communautés épistémiques»[51]. En abolissant les frontières ces coopérations territoriales complexes remettent en cause les formes traditionnelles de régulations politiques qui se sont développées dans le cadre historique des Etats-Nations. Elles assument une fonction traditionnelle d'articulation verticale aux différents centres politiques dont elles dépendent séparément ; elles revendiquent une participation croissante au processus démocratique de construction européenne ; elles entraînent la confrontation des modèles d'organisation et l'échange des expériences par une démarche horizontale. La combinaison des effets produits par le programme INTERREG et ceux, à venir, découlant de l'initiative I.MED.OC illustre le développement, pour les îles du bassin occidental de la Méditerranée, d'un phénomène analysé par ailleurs : celui du «supra-régionalisme».

Bibliographie

ALLIÈS P., «Les régions du Sud et les programmes méditerranéens de l'Union européenne», " L'Europe au Sud ", *Pôle Sud*, n° 3, automne 1995.

BALME R., «La politique régionale communautaire comme construction institutionnelle», *in Politiques publiques en Europe*, sous la dir. de Yves Meny, Pierre Muller, Jean-Louis Quermonne, Paris, L'Harmattan, 1995.

BONICEL T., «Provence-Alpes-Côte d'Azur, Languedoc-Roussillon, Corse : positionnement dans les programmes euroméditérranéens», Publication du Bureau à Marseille de la Commission Européenne, 1994.

---

51. Emmanuel Négrier, «Intégration européenne et échanges politiques territorialisés», L'Europe au Sud, *Pôle Sud*, réf. cit.

COLLECTIVITÉ TERRITORIALE DE CORSE, «Plan de développement de la Corse», Ajaccio, 1994.

COMMISSION EUROPÉENNE, «Cinquième rapport périodique sur la situation et l'évolution des régions de la Communauté», Luxembourg, 1994.

COMMISSION EUROPÉENNE, «Europe 2000 + : coopération pour l'aménagement du territoire européen», Luxembourg, 1994.

COMMISSION EUROPÉENNE, «Guide des actions novatrices du développement régional», Luxembourg, 1995.

COMMISSION EUROPÉENNE, «Evolution prospective des régions de la Méditérrannée-Ouest», Luxembourg, 1995.

COMMISSION DES COMMUNAUTÉS EUROPÉENNES, *Portrait des îles*, Office des publications officielles des Communautés européennes, Luxembourg, 1994.

CONSEIL DE L'EUROPE, «Troisième conférence des régions insulaires européennes», *Etudes et Travaux*, n° 22, 1992.

DATAR, «Débat national pour l'aménagement du territoire : document d'étape», La Documentation Française, 1994.

DUBOUIS L., GUEYDAN C., *Grands textes de droit communautaire et de l'Union européenne*, 4e édition, Dalloz, collection «Grands Textes», 1996.

LACOSTE Y. (dir.), *Dictionnaire de géopolitique*, Flammarion, 1993, pp. 751-752,.

LERESCHE J. P., «Enclavement et désenclavement : la Suisse et la coopération régionale transfrontalière», Frontières et espaces transfrontaliers, *Revue internationale de politique comparée*, vol. 2, n° 3, 1995.

OLIVESI C., ORSINI L., PASTOREL J.P., «Corse», Fascicule 455, *Jurisclasseur des Collectivités Territoriales*, Editions Techniques, 1994.

OLIVESI C., PASTOREL J.P., «La place de la Corse dans la coopération méditerranéenne», *La Revue Administrative*, n° 255, mai-juin 1990 ; «Pour la coopération transfrontalière Corse-Sardaigne», *La Revue Administrative*, n° 261, mai-juin 1991.

OLIVESI C., «La Corse et la construction européenne», *Annuaire des Collectivités Locales 1995*, Marsat, Litec CNRS/GRALE, 1995.

REPRÉSENTATION EN FRANCE DE LA COMMISSION EUROPÉENNE, «La Corse dans l'Union européenne», 1996, 31p.

RSAMO, (*Revue de science administrative de la Méditerranée occidentale*), «Le Fait insulaire et la CEE», n° 29-30, Bastia, 1991.

SIMEONI G., *Les incidences de l'élargissement de la CEE à l'Espagne et au Portugal sur les engagements communautaires en Méditerranée*, Thèse de Science Politique, Université de Corse, 1996.

La Suisse au risque de la coopération transfrontalière ? Recomposition des espaces régionaux et redéfinition du fédéralisme

par *Jean-Philippe Leresche*

Introduction

La coopération régionale transfrontalière en Suisse, ses enjeux, ses évolutions et ses limites constituent un thème carrefour[1]. Le phénomène transfrontalier opère en effet comme un formidable analyseur des problèmes et problématiques auxquels ce pays se trouve actuellement confronté. Son analyse permet en effet d'aborder à la fois la question des changements de sa structure interne, de sa cohésion politique, sociale et spatiale, ses nouveaux

---

1. Pays de frontières, la Suisse a donné naissance à plusieurs courants d'études transfrontalières. Historiquement, les premières sont nées autour de Denis de Rougemont et sont à l'origine de deux branches : l'une sociologique autour de C. Ricq (1992) et l'autre plus politologique autour du Centre européen de la Culture à Genève. Un deuxième courant regroupe les tenants de l'économie régionale autour de D. Maillat (Crevoisier, Maillat, 1995) de Neuchâtel et de R. Ratti (1991) du Tessin, qui s'intéressent aux effets des frontières sur le développement socio-économique de leur région. Le troisième courant est géographique et se subdivise en deux branches : un courant plus sociologique et historique de la géographie, autour de C. Raffestin (1986) et P. Guichonnet (Raffestin, Guichonnet, Hussy, 1975) et l'autre plus cartographique et monographique autour de C. Hussy (1994) et de M. Schuler (1994). Un dernier courant, politologique, se dessine à Bâle (Epple-Gass, 1992) et à Lausanne (Leresche, 1995), en rattachant la question transfrontalière à la dimension spatiale du politique. Il appuie ses analyses sur l'étude des politiques sectorielles, des mouvements sociaux et des identités transfrontalières et, au-delà, sur la comparaison des modes de construction de l'Etat.

modes et modalités de fonctionnement et surtout les évolutions de ses relations avec les espaces externes voisins et européens. Point de jonction entre frontières internes et externes, entre politiques intérieures et politique extérieure, la problématique transfrontalière aide aussi à comprendre les clivages qui traversent les relations Etat-société ainsi que les multiples tensions et asymétries entre les divers espaces de référence de la Suisse. Enfin, les multiples formes de coopération transfrontalière constituent autant de moyens expérimentés pour tenter de gérer ces discordances. Elles révèlent surtout plusieurs mécanismes complexes et contradictoires d'ajustement de différents territoires et acteurs à un environnement mondial et européen en mutation.

A cet égard, nous voulons d'abord montrer qu'en Suisse, l'avènement de coopérations et d'espaces transfrontaliers s'insère dans un triple contexte de mondialisation des échanges, de construction européenne et de recherche de nouveaux instruments de gestion de l'action publique. Ces contextes intéressent le phénomène transfrontalier dans ce sens qu'ils conditionnent à la fois une recomposition générale des espaces, une nouvelle articulation entre les frontières internes et externes de la Suisse et une redéfinition du fédéralisme.

La mondialisation de l'économie comme les processus de construction européenne rendent compte de changements d'échelle et de nouvelles interdépendances qui se répercutent sur l'organisation sociale et spatiale helvétique. Source de déséquilibres, ces mutations favorisent une redéfinition des problèmes et l'apparition de problèmes nouveaux (environnement, compétition économique et technologique) qui se manifestent sur des échelles plus larges qu'auparavant. En Suisse, nous retiendrons d'abord les impacts de ces changements sur les espaces régionaux qui se recomposent par un double mouvement d'éclatement et de rapprochement des espaces. Leur traduction la plus manifeste implique la structuration de grands ensembles régionaux, métropolitains et transfrontaliers qui subvertissent les frontières institutionnelles traditionnelles. Ces redécoupages, qui introduisent de nouvelles frontières socio-économiques, politiques et spatiales, génèrent et fédèrent en retour de nouveaux problèmes qui, à ce titre, appellent de nouveaux modes et espaces de décision. La coopération régionale transfrontalière (CRT), dans ses différentes formes, s'apparente à ces nouveaux instruments forgés par le pouvoir pour s'ajuster à la géométrie variable des problèmes, c'est-à-dire la multiplication et l'imbrication toujours plus forte de leurs espaces de référence.

Ces recompositions régionales remettent en effet en cause le fonctionnement du pouvoir politique dans ce sens qu'elles engendrent des décalages de plus en plus nombreux et importants entre ces nouveaux territoires fonctionnels et les territoires institutionnels traditionnels. Ces décalages exigent donc globalement une mise en cohérence entre les échelles de la prise de décision et celles de la formulation des problèmes, c'est-à-dire un décloisonnement des niveaux territoriaux et des réseaux d'acteurs qui structurent le système de la décision en Suisse. Une nouvelle exigence fonctionnelle de l'exercice du pouvoir se dévoile ainsi et, de plus en plus, pousse à un élargissement et un approfondissement de la concertation politique, économique et sociale et de la coopération institutionnelle. Dans ce sens, la CRT renvoie à la triple question du fédéralisme, de la subsidiarité et de la démocratie.

Ce contexte général permet de définir les principales thématiques et articulations de ce chapitre. D'abord, la CRT se présente comme l'une des modalités en cours de redéfinition du fédéralisme et de la subsidiarité autour du renouvellement de deux principes : le principe de proximité spatiale et institutionnelle et le principe d'efficacité économique, politique et sociale. A ce titre, les différentes étapes du développement de la CRT en Suisse et leurs enjeux illustrent une nouvelle distribution du pouvoir entre la Confédération et les collectivités locales et régionales d'un côté et l'Europe de l'autre. Ils témoignent plus précisément d'une reconstruction du pouvoir par le haut, à travers les effets d'une dépendance accrue de la Suisse à l'égard de la construction européenne, et par le bas, par des recompositions régionales à l'initiative des cantons. Autrement dit, la CRT traduit une modification du type de contrôle que la Confédération exerce sur son territoire et donc de ses relations avec les cantons. Si son rôle, notamment en matière transfrontalière, reste décisif, ce changement met en jeu sa centralité dans les processus de "médiation sociale", dans "la production du sens" et dans l'expression des intérêts sociaux, ceci par l'avènement et le renforcement de nouveaux espaces publics européens et régionaux (Muller, 1992).

La CRT traduit ainsi une redéfinition du fédéralisme qui affecte toutes les échelles territoriales. Mais cette évolution touche également les rapports Etat/société. De manière générale, elle révèle des collectivités à la recherche de systèmes de décision plus ouverts, plus souples, réticulaires et pragmatiques. On observe en effet les premiers linéaments d'une gestion multi-territoriale et multi-sectorielle par problème qui est de nature à prendre le pas sur une gestion strictement sectorielle et territoriale.

Ensuite, la spécificité helvétique des liens qui, dans un contexte de globalisation et de construction européenne, se nouent entre recompositions spatiales, CRT et redéfinition du fédéralisme peut également être appréhendée sous l'angle de la question des frontières. Cet angle d'attaque différent, mais complémentaire des précédents, éclaire tout particulièrement les évolutions de la CRT. L'idée est ici de montrer les interdépendances nouvelles qui se créent entre les frontières internes de la Suisse, d'abord institutionnelles, entre Confédération, cantons et communes, et ensuite non institutionnelles, entre langues, régions urbaines et rurales, régions transfrontalières ou non, et ses frontières externes avec l'Europe, en particulier par le refus de la Suisse d'adhérer à l'Espace Economique Européen (EEE) en décembre 1992. Mais une telle approche vise aussi à rendre compte des liens entre ces nouvelles articulations de frontières et l'évolution de la politique transfrontalière helvétique.

Suite au refus de l'EEE, on assiste en effet à une nouvelle formulation par les Autorités suisses de la politique de CRT qui devient à la fois politique régionale de désenclavement interne et politique extérieure d'ouverture à l'Europe. Cette redéfinition concomitante des problématiques européenne, régionale et transfrontalière illustre ainsi un mouvement général de désenclavement de la Suisse d'un point de vue tant interne qu'externe qui s'opère à travers des réajustements régionaux et une redéfinition du fédéralisme en matière transfrontalière. Ce projet d'ouverture renvoie en définitive à une inversion des rapports de force entre la Suisse et l'Europe. Il traduit une situation à front renversé dans les relations entre ces deux espaces.

Ces thématiques[2] seront tout particulièrement illustrées à travers l'exemple de la collaboration transfrontalière entre la Suisse et la France[3]. S'il apparaît évident que la CRT n'influence pas seulement la problématique helvétique, mais aussi celle des pays voisins, le point de vue dominant consiste ici à privilégier l'analyse des dimensions et des perspectives suisses de la CRT.

I. Les facteurs d'émergence de la coopération régionale transfrontalière : vers une recomposition des espaces

La mondialisation des échanges et le processus de construction européenne constituent la toile de fond de la problématique transfrontalière suisse. Ces deux tendances lourdes contribuent à expliquer les origines de la CRT dans la mesure où, chacune à leur manière, elles provoquent de nouveaux flux de personnes, de biens

---

2. Cet article reprend une partie des analyses de deux articles (Leresche, 1995a ; Leresche, 1995b) en vue de les approfondir. A cet effet, je tiens à remercier Sylvie Pellaton-Leresche pour sa précieuse collaboration.
3. Cela concerne 8 des 16 cantons frontaliers suisses.

et de services qui contribuent à une recomposition générale des espaces.

L'intensification des échanges liée à l'ouverture des frontières (GATT, marché commun, etc.) de même que les progrès technologiques et scientifiques se manifestent certes au niveau économique, financier et social, mais ce faisant ces phénomènes ont également des retombées spatiales. Ils participent à un processus général d'élargissement et de rapprochement des espaces et, à ce titre, à des changements d'échelle des problèmes. Ils conditionnent en effet de nouvelles interdépendances entre, d'une part, les différents niveaux territoriaux du local au régional, en passant par le national et l'international et, d'autre part, les différents secteurs qui structurent l'organisation sociale (économie, transports, aménagement du territoire, etc.).

De plus, l'internationalisation des économies et la dynamique du grand marché européen accroissent, et risquent d'accroître encore, une répartition spatiale et fonctionnelle des activités où les régions centrales, en particulier les grandes agglomérations, concentrent des activités de direction et de haute valeur ajoutée, alors que les régions périphériques accueillent surtout des activités de production, de stockage et d'exploitation. Si ces phénomènes entraînent une concurrence accrue entre les entreprises, ils favorisent aussi un renforcement de la concurrence entre villes et régions pour attirer les hommes et les activités les plus rentables. De même, s'ils créent de nouvelles synergies et de nouvelles concentrations d'activités économiques, ils font aussi apparaître de nouvelles complémentarités entre les espaces.

Dans la course au développement et à l'innovation, ce jeu complexe de concurrences et de complémentarités accrues provoque des alliances nouvelles entre villes et régions. L'apparition d'une "société mondiale" (Durand et *al.*, 1992) découvre aussi l'émergence de nouveaux espaces locaux et régionaux (des territoires de flux économiques, de chalandise, des territoires de déplacements, etc.) qui se structurent au-delà des frontières institutionnelles, aussi bien communales, cantonales que nationales. Elle renvoie en particulier au phénomène de métropolisation qui, tout en constituant l'une des conséquences de la mondialisation, la renforce tout autant (Leresche, Joye, Bassand, 1995). On observe ainsi une série de processus qui se nourrissent les uns les autres.

De manière générale, la croissance démographique, le développement du secteur tertiaire, l'internationalisation des économies et les progrès technologiques expliquent ce mouvement de concentration urbaine et métropolitaine. Ils stimulent le regroupement dans de vastes agglomérations des principales infrastructures de transports et de communications, des centres de décision économiques, politiques, financiers et culturels qui se connectent entre eux et fonctionnent comme de méga-terminaux dans la concentration et la diffusion des échanges. Ces nouvelles synergies spatiales entraînent une modification des centralités au profit des plus grandes agglomérations et le renforcement de ces dernières. Mais, ce faisant, elles créent et aggravent également des disparités de toutes natures au détriment des régions périphériques qui, sans mesures de correction et d'accompagnement, risquent une plus grande périphérisation encore.

La mondialisation favorise ainsi l'apparition et le développement d'espaces fonctionnels fondamentalement nouveaux, sources de déséquilibres, mais aussi de nouvelles proximités et de nouvelles solidarités. Autrement dit, "dans ce contexte de libre concurrence difficilement arbitrée par une autorité centrale, se développe un fort mouvement de solidarités par zones, une sorte d'aménagement spontané du territoire. Des communautés, des réseaux se forment et se structurent, parfois par-delà les limites administratives — voire les frontières internationales — qui dissolvent la notion de territoires captifs ou obligés" (Vasseur, 1993 : 141). La mondialisation agit donc à la fois comme "pulvérisateur" des territoires anciens et "précipiteur" d'espaces nouveaux. Les structures territoriales les moins adaptées aux nouveaux enjeux et opportunités sont mises hors jeu par la concurrence internationale, alors que les espaces porteurs de nouvelles centralités (forte internationalisation, emplois à haute qualification, infrastructures de communication performantes etc.) forment système et se renforcent. Mais par-là, la mondialisation sous-tend une sorte de dualisation spatiale porteuse d'une complexification des problèmes et des situations, ainsi qu'une nécessité toujours plus forte de rééquilibrages économiques, sociaux, spatiaux et politiques.

Ces nouvelles dynamiques et recompositions régionales qui s'adossent au double mouvement de mondialisation et de construction européenne rencontrent le fait transfrontalier helvétique. Elles favorisent en Suisse l'avènement d'espaces transfrontaliers qui s'inscrivent dans le champ de tensions entre forces agrégatrices et désintégratrices de territoires. La Suisse ne compte-t-elle pas seize cantons frontaliers alors que ses principales villes se situent à moins d'une huitantaine de kilomètres de la frontière ? Elle voisine également avec au moins trois régions européennes parmi les plus puissantes et les plus dynamiques de l'Union européenne (Bade-Wurtemberg, Lombardie et Rhône-Alpes). Et parmi les régions transfrontalières émergentes en pleine croissance, on distingue des pôles urbains qui se structurent par-delà les frontières et qui, de ce fait, rendent compte des centralités nouvelles ou renforcées évoquées plus haut (Bâle-Mulhouse-Fribourg-en-Brisgau ; Genève-Annemasse ; Lugano-Côme-Varese)[4].

Les recensements des populations suisses et françaises de 1990 témoignent d'autres évolutions similaires de part et d'autre des frontières helvétiques. Pour les zones où la croissance est la plus forte, on retrouve cette caractéristique des deux côtés de la frontière (Bassin lémanique et Sillon alpin, Regio insubrica du Tessin et d'une partie de la Lombardie et l'arc alpin en général). A l'inverse, là où la croissance démographique apparaît nulle ou faible, dans l'Arc jurassien en particulier, cette caractéristique est aussi partagée par les deux zones frontalières. Ces cartes transfrontalières révèlent ainsi une communauté de situations qui peut devenir, selon les cas, une communauté de problèmes.

Ces espaces transfrontaliers n'existent toutefois pas en eux-mêmes ou «naturellement». Ils émergent suite à une prise de conscience par des acteurs de part et d'autre des frontières de problèmes et de situations de nature transfrontalière comme, par exemple, la présence d'un bassin transfrontalier de main-d'œuvre ou de chalandise. Ceci entraîne des déséquilibres sociaux et économiques à réguler, l'organisation de flux de mobilité transfrontalière qui dépassent les capacités des infrastructures de transport des deux côtés de la frontière, ou des problèmes écologiques et environnementaux qui, par principe, abolissent les frontières (Jouve, 1994). On peut également citer le domaine du tourisme, de l'aménagement du territoire ou du développement économique où la découverte de complémentarités transfrontalières induit une volonté de planification commune. Une entreprise peut aussi, par exemple, chercher une localisation dans une zone transfrontalière pour participer à la création d'un marché régional transfrontalier ou au contraire utiliser la présence d'une frontière pour réaliser une plus-value (Ratti, 1991).

Ces zones transfrontalières ont donc ceci en commun qu'elles réunissent dans un même mouvement des acteurs et des espaces qui distendent des liens avec leurs espaces institutionnels de référence pour en nouer de nouveaux avec des espaces de proximité sur un plan essentiellement fonctionnel. L'émergence de ces espaces révèle ainsi une nouvelle manière d'appréhender les frontières ins-

---

4. A titre d'illustration, on peut notamment se reporter à la redéfinition des agglomérations suisses, élaborée par l'Office fédéral de la statistique sur la base du recensement fédéral de la population de 1980, et résultant, significativement pour la première fois, d'une démarche transfrontalière (Schuler, 1984). Selon la définition encore élargie de 1990, l'agglomération de Genève comprend désormais un total de 108 communes, dont 37 se trouvent actuellement en France voisine et 71 en Suisse.

titutionnelles et de nouveaux rôles attribués à ces frontières. Lieu traditionnel de séparation et système de limites, elles deviennent autant de zones d'ouverture et de contacts (Courlet, 1988). Elles s'associent progressivement à l'idée, puis à une logique de projets transfrontaliers, économiques, sociaux ou politiques.

Mais, dans le creux de ces recompositions régionales qui s'accompagnent d'une prise de conscience de problèmes et d'enjeux nouveaux amplifiés par la globalisation, une question fondamentale se profile : comment réguler ces problèmes lorsque les frontières géographiques de ceux-ci dépassent et transcendent les frontières institutionnelles ? Autrement dit, comment et avec qui gérer les décalages et les inadéquations de plus en plus nombreux et importants entre, d'une part, les espaces fonctionnels où les problèmes se posent et, d'autre part, les espaces institutionnels où les décisions se prennent ? Ces questions renvoient donc à celle de la prise en charge politique des interdépendances nouvelles nées de la globalisation des échanges et des problèmes, soit à la mise en cohérence des échelles de la décision avec les échelles des problèmes.

Ces questions débouchent sur le constat d'une inadéquation de plus en plus forte des instruments traditionnels de gestion de l'action publique et sur la nécessité d'innovations capables de réguler des problèmes régionaux situés sur des espaces aux références multiples et à géométrie variable. La gestion du fait transfrontalier réside donc bel et bien dans une nouvelle articulation entre la société civile d'un côté et l'Etat, les collectivités locales, régionales et l'Europe de l'autre. Le phénomène transfrontalier montre aussi combien une interdépendance de fait accrue entre les différents niveaux et acteurs du système de la décision leur impose une nouvelle exigence de fonctionnement : un renforcement de la coopération et de l'harmonisation tant au plan vertical qu'horizontal. C'est particulièrement vrai pour un pays fédéraliste comme la Suisse où l'enjeu transfrontalier fonde une double exigence : celle du désenclavement de ses frontières intérieures, économiques, sociales, culturelles et politiques et celle d'un désenclavement de ses frontières extérieures, avant tout avec l'Union européenne.

II. Les étapes du développement de la coopération régionale transfrontalière et leurs enjeux

De manière générale, la reconnaissance de la nécessité de réajuster le système de la décision débouche, en Suisse, sur la définition de nouvelles modalités de coopération institutionnelle et de concertation économique, sociale et politique. Les nouvelles dynamiques de proximité et de contiguïté spatiales engendrent de nouvelles solidarités socio-économiques, politiques et institutionnelles complexes et contradictoires. Plus précisément, à l'approfondissement et à l'élargissement de relations transfrontalières au niveau fonctionnel va correspondre l'avènement puis le renforcement de différents types de coopération transfrontalière à un niveau politique et institutionnel.

En fait, en Suisse, la coopération transfrontalière et son évolution peuvent être appréhendées comme un mécanisme global d'adaptation progressive de différents espaces et acteurs aux nouvelles contraintes internes et externes issues des mutations de l'environnement mondial et européen. Elles se jouent donc sur plusieurs échelles qui vont du local/régional à l'international, en passant par le national, et mêlent aussi différents types d'acteurs : l'Etat, les collectivités locales et régionales ainsi que des acteurs sociaux et économiques. Plusieurs spécificités caractérisent ainsi la CRT franco-suisse.

1 - La CRT suisse se caractérise d'abord par sa diversité, voire son éclatement, que l'on remarque à plusieurs niveaux. En premier lieu, cette coopération se révèle d'autant plus fragmentée que la Suisse doit s'adapter à quatre Etats aussi différents que la France, l'Allemagne, l'Italie et l'Autriche[5]. Ensuite, d'une manière générale, il existe plusieurs types de CRT. On peut même prétendre que la prise en charge politique de chaque problème transfrontalier coïncide avec un type de CRT spécifique qui s'exerce sur un espace de référence particulier. Les réseaux d'acteurs mobilisés varient également en fonction de la nature et des enjeux des problèmes à résoudre. La diversité des institutions en charge de la coopération transfrontalière franco-genevoise donne le ton. Classiquement, on les classe dans trois catégories selon la nature de leurs membres : a) les structures intergouvernementales ou interétatiques ; b) les institutions interrégionales transfrontalières ; c) les organismes à statut privé (Braillard et Guindani, 1995 : 25).

La première catégorie comprend ce qui fut d'ailleurs chronologiquement la première institution transfrontalière de cette région, la Commission consultative pour les problèmes de voisinage entre la République et le canton de Genève et les départements français de l'Ain et de la Haute-Savoie. Créée en 1973, elle dispose également d'un organe régional, le Commit régional franco-genevois (CRFG). Il s'agit donc d'un organisme interétatique qui traite de questions relatives à l'aménagement du territoire, l'environnement, le déve-

---

5. Sur cette diversité des modes de coopération transfrontalière en Suisse, une vaste recherche comparative reste à entreprendre qui inclurait l'ensemble des zones concernées et différents types de problèmes. A son terme, on comprendrait vraisemblablement mieux le rôle et les spécificités de chaque Etat en la matière.

loppement économique, les populations frontalières et les problèmes socio-culturels.

Dans la seconde catégorie des institutions interrégionales transfrontalières se rangent la Communauté de travail des régions des Alpes occidentales (COTRAO) et le Conseil du Léman. La première, créée en 1982, réunit les cantons de Genève, de Vaud et du Valais, les régions françaises de Rhône-Alpes et Provence-Alpes-Côte-d'Azur et, pour l'Italie, les régions Piémont, Ligurie et Val d'Aoste. Elle s'occupe surtout de problèmes de culture, de formation, d'économie, d'environnement et de transports. La seconde a été fondée en 1987 par les départements de l'Ain et de la Haute-Savoie et, du côté suisse, par les cantons de Genève, de Vaud et du Valais. Elle couvre à nouveau une large palette d'activités qui va des transports et des communications à l'environnement et l'aménagement du territoire, en passant par les populations frontalières, l'économie, le tourisme, l'éducation et la culture. Si ces deux institutions ont dû obtenir l'autorisation de leurs Etats respectifs, leur création relève toutefois d'initiatives essentiellement locales et régionales.

Quant aux organismes à statut privé, mentionnons la Coordination économique et sociale transfrontalière (CEST) regroupant, dès 1967, différents syndicats et associations pour régler des questions d'environnement, de cadre de vie et des problèmes sociaux ; le Groupement des frontaliers de l'Ain, de la Haute-Savoie et de Franche-Comté, créé au début des années soixante, et l'Association genevoise pour le développement des relations interrégionales (AGEDRI). Fondée en 1985, cette dernière vise à promouvoir les relations au sein de la région du Genevois franco-suisse dans de nombreux domaines. On peut aussi ajouter la création entre 1992 et 1993 de l'Union lémanique des Chambres de Commerce (ULCC), l'Union lémanique des Chambres de l'Artisanat et des Métiers (ULAM) et l'Union lémanique des Chambres d'Agriculture (ULCA). On relève donc que les divers groupes d'intérêts ont tendance à s'agréger sur ces nouveaux espaces fonctionnels.

Les relations tranfrontalières se nouent donc au niveau institutionnel et non institutionnel. Outre leur composition souvent mélangée (élus, fonctionnaires, milieux socio-professionnels), ces institutions transfrontalières franco-genevoises se déploient sur des espaces géographiques à géométrie variable, en opérant tantôt dans des frontières étroitement franco-genevoises, tantôt sur des frontières interrégionales plus larges, à l'échelle lémanique, sinon rhodanienne.

Les initiatives visant la mise en place de coopérations transfrontalières reviennent ainsi à divers acteurs. Selon les configurations, tantôt les collectivités locales sont les relais d'initiatives étatiques pour une gestion institutionnelle de relations fonctionnelles nouées à la base par des acteurs de la société civile des différents côtés de la frontière, tantôt les initiatives locales, institutionnelles ou non, précèdent les impulsions de l'Etat. Dans la pratique toutefois, on l'a vu, les relations fonctionnelles devancent le plus souvent, voire contredisent, les relations institutionnelles. Le fonctionnement de la coopération transfrontalière relève donc d'un processus de construction régionale qui s'opère d'en bas et d'en haut avec une implication différente des parties selon les cas. Suivant la forme des Etats, le type de coopération engagée ou la nature des problèmes à résoudre, la centralité de l'Etat apparaît variable.

2 - La CRT témoigne d'évolutions dans l'exercice du pouvoir, ainsi que dans la configuration et l'organisation des modalités de décision en Suisse. Elle signale la recherche et l'expérimentation d'une gestion de l'action publique plus ouverte, plus souple, réticulaire et pragmatique. Elle voit d'abord l'instauration de nouvelles relations entre l'Etat et la société civile, la mise en place de nouvelles formes de partenariat entre les acteurs institutionnels traditionnels et des acteurs économiques, sociaux et politiques. Contrairement à la gestion classique des problèmes, strictement sectorielle et territorialisée, la CRT rend compte d'une gestion par problème de plus en plus multisectorielle et multiterritoriale. Elle découvre encore la constitution de systèmes de décision *ad hoc*, conçus selon la nature et les enjeux de problèmes ponctuels à résoudre (OEPR, 1992). Ces systèmes sont structurés autour de réseaux d'acteurs et de processus différents et impliquent également des territoires de référence différents.

Quelles que soient ses configurations, la CRT dépasse donc le plus souvent la relation classique entre une autorité politique et son territoire de référence clairement établi. Elle peut s'identifier en cela à l'organisation et au fonctionnement des réseaux de projets ou thématiques (*issue networks*) qui introduisent encore des processus de décision à forte composante de négociation et d'incertitude (Gaudin, 1995 ; Smith, 1995 ; Le Galès et Thatcher, 1995). Elle renvoie finalement à des modèles de décision fondés sur l'idée de géométrie variable, donc à des modèles pluralistes et polycentriques de décision. Ce sont là l'originalité et la force de la CRT en ce qu'elle rend compte de tentatives d'adaptation de l'échelle de la décision à l'échelle des problèmes. Mais, ces mêmes qualités représentent également ses défauts et ses limites.

3 - L'analyse diachronique de la CRT révèle aussi les transformations de ses enjeux.

A l'origine, la définition de régions transfrontalières à travers les débuts de la CRT est conçue comme la construction de systèmes de régulation de problèmes ponctuels, essentiellement locaux et régionaux liés, on l'a dit, à l'avènement de nouveaux espaces fonctionnels transfrontaliers. Cette régulation s'opère donc surtout par en bas, sous le coup de processus initiés par des acteurs régionaux et cantonaux. Au gré du renforcement de la volonté d'ouverture de la Confédération helvétique sur l'Europe, la CRT devient non plus un système mais un outil de régulation de problèmes régionaux et internationaux. Elle devient une méthode de politique régionale et de politique européenne, une méthode flexible d'adaptation aux exigences du marché international et européen. La CRT change ainsi de perspective en se définissant progressivement comme une politique globale multi-territoriale de désenclavement interne et externe de la Suisse à l'usage "d'en bas", des cantons et des acteurs locaux et régionaux, et à l'usage "d'en haut" par une évolution importante qui passe par le redéploiement de la Confédération dans le champ transfrontalier. A la base de ce changement, on trouve les résultats de la votation du 6 décembre 1992 et les conséquences du refus par le peuple et les cantons suisses de ratifier le Traité sur l'Espace Economique Européen (EEE).

Cette première évolution en engage une seconde que l'on peut présenter comme un renversement de la logique et du fonctionnement des Autorités helvétiques face à la CRT. De passives, voire de rétives, elles vont devenir plus actives, sinon demandeuses de CRT. La CRT peut être découpée en trois phases qui illustrent ces évolutions et en particulier dans la région lémanique et l'Arc jurassien :

• Des années 70 au milieu des années 80, la croissance des échanges transfrontaliers, la prise de conscience parallèle du renforcement de déséquilibres socio-économiques de part et d'autre des frontières et des exigences de planification commune dans différents domaines engagent une coordination et des tentatives d'harmonisation des mesures des différents niveaux concernés (Etats, régions, cantons, départements et communes). C'est en fait la volonté de résoudre le plus délicat des problèmes d'alors, la question de la rétrocession fiscale pour les travailleurs frontaliers[6], qui dé-

---

6. En soulignant le fait que Genève est l'un des rares cantons suisses à prélever l'impôt sur le lieu de travail, une partie des impôts payés par les travailleurs frontaliers à l'Etat de Genève est reversée à leur commune de résidence côté français. Au-delà de l'enjeu strictement financier, on a là un bel et rare exemple d'une souveraineté fiscale partagée entre deux Etats.

bouche, en 1973 à Genève, sur la création des premiers organismes transfrontaliers intergouvernementaux, à travers la Commission mixte consultative pour les problèmes de voisinage puis le Comité régional franco-genevois. Significativement, c'est à des acteurs régionaux français que revient l'initiative de cette première prise en charge politique de problèmes transfrontaliers. Leurs homologues suisses ne feront que suivre sans grand enthousiasme les demandes françaises. Pour la Suisse, la CRT n'a alors qu'une dimension réactive. Ceci peut expliquer cela, les inégalités constatées jouent jusqu'ici en faveur de la partie suisse. Ces premières structures transfrontalières se distinguent aussi par le fait qu'elles rassemblent presque uniquement des acteurs politiques et administratifs et par leur fonctionnement assez technocratique et sectoriel.

Pour l'essentiel, il s'agit surtout d'une période d'apprentissage réciproque des problèmes et des situations transfrontalières. Les acteurs concernés font connaissance, échangent des informations et communient dans de grandes déclarations d'intention transfrontalières. Leurs collaborations se résument alors plutôt à des manifestations symboliques et diplomatiques. C'est l'ère des banquets, du tourisme et des projets d'atlas transfrontaliers.

• Dans le courant des années 80, on constate d'abord une augmentation du nombre de structures transfrontalières — on l'a vu pour ce qui est des relations franco-genevoises —, et ensuite une plus grande motivation, voire une accélération, dans la définition de projets transfrontaliers, que l'on doit à l'impulsion connexe de plusieurs facteurs.

Du côté suisse, c'est la perspective d'un rapprochement avec l'Europe via le projet d'adhésion à l'EEE qui, assurément, joue un rôle catalyseur. L'intérêt plus marqué de la Suisse pour le transfrontalier se manifeste toutefois plutôt du côté des cantons. Durant cette période, la Confédération qui, grâce aux pressions de la France, avait néanmoins joué un rôle actif dans la création de certains organismes transfrontaliers, semble délaisser le champ transfrontalier, en tolérant seulement les initiatives cantonales, sans plus.

Du côté français, l'élément déterminant renvoie à l'adoption en 1982 de la loi de décentralisation qui renforce l'ensemble des niveaux territoriaux (communes, départements, régions), dotés de pouvoirs, de compétences et de ressources financières propres (Leresche, 1991). Cette loi va en quelque sorte permettre aux collectivités locales et régionales d'agir plus directement dans le domaine transfrontalier. La France reconnaît désormais «le caractère spécifique et bienfaisant de la coopération directe entre régions frontalières de pays voisins. On peut y voir l'affirmation, certes implicite, d'un début de principe de "subsidiarité" dans ce domaine précis» (Saint-Ouen, 1994 : 117). Jusqu'alors, dans un Etat centralisé comme la France, les traditions multiséculaires de subordination des pouvoirs locaux à Paris ne représentaient pas la meilleure forme d'apprentissage de la coopération transfrontalière, quand elles ne suscitaient pas des blocages de procédures.

Si ces facteurs ont donc abouti à une définition plus précise de projets transfrontaliers, ceux-ci sont également élaborés dans une optique plus globale qui prend en compte les grands domaines d'intérêts communs d'alors (transports, environnement, économie, aménagement du territoire, tourisme et culture). Par contre, la mise en œuvre de ces projets bute sur le statut essentiellement consultatif et non décisionnel des instances transfrontalières. Ces dernières restant dépourvues de la personnalité juridique, leurs actes n'ont en effet pas de valeur contraignante. Globalement, les intentions transfrontalières restent ainsi plus significatives que les réalisations concrètes, même si l'horizon européen semble prometteur.

• La troisième phase est paradoxale. Elle débute le 6 décembre 1992, sous le coup de l'échec de la ratification du Traité sur l'EEE. Cette décision charnière va d'abord couper l'élan d'une partie des initiatives transfrontalières. Or, par ses conséquence négatives pour la Suisse, cet échec force les acteurs responsables de la CRT à réfléchir activement aux voies et aux moyens de la poursuivre. Pour ces derniers, le contexte créé par ce refus de l'EEE va en effet signifier la nécessité d'un renforcement de la CRT et déboucher sur la définition d'un nouveau cadre d'action.

Ce démenti du peuple et des cantons suisses aux ambitions pro-européennes des autorités conditionne un changement d'attitude de la Confédération à l'égard de la CRT. Elle tente de réinvestir le jeu transfrontalier, sinon de le capter à son profit. En lui accordant désormais une importance stratégique en matière de politique intérieure et européenne et en réactivant son soutien aux institutions transfrontalières, la Confédération cherche à contrôler ces dernières, à «reprendre la main» dans des processus qui, pour l'essentiel, s'étaient déroulés quasi sans elle à la base. Autrement dit, en prônant la coopération pour ne pas être contournée, sa philosophie change. Ce retour de l'Etat, en particulier dans les relations transfrontalières franco-suisses, constitue même l'un des changements les plus importants de ces dernières années.

Mais les cantons vont également tenter de maintenir une lucarne ouverte sur l'Europe en marquant plus encore qu'auparavant leur volonté d'accroître les relations interrégionales et transfrontalières. En fait, cette situation nouvelle, consacrant l'isolement de la Suisse, engage des mécanismes d'ouverture régionale et européenne qui se déroulent à plusieurs échelles territoriales, économiques et sociales de façon à la fois séparée et entrecroisée. Les stratégies des uns et des autres cherchent à s'ajuster à un environnement régional, européen et mondial en mutation, en défendant leurs intérêts bien compris. Ceci n'ira pas sans contradictions.

III. Les nouvelles frontières helvétiques : le renversement des fronts

Les conséquences du refus de l'EEE sont elles-mêmes paradoxales. L'élaboration d'instruments de CRT se complique alors que sa nécessité pour la Suisse s'accuse. A commencer par la nouvelle frontière qui sépare désormais la Suisse de l'Union européenne. On assiste en effet à une sorte de rigidification des frontières extérieures de la Suisse à plusieurs niveaux. Outre sa fonction légale, la frontière retrouve également sa fonction ambivalente de ressource pour les uns et de contrainte pour les autres, mais dans une optique de rééquilibrage, sinon d'inversion par rapport à la période précédente. Désormais, la Suisse est en effet confrontée à la frontière comme contrainte, alors que la France découvre les avantages des ressources de la frontière. Ce changement éloigne ainsi les perspectives des années 80 visant à doter les frontières d'une fonction centrale de contact et surtout de projet. Au niveau des acteurs de la société civile, des stratégies de localisation résidentielle ou d'activités économiques reprennent par exemple de plus en plus en compte l'asymétrie du fait transfrontalier.

Un autre type de frontière s'est également renforcé, suivi de son cortège d'effets négatifs pour la Suisse. Une barrière psychologique et symbolique s'est dressée entre la Suisse et l'Union européenne[7]. Elle s'accompagne d'un sentiment d'éloignement des deux collectivités qui avancent progressivement dans une série de directions différentes. On peut ici citer l'exemple des Accords de Schengen que la Confédération helvétique, non membre de l'Union européenne, n'a pas pu signer. Ils concrétisent la position "extérieure" de la Suisse à travers toute une série de signes apparents qui sont interprétés par de nombreux Suisses comme autant de brimades, notamment douanières, tout en leur donnant l'impression qu'ils sont désormais traités comme des «citoyens de seconde zone»[8]. Au

---

7. Cet enclavement paraît d'autant plus prononcé depuis l'entrée de l'Autriche dans l'UE en 1995, sans compter celle du Liechtenstein dans l'EEE.

8. Ces signes extérieurs concernent par exemple les doubles files d'attentes aux postes de douane, une pour les citoyens européens et une autre pour les non-européens, et des contrôles plus fréquents en vue de traquer les résidents illégaux. La presse rend compte aussi de la fermeture de postes de douane pendant la nuit. Cf. *Le Nouveau Quotidien* du 19 mai 1993, du 10 février et du 10 octobre 1995.

niveau des représentations tout du moins, Schengen contribue aussi à inverser le rapport des Suisses aux frontières. De protection face à l'extérieur ou de filtre selon les périodes, elles deviennent des obstacles ou des murs à franchir pour les Suisses eux-mêmes[9].

L'ensemble de ces conséquences négatives du refus de l'EEE introduit à la logique du front renversé. Toutes se situent en effet à l'origine d'une inversion des rapports de force entre les Autorités helvétiques et celles des pays membres de l'Union européenne. Tant les cantons que la Confédération s'affirment de plus en plus demandeurs de CRT, alors que les Etats de l'Union européenne deviennent de plus en plus exigeants au niveau des concessions attendues de la partie suisse. Contrairement aux phases précédentes, il appartient dès lors aux Autorités suisses d'afficher leur bonne volonté transfrontalière, de faire des concessions et d'affirmer des projets qui entrent en résonance avec les intérêts des zones de l'autre côté de la frontière. Ceci explique en partie les freins et les risques de blocage des initiatives transfrontalières cantonales lancées dans l'euphorie de la perspective de l'EEE[10].

Cette logique du front renversé s'illustre d'une part à travers les tentatives menées parallèlement par les cantons et la Confédération pour relancer la CRT et, d'autre part, par l'accueil que leur réservent les autorités européennes. Du côté suisse, ce regain d'intérêt des autorités pour la CRT peut se lire comme une volonté de poursuivre le rapprochement avec l'Europe par la voie d'une intégration régionale. A ce titre, il s'inscrit dans un projet stratégique de désenclavement externe et interne de la Suisse.

Ce sont à la base les cantons frontaliers, ceux qui ont voté le plus massivement en faveur de l'EEE, qui déploient le plus d'énergie pour trouver les voies et moyens de maintenir ouverte une petite fenêtre régionale sur l'Europe. Les cantons limitrophes de la France, en particulier Genève, vont chercher à intensifier leurs échanges internationaux en explorant les possibilités offertes par les articles 9 et 10 de la Constitution fédérale. Si, en matière de politique étrangère, la Confédération dispose de la compétence générale, les cantons ont en effet une compétence subsidiaire qui leur

---

9. Il faut certes parler d'un renforcement des frontières helvéto-communautaires tant aux niveaux juridique, matériel que symbolique. Mais, dans la pratique, les relations anciennes de courtoisie entre les pays de l'Union européenne et la Suisse, ainsi qu'une série de dossiers dans lesquels différents Etats ont des intérêts communs, par exemple la question des frontaliers, empêchent l'émergence d'une frontière hermétique. Entre la Suisse et l'Union européenne, de nombreux accommodements sont possibles et d'ailleurs prévus.
10. Cf. par exemple les réticences des autorités de la commune d'Annemasse au projet genevois de relier les deux villes par un métro. *Le Nouveau Quotidien*, 29 septembre 1995.

permet d'être associés à cette politique et de conclure des traités internationaux. C'est cette compétence que ces cantons cherchent à activer[11].

Quant à la Confédération, le refus de l'EEE n'a en rien modifié sa conviction que le rapprochement de la Suisse avec l'Europe relève d'un impératif à tous points de vue, à la fois dans un souci d'efficacité et de compétitivité économique et au plan de la politique intérieure et extérieure du pays. Comme le Conseil fédéral l'affirme en novembre 1993, "l'adhésion de la Suisse à l'Union européenne reste l'objectif stratégique à moyen et long terme"[12]. Jusqu'à la fin des années 80, c'est-à-dire jusqu'à leur retournement en faveur de l'Europe, en matière de politique étrangère, les élites politiques helvétiques avaient privilégié une attitude de neutralité, voire de repli, au nom de l'exception helvétique (*Sondera*)[13]. Les avancées de la construction européenne, certes, mais aussi la fin de la guerre froide et la préservation de la compétitivité de la place économique suisse se sont conjuguées pour rallier ces élites à la cause européenne. Le changement d'attitude de la Confédération à l'égard de la CRT n'est pas sans lien avec le changement radical de la politique européenne de la Suisse. Après l'échec de l'EEE, la Confédération prend en effet conscience que mises à part des négociations bilatérales avec Bruxelles, la Suisse n'a guère, pour l'heure, d'autre perspectives européennes que la coopération transfrontalière. Elle l'énonce clairement dans un rapport publié en mars 1994 : «Comme les cantons, le Conseil fédéral est d'avis que la coopération transfrontalière régionale doit être un élément important de la politique d'intégration, spécialement après le non à l'EEE»[14].

Désormais, la Confédération ne se contente pas seulement d'encourager toutes sortes d'initiatives transfrontalières, elle leur apporte même un soutien financier dans le cadre du programme INTERREG II, soutien qui, significativement, ne s'était pas manifesté dans le cadre d'INTERREG I. Si le crédit accordé par la Confédération est modeste, 24 millions de francs, sa valeur se mesure surtout en termes symboliques et stratégiques.

---

11. Ces mêmes cantons envisagent également de créer un mini-EEE régional. Ce scénario a toutefois rapidement révélé des difficultés pratiques, politiques et juridiques.

12. Rapport du Conseil fédéral du 29 novembre 1993 sur la politique extérieure de la Suisse dans les années 90.

13. Sur les changements d'attitude de la Suisse à l'égard de l'Europe, cf. P. Sciarini (1992), et sur le *Sonderfall*, cf. Y. Papadopoulos (1991).

14. Cf. Rapport du Conseil fédéral sur la coopération transfrontalière et la participation des cantons à la politique étrangère (1994 : 49).

Symboliquement, ce geste traduit sa volonté de devenir partenaire à deux niveaux. D'un point de vue interne, il signale son objectif de redevenir un partenaire fort de la politique régionale. D'un point de vue extérieur, la Confédération donne par-là à Bruxelles un gage de bonne conduite européenne dans le contexte de négociations bilatérales où le rapport de force ne lui est pas favorable.

Stratégiquement, la Confédération fait en quelque sorte coup double. D'un point de vue interne, en se redéployant dans la CRT, elle met en place un contrôle renouvelé du territoire national selon des modalités apparemment plus souples, mais dans le fond pas moins contraignantes. Ce nouveau contrôle de la Confédération vise avant tout les zones potentiellement centrifuges situées sur la façade ouest de la Suisse, c'est-à-dire des cantons qui précisément avaient le plus massivement voté en faveur de l'EEE. En même temps, par sa participation à INTERREG II, la Confédération prend la direction d'un nouvel instrument de politique régionale. Visant la réduction des disparités régionales, ce dernier a ainsi vocation à renforcer la cohésion économique, sociale, politique et spatiale du pays, c'est-à-dire une fonction d'intégration interne.

Mais la Confédération cherche tout autant à s'adapter au processus en cours de construction par les cantons de grandes régions. Elle leur donne en fait un certain pouvoir en permettant aux cantons de se redéployer sur une échelle interrégionale et transfrontalière, puisque les projets régionaux d'INTERREG II peuvent impliquer des groupes de cantons. Le Message du Conseil fédéral en la matière n'indique-t-il pas nettement que «la politique régionale de la Confédération devra à l'avenir accorder davantage d'importance aux grandes régions dans un souci d'efficacité et de rentabilité»? D'un point de vue extérieur, la Confédération exprime en d'autres termes une volonté de rapprochement avec Bruxelles par une stratégie d'intégration régionale externe. Elle vise ainsi à se rapprocher de l'Europe d'abord par en haut, à travers les négociations bilatérales avec Bruxelles, et ensuite par en bas, en déléguant une partie des responsabilités de la CRT aux cantons et aux grandes régions. A cet égard, la Confédération encourage une nouvelle pédagogie ou un nouvel apprentissage de l'Europe par des acteurs plus proches de la population et donc plus à même de la socialiser à l'Europe.

C'est dans ce sens que l'on peut affirmer qu'après le non à l'EEE, la CRT change de perspective et d'implications. De système de régulation de relations régionales fonctionnelles structurées par en bas, elle devient une méthode de politique régionale et européenne, à l'usage d'en bas et d'en haut. De même, en lieu et place de l'approche globale, institutionnelle et menée par en haut, expérimentée lors de la tentative avortée de rapprochement avec l'Europe via l'EEE, la méthode se veut aujourd'hui plus pragmatique et empirique. L'évolution du rôle des acteurs et la reformulation des règles du jeu suisse dans le domaine de la CRT participent ainsi plus généralement à une redéfinition du fédéralisme helvétique. D'exécution, ce dernier devient plus coopératif, sur un plan tant horizontal que vertical. C'est ce qu'il s'agit d'expliquer en replaçant cette problématique dans une perspective globale.

IV. La coopération régionale transfrontalière, un indicateur de redéfinition du fédéralisme

Le passage d'un fédéralisme d'exécution à un fédéralisme coopératif[15] s'inscrit d'abord dans le cadre d'une interaction nouvelle entre les frontières internes et externes de la Suisse suite au refus de l'EEE. A la rigidification des frontières extérieures avec l'Europe, présentée plus haut, correspond une flexibilisation des frontières intérieures à travers de nouvelles recompositions régionales. Globalement pro-européennes, les élites gouvernementales sont amenées à passer de l'idée de Grand marché européen à celle de «Grand» marché intérieur helvétique. Dès lors qu'elles ne sont pas parvenues à abaisser les frontières qui séparent la Suisse de l'Europe, elles ambitionnent d'abattre les frontières cantonales et régionales.

La gestion des conséquences du non à l'EEE renouvelle en effet le jeu subtil entre, d'une part, la modification des frontières externes de la Suisse, relevant en partie de contraintes extérieures, et, d'autre part, les modifications des frontières intérieures, renvoyant à la structuration profonde de la Suisse (Joye et *al.*, 1992). Ces modifications de frontières, qui s'influencent mutuellement, engendrent en effet des problèmes et des clivages nouveaux qui, à leur tour, vont déboucher sur des recompositions régionales. Celles-ci, surmontant et transcendant les frontières traditionnelles suisses, tant cantonales que linguistiques, révèlent et favorisent *in fine* l'instauration de nouvelles relations entre les différents niveaux territoriaux helvétiques, entre les cantons, entre les cantons et la Confédération, entre les cantons et les communes et entre la Suisse et l'Europe.

A nouveau, les changements d'échelle des problèmes induisent des changements d'échelle de la décision qui engagent de nou-

---

15. Il s'agit d'un passage dans un sens plus cumulatif que substitutif, c'est-à-dire que le fédéralisme coopératif complète ou s'ajoute au fédéralisme d'exécution mais ne le remplace pas.

velles politiques publiques. Point de jonction entre l'interne et l'externe, la problématique transfrontalière se trouve au cœur de ces mécanismes d'adaptation. Elle participe à l'avènement de nouvelles frontières et clivages qui traversent la société et les différents espaces helvétiques, de même qu'à la mise en place des moyens de les gérer par la ressource du fédéralisme.

Au niveau politique des rapports de force, cette redéfinition du fédéralisme, que cristallise la politique transfrontalière helvétique, peut également être appréhendée comme une tentative de la Confédération de conserver, voire de renforcer, les attributs traditionnels de son pouvoir selon de nouvelles modalités. Autour de la coopération ou des régions transfrontalières, le risque peut apparaître d'un démembrement ou d'un déshabillage des Etats sur leurs marges. Mais l'émergence de la CRT ne constitue en aucun cas un processus que les Etats suisses et français ne contrôlent pas. En Suisse, tant le redéploiement des cantons dans la politique régionale et la CRT que les processus de mondialisation et de construction européenne ont, dans un premier temps, en quelque sorte diminué la fonction médiatrice de la Confédération. Dans un second temps, on l'a dit, la redéfinition de son rôle dans la politique transfrontalière après le non à l'EEE accompagne l'instauration d'un nouveau contrôle de la Confédération sur le territoire national. On pourrait à cet égard explorer pour la Suisse l'hypothèse qui veut que, par le transfrontalier, les Etats regagnent partiellement en souveraineté horizontale ce qu'ils perdent en souveraineté verticale par la «fuite» des «fonctions étatiques vers le haut et vers le bas» ; c'est-à-dire vers l'Europe d'un côté et les régions de l'autre (Cassese, 1981 : 20)[16].

Globalement, dans les pays voisins de la Suisse, les dynamiques régionales ont connu une affirmation progressive pour conduire à une décentralisation institutionnelle[17]. Contrairement à ses

---

16. Une telle hypothèse de souveraineté horizontale implique que l'on s'attache à une souveraineté de fait, en termes de processus, distincte de la souveraineté formelle. La coopération transfrontalière donne en effet implicitement une sorte de droit de regard sur les territoires voisins qui s'apparente, selon les autorités cantonales genevoises, à un «droit d'ingérence régionale».

17. Selon des temporalités et des modalités variées, les Etats centralisés (Italie, France) comme les Etats fédéraux (Allemagne, Autriche) ont vu, durant cette période, des régions institutionnelles émerger ou redéfinies. La fédéralisation de l'Allemagne par exemple s'inscrit dans une problématique de contrôle de l'extérieur du processus de reconstruction de cet Etat dans l'après-guerre, alors que l'Italie et la France aménagent leurs relations entre le central et le régional en fonction de déterminants essentiellement intérieurs. Mais d'autres Etats occidentaux (Espagne, Belgique) ont même vu leur organisation territoriale fondamentalement se modifier, passant d'une forme centralisée à une forme «autonomique» ou régionalisée pour le premier et fédé-

voisins, la Suisse n'a quasiment rien modifié de son architecture territoriale et institutionnelle. Elle n'a pratiquement pas opéré de fusions de communes (comme entre autres l'Allemagne), pas plus qu'elle n'a créé un nouveau niveau régional institutionnel de type supra-cantonal (comme en France et en Italie)[18].

Ce choix helvétique de la stabilité apparente ne signifie cependant pas que le système de la décision n'a connu aucune évolution. On a d'abord vu les relations entre les différents niveaux territoriaux se transformer à travers trois mécanismes conjoints : ceux de recentralisation, de délégation et d'exécution. Dans sa dimension politique et socio-économique, on constate ensuite une interdépendance plus forte entre l'Etat et la société via l'expérimentation plus fréquente de systèmes de décision organisés par problème, non seulement multi-territoriaux, mais également multi-sectoriels et pluri-acteurs. L'avènement et le renforcement de ce fonctionnement en réseaux subvertissent ainsi le fédéralisme traditionnel dans le sens d'une coopération territoriale accrue autant verticale qu'horizontale.

Comment cette redéfinition du fédéralisme s'opère-t-elle et quelles en sont les manifestations les plus apparentes ? Celles-ci renvoient en profondeur à un processus de reconstruction interne de la Suisse qui s'exerce tout à la fois par en haut et par en bas, et ceci sous le coup des relations complexes et conjointes qui s'instaurent entre les frontières internes et externes suite au non à l'EEE.

Cette connexion entre frontières internes et externes s'est d'abord tout particulièrement révélée lors de la votation sur l'EEE, même si elle ne date assurément pas de ce 6 décembre 1992[19]. A cette occasion, on a vu les frontières internes de la Suisse indirectement déterminer le statut de ses frontières externes à travers une géographie du vote très marquée par les clivages traditionnels (ville/campagne, linguistiques et sociaux)[20]. Le refus de l'EEE peut

---

rale pour le second. Sur les réformes territoriales dans les pays occidentaux, cf. notamment Y. Mény (1984) ou R. Balme et *al.* (1994).

18. Une réflexion et des projets se dessinent actuellement en Suisse au niveau d'un renforcement des structures intercommunales, en particulier dans les agglomérations.

19. Rappelons qu'historiquement la Suisse s'est essentiellement construite contre l'extérieur. Différents Etats souverains se sont unis pour défendre leurs frontières et pour échapper à la tutelle de leurs puissants voisins.

20. Le Traité sur l'EEE qui, pour être adopté, devait réunir la double majorité du peuple et des cantons, a été refusé par 50,3 % des votants et par 18 cantons sur 26. Ce résultat actualise des clivages importants. La Suisse romande a accepté le Traité à plus de 75 % des voix contre 55 % qui l'a refusé dans le reste de la Suisse. Contrairement aux campagnes, les agglomérations urbaines alémaniques ont accepté le Traité. Enfin, les catégories socio-professionnelles dites supérieures ont voté en sa faveur alors que les indépendants et les ouvriers l'ont refusé.

lui-même être interprété comme une volonté partagée par la majorité des Suisses de maintenir la cohésion interne du pays, comme une sorte de réflexe défensif face à une Europe jugée «omnipotente» et «liberticide ». Dans les débats qui ont précédé le vote, les adversaires du Traité ont en effet souvent exprimé leurs craintes qu'à l'intégration européenne ne réponde une désintégration helvétique.

Or, cette idée que le 6 décembre 1992 la Suisse a choisi en toute souveraineté son avenir et, en particulier, les relations qu'elle voulait nouer avec ses voisins européens relève de l'illusion. Dans les faits, on l'a exposé, c'est l'inverse qui s'est produit, à savoir que les voisins européens déterminent désormais pratiquement seuls les relations que la Suisse va entretenir avec eux. Certes, ce 6 décembre, le peuple et les cantons ont choisi souverainement le scénario de l'*Alleingang* (la voie solitaire) que certains assimilaient à tort au statu quo. Mais plus qu'auparavant encore, c'est l'Union européenne qui définit le type de relation qu'elle souhaite nouer avec la Suisse et qui, en définitive, fixe le régime ou le statut des frontières helvétiques. C'est là l'origine de la rigidification des frontières externes de la Suisse et du renversement des fronts présentés plus haut. De même, le non à l'EEE ne permet pas à la Suisse d'échapper à un processus d'harmonisation de ses normes avec celles de l'Europe. On trouve ici notamment l'une des manifestations de la fuite, anticipée ou larvée, des fonctions étatiques vers l'Europe.

Plus encore, si en votant non à l'EEE, les adversaires du Traité visaient à préserver la cohésion de la Suisse, ce sont en partie les conséquences du refus du Traité qui vont exercer une menace sur cette même cohésion helvétique en favorisant l'apparition de nouveaux clivages internes aussi bien économiques que politiques. On observe par exemple de nouvelles frontières et déséquilibres, d'une part, entre cantons frontaliers et non-frontaliers et, d'autre part, entre cantons frontaliers forts et faibles. Les cantons frontaliers forts profitent ainsi aujourd'hui davantage économiquement des dynamiques interrégionales. D'un point de vue politique, ils ont surtout instauré, par rapport aux autres cantons, un rapport de force qui leur est favorable en réinvestissant activement le champ transfrontalier que certains d'entre eux avaient quelque peu déserté dans la phase précédente. Il faut également souligner que la période de l'après-EEE se déroule dans un contexte général de crise économique, politique, sociale et identitaire.

Globalement, ce contexte va favoriser la réactualisation et la recomposition des clivages helvétiques. On observe précisément une nouvelle articulation entre frontières externes et internes. Le statut des frontières externes, qui découle ici du refus de l'EEE, va en quelque sorte générer de nouvelles frontières internes et toute une série de redéfinitions régionales qui marquent un dépassement des frontières traditionnelles. C'est dans ce sens que l'on peut parler d'un processus de reconstruction de la Suisse qui renvoie autant à des mécanismes contournés d'adaptation à l'Europe et à la mondialisation, qu'à des tentatives visant à renforcer la cohésion interne du pays. En fait, à l'absence d'un processus direct d'ajustement externe avec l'Europe, se substitue un ajustement interne dont les caractéristiques les plus saillantes se révèlent sous une forme spatialisée. Mais par là même ce processus aboutit à une redéfinition du fédéralisme qui s'opère simultanément par en haut et par en bas, et en partie sur d'autres ressources que celles des clivages traditionnels.

En haut, au plan économique, la Confédération cherche à créer un marché intérieur helvétique en abolissant les barrières protectionnistes entre les cantons. Pour ce faire, elle modifie les conditions de la concurrence à l'intérieur du pays à travers différentes mesures dites de revitalisation et de déréglementation (loi sur les cartels, par exemple). Ces réformes sont aussi sensées améliorer la compétitivité de la place économique suisse sur la scène internationale. D'un point de vue juridique, le refus de ratifier le Traité sur l'EEE n'a pas stoppé le processus d'adaptation de la législation suisse aux normes communautaires mais l'a recalibré par le passage d'Eurolex à Swisslex[21]. Mais si la Confédération détient de nombreuses compétences relatives aux quatre grandes libertés de circulation (des personnes, des marchandises, des services et des capitaux), il n'en reste pas moins que, dans différents domaines (marché publics, enseignement, politique universitaire, etc.), cette harmonisation procède également d'en bas, sur la base d'accords intercantonaux. Ce «Grand marché helvétique» se construit ainsi pour partie par en bas, par zones régionales, en s'élargissant progressivement sur un mode multi-concentrique à l'ensemble de la Suisse.

En bas, l'aggravation potentielle des disparités régionales face à une concurrence économique renforcée, l'élargissement des espaces fonctionnels et la volonté d'atteindre une taille critique dans divers domaines donnent lieu à l'apparition d'un nouveau type de région : les macro-régions. A l'instar des régions transfrontalières, il s'agit soit de grandes régions économiques ou fonctionnelles,

---

21. Eurolex, rebaptisé Swisslex après l'échec référendaire sur l'adhésion de la Suisse à l'EEE, est un programme d'adaptation du droit fédéral au droit de l'EEE. Sa deuxième mouture (Swisslex) s'est révélée plus modeste dans son ampleur législative.

soit de régions en voie d'institutionnalisation[22]. Structurées sur une base intercantonale, ces alliances régionales ont ceci de nouveau qu'elles reconstruisent la pluralité helvétique en liaison avec la volonté de réguler des problèmes situés sur des espaces plus larges que les territoires cantonaux traditionnels. Par là même, elles présentent une double face : d'abord désintégratrice et ensuite intégratrice. La face désintégratrice se rapporte aux territoires institutionnels et aux espaces linguistiques traditionnels (cantons et régions linguistiques) qui sont redéfinis par une sorte d'écartèlement entre différentes zones économiques ou fonctionnelles. Ces regroupements rassemblent en effet des cantons de structure générale hétérogène. Mais ils possèdent également une face intégratrice puisqu'ils intègrent les principaux clivages helvétiques, en particulier les clivages linguistiques et ville/campagne[23].

Ces grandes régions constituent également une nouveauté du point de vue de la politique régionale suisse. Jusque-là, en effet, celle-ci s'inscrivait uniquement dans le cadre du système fédéraliste, venant ainsi le conforter. Conçue dans un souci d'équilibre spatial, cette politique vise à lutter contre les disparités économiques à travers une certaine redistribution en faveur des régions les plus faibles[24]. En Suisse, la notion de région définit ainsi d'abord des micro-régions défavorisées situées à l'intérieur des frontières cantonales. Les principes d'allocation de ces aides ne remettent pas non plus en cause le fonctionnement du fédéralisme. C'est d'ailleurs l'un des motifs qui a conduit à leur acceptation. De plus, le soutien accordé à ces micro-régions renvoie à des politiques protectionnistes

---

22. Parmi ces macro-régions, on trouve le réseau intercantonal de coopération économique (ACCES), qui réunit les cantons de Suisse occidentale et latine (c'est-à-dire les cantons romands + Berne + Tessin) ; l'espace économique du Plateau Central, dit Espace Mittelland (Berne + Fribourg + Neuchâtel + Soleure et Jura) ; la région lémanique sur la base d'un rapprochement entre les cantons de Vaud et de Genève, voire le Valais, sur des dossiers toujours plus nombreux et, en 1993, la Conférence régionale des gouvernements cantonaux de Suisse occidentale (Vaud + Genève + Valais + Jura + Neuchâtel + Fribourg + Berne).

23. Pour éclairer ce double processus, le cas de l'Espace Mittelland apparaît exemplaire. Sa rapide émergence a en premier lieu provoqué un effet pulvérisateur sur la Suisse romande en l'écartelant en deux sous-systèmes, l'un lémanique en voie de métropolisation et l'autre du Plateau Central (Mittelland). Ce dernier est bilingue et réunit aussi des cantons catholiques et protestants, économiquement forts et faibles, avant de produire un effet fédérateur amenant, selon des modalités diverses, les cantons de Vaud et du Valais à se rapprocher de Mittelland, phénomène qui a pour conséquence de rejoindre approximativement les frontières de la Suisse occidentale.

24. Les premières mesures mises en place dans le courant des années 70 (loi sur les investissements dans les régions de montagne en 1974 et arrêté Bonny pour les régions de monostructure industrielle souffrant de la récession économique de 1978) avaient pour but d'aider les régions en difficulté. En 1994, ces dernières mesures ont été révisées pour intégrer de nouvelles zones touchées par la crise économique.

alors que les macro-régions cherchent à s'adapter au jeu de la concurrence mondiale. Elles s'organisent pour améliorer la compétitivité de territoires intercantonaux face aux enjeux de la mondialisation.

Outre les régions transfrontalières et les micro-régions, la notion de région s'associe également en Suisse aux cantons et ramène ici à la politique régionale européenne, puisque les cantons siègent au même titre que les collectivités régionales européennes dans les instances du Conseil de l'Europe prévues à cet effet ou dans son giron (par exemple l'Assemblée des régions d'Europe) et dans les communautés de travail transfrontalières. Par contre, du point de vue de la politique régionale helvétique, les cantons ne constituent pas un niveau régional. Ils participent, pour les zones micro-régionales éventuellement concernées, à la mise en œuvre de la politique régionale de la Confédération et ils peuvent posséder leur propre politique régionale qui touche aussi des micro-régions.

En résumé, l'avènement de ces grandes régions renouvelle le fonctionnement du fédéralisme traditionnel à plusieurs titres. Il ne crée pas de nouvelles instances supracantonales, mais renforce la collaboration intercantonale. Il rend compte aussi du rôle croissant du niveau cantonal dans la mise en œuvre des politiques publiques en général et dans l'initiation et la conception de nouvelles politiques régionales en particulier. La décision du Conseil fédéral, dans la reformulation de la politique transfrontalière suisse citée plus haut, d'accorder à l'avenir davantage d'importance aux grandes régions entérine cette tendance lourde. Mais elle signale tout autant la volonté de la Confédération d'approfondir sa collaboration avec les cantons dans le sens d'une concertation plus soutenue. Le renforcement du Groupe de contact confédération/cantons dans le contexte de la votation sur l'EEE, la naissance en 1993 de la Conférence des gouvernements cantonaux, de même que le rôle actif joué au cours de cette période par le Groupe des cantons frontaliers limitrophes de la France fournissent d'autres preuves des nouvelles interdépendances et complémentarités qui se créent dans le cadre du fédéralisme suisse.

A cet égard, la constitution des macro-régions poursuit également l'affirmation progressive de nouveaux systèmes de décision à géométrie variable, plus pluralistes et polycentriques où la gestion de chaque problème s'exerce sur des espaces variables et élargis qui mobilisent des compétences et des acteurs différents et plus nombreux[25].

_____

25. Pour illustrer ces mécanismes, on peut citer pour la création d'une Haute Ecole Supérieure (HES) la Suisse romande, pour la défense du Tunnel du Lötschberg la

Axé sur un traitement multi-territorial des problèmes, le fonctionnement de ces macro-régions est également de nature à régénérer le fédéralisme suisse dans ce sens qu'il tend à réconcilier les espaces fonctionnels et les territoires institutionnels que les différentes formes de mobilités alliées à la stabilité de la structure territoriale institutionnelle helvétique avaient fortement dissociés. Ces connexions ponctuelles ou variables des espaces constituent en tous les cas un nouvel instrument de collaboration et de négociation entre les différents niveaux de réflexion, de décision et d'action du fédéralisme suisse. En cela, elles sont susceptibles de favoriser la cohésion socio-économique, politique et spatiale du pays en instaurant des mécanismes d'apprentissage plus collectifs des problèmes et des solutions à y apporter. Potentiellement, elles préfigurent une meilleure intégration, ou tout du moins une meilleure participation, des régions suisses à la politique régionale européenne, notamment dans le cadre d'INTERREG.

Ces évolutions dans le fonctionnement du fédéralisme, par leur pragmatisme, demeurent certes incertaines sauf, on peut le penser, en matière de coopération transfrontalière où le double processus de désenclavement externe et interne, qui a conduit la Confédération à réinvestir le champ de cette politique et les cantons à se redéployer sur des échelles régionales et transfrontalières, marque bel et bien une redéfinition des compétences entre la Confédération et les cantons.

Conclusion : les limites de la coopération régionale transfrontalière

On a constaté l'apparition puis l'élargissement d'espaces transfrontaliers producteurs de nouvelles centralités et de déséquilibres socio-économiques. Il faut également relever une prise de conscience collective grandissante de l'existence de régions fonctionnelles transfrontalières, de situations et de problèmes transfrontaliers. Pour tenter de gérer les conséquences de l'existence de ces régions transfrontalières, différentes structures et types de collaborations transfrontalières ont vu le jour. Plus globalement, au double mouvement de fragmentation et d'unification du territoire a correspondu une recomposition des espaces de la décision helvétique, c'est-à-dire des mécanismes d'adaptation de l'échelle de la décision à l'échelle des problèmes, qui ont impliqué l'ensemble des niveaux territoriaux du fédéralisme suisse. De façon à la fois sépa-

---

Suisse occidentale au sens large, pour les hôpitaux universitaires les cantons de Vaud et de Genève, pour la promotion économique la Suisse occidentale et latine et pour l'organisation de l'Exposition nationale de 2001 les cantons des Trois lacs.

rée et entrecroisée, et en fonction d'enjeux différents, voire contradictoires, sectoriels et territoriaux, les cantons et la Confédération ont redéfini leurs modes et modalités de coopération, à travers la mise en place de nouveaux instruments de gestion publique à géométrie variable avec, pour objectif commun, le renforcement de la CRT.

En opérant un décloisonnement des frontières intérieures de la Suisse et en définissant une stratégie de désenclavement externe du pays, cantons et Confédération ont notamment abouti à la multiplication d'ambitions et de projets transfrontaliers. En tous les cas, il y a bel et bien eu définition d'un nouveau cadre d'intervention en matière transfrontalière et évolution dans les fonctions attribuées aux frontières. Mais d'aucuns constatent des décalages importants entre intentions et actions transfrontalières, mais aussi entre réalisations transfrontalières et besoins exprimés en la matière. Les réunions organisées et patronnées par les multiples institutions transfrontalières se sont certes multipliées, mais elles n'ont que rarement produit de véritables politiques transfrontalières.

Aujourd'hui, en effet, au niveau de leur ampleur, les projets et échanges transfrontaliers tardent à trouver un deuxième ou un troisième souffle pour des raisons qui ne tiennent pas qu'au refus de l'EEE. Les diverses expériences transfrontalières ont en particulier révélé une série d'obstacles et de freins à la concrétisation de projets transfrontaliers. Ces résistances sont fortes car de nature à la fois politique, institutionnelle, économique, sociale et culturelle. En effet, la reconnaissance de déséquilibres socio-économiques de part et d'autre des frontières nationales — donc un intérêt commun potentiel des zones frontalières à les résoudre — et la définition de stratégies de coopération ne suffisent pas à concrétiser des projets transfrontaliers lorsque des systèmes socio-politiques et culturels distincts séparent leur territoire d'intervention.

La définition des frontières comme lieux de projets et d'ouverture ne débouche pas nécessairement sur la diminution des multiples différences que cristallise une frontière. Car une frontière nationale ne représente assurément pas seulement un lieu symbolique de délimitation de deux contraintes légitimes, elle distingue aussi des systèmes de valeurs, de compétences, de normes, de traditions et un rapport à l'Etat et aux frontières différents. La CRT se construit justement à partir de ces différences qui peuvent être transformées en complémentarités, mais ces dernières nécessitent néanmoins harmonisation et coordination. Or, précisément, le problème de l'harmonisation et de la coordination des différents intérêts qui s'expriment aux différentes échelles touchées par le transfrontalier a ceci de complexe qu'il touche aux fondements mêmes de l'Etat. Il ne peut ainsi être réglé qu'à travers la réunion de véritables dynamiques socio-politiques et culturelles qui ne sont pas données *a priori* par la contiguïté de deux zones frontalières. Il oblige donc à entreprendre un travail important d'apprentissage et de dépassement des tropismes locaux, régionaux et nationaux.

On a souligné plus haut que les forces de la CRT fondaient également ses limites. La diversité et la géométrie variable caractéristiques de l'organisation et du fonctionnement des institutions chargées de la coopération franco-genevoise apparaissent en *effet a priori* comme les garants d'une régulation adaptée et adaptable aux problèmes transfrontaliers, par nature évolutifs et multi-échelles. Ils composent aussi une pluralité qui devrait être favorable à l'innovation. Or, ces caractéristiques ont induit une concurrence plutôt qu'une complémentarité entre ces institutions, des conflits d'intérêts et des divergences de représentations plutôt que des synergies, une dispersion plutôt qu'une optimisation des efforts et des ressources, et le maintien d'un conservatisme plutôt que la formation de consensus progressistes.

Par exemple, les zones de recoupement des espaces que couvrent les institutions transfrontalières franco-genevoises sont suffisamment nombreuses pour que l'on s'interroge sur la pertinence et l'utilité des trois institutions distinctes que sont le Comité régional franco-genevois, la Communauté de travail des régions des Alpes occidentales et le Conseil du Léman. Outre leurs pouvoirs exclusivement consultatifs, on remarque surtout une absence de répartition claire des rôles entre ces mêmes institutions. Elles s'occupent souvent de domaines identiques sans qu'il y ait, semble-t-il, une réelle coordination de leurs travaux. De plus, même si ces institutions peuvent regrouper en partie les mêmes autorités et organismes, leur composition varie d'une institution à l'autre. Elles ont ainsi tendance à défendre des intérêts géostratégiques et politiques particuliers, ce qui rend difficile l'instauration d'un véritable arbitrage et pilotage de politiques transfrontalières. Sans compter le déficit démocratique des institutions transfrontalières : alors qu'elle se veulent proches de préoccupations et de besoins locaux, les communes n'en font par exemple que rarement partie et les populations concernées ne sont pas consultées (Braillard et Guindani, 1995).

A ce déficit démocratique s'ajoute un certain nombre de déséquilibres et d'asymétries qui neutralisent une coopération transfrontalière globale et performante ; asymétrie des compétences et des pouvoirs des acteurs suisses et français d'abord. Genève et les cantons suisses en général détiennent l'essentiel des compétences décisionnelles et financières dans les domaines couverts par le transfrontalier. Les régions françaises et *a fortiori* les départements doivent au contraire toujours obtenir le soutien de l'Etat central avant d'intervenir, et ce malgré la décentralisation. Or, l'Etat français, à l'instar par ailleurs de la Confédération helvétique, ne siège pas d'office dans les institutions de coopération transfrontalière franco-suisses. Cet éclatement des niveaux de décision du côté français signifie assurément lourdeur des procédures, conflits d'intérêts et par là même blocages des décisions. Par contre, l'Etat français, notamment par son intégration européenne, est plus fort que son équivalent helvétique, même si le retour de la Confédération dans le concert transfrontalier devrait quelque peu réduire cette asymétrie.

Au niveau économique, l'agglomération transfrontalière genevoise est organisée selon un modèle centre-périphéries où la ville de Genève exerce un rôle dominant et structurant sur le développement des communes françaises voisines. Cette domination de Genève, à la fois économique, financière et technique, provoque néanmoins des mouvements de résistance à l'expansion du centre de la part des périphéries, des mouvements d'affirmation de pôles urbains périphériques, comme Annemasse, contre Genève. Ceux-ci entretiennent une logique de concurrence entre les espaces infrarégionaux où la frontière sépare plutôt que réunit deux visions du développement économique. Ce frein à la coopération rejoint le paradoxe qui veut qu'aux tendances intégratrices ou centripètes du transfrontalier correspondent des tendances désintégratrices ou centrifuges.

Une des clefs problématiques de la coopération transfrontalière réside enfin dans l'existence d'une identité commune de part et d'autre de la frontière. Or jusqu'ici, les comportements des acteurs de la CRT restent fortement marqués par les valeurs, les mentalités et les traditions de leurs espaces de référence locaux, régionaux et nationaux, ainsi que par les rapports à l'Etat et aux frontières[26]. Autrement dit, l'harmonisation et la coordination des différents intérêts qui s'expriment à travers la CRT demeurent limitées, voire bloquées, par l'existence d'identités et de cultures politiques nationales distinctes. Ces différences engendrent des diversités de représentations sociales qui constituent autant de freins à la coopération transfrontalière.

Les institutions transfrontalières s'apparentent ainsi à des acteurs caractérisés par une certaine «hétéronomie normative»

---

26. Sans sous-estimer le rôle de la frontière dans l'idéologie nationale et l'imaginaire collectif français depuis 1789 (Foucher, 1986), il semble en effet vraisemblable qu'un petit pays comme la Suisse se montre plus sensible à la question de la frontière, même si, par son fédéralisme, il apparaît plus ouvert à celle du transfrontalier.

(Muller, 1992 : 287) qui favorise certes une réagrégation et une représentation d'intérêts anciens et nouveaux. Mais, pour l'heure, ces derniers ne parviennent pas à se dégager de leurs référentiels étatiques et culturels qui restent dominants. *In fine*, leurs stratégies et leurs objectifs demeurent ceux des sujets qui les ont créés. On ne peut toutefois pas exclure que, sur la durée, s'opèrent des mécanismes d'apprentissage réciproque et se façonnent des normes et des représentations régionales communes qui se conjugueraient avec des processus d'identification et de démocratisation transfrontalières.

Bibliographie

BALME R., GARRAUD P., HOFFMANN-MARTINOT V., RITAINE E., *Le territoire pour politiques : variations européennes*, Paris, L'Harmattan, 1994.

BRAILLARD P., GUINDANI S., «Pour une démocratisation de la politique régionale transfrontalière. Le cas de la région franco-genevoise», *Vie économique*, 3, 1995, pp. 24-35.

CASSESE S., «Etats, régions, Europe», *Pouvoirs*, 19, 1981, pp. 19-26.

COURLET C., «La frontière : coupure ou couture ? Approches de théorie économique», *Economie et humanisme*, 301, 1988, pp. 5-12.

CREVOISIER O., MAILLAT D., *Quel développement pour l'Arc jurassien ?*, Neuchâtel, EDES, 1995.

DURAND M-F, LEVY J., RETAILLE D., *Le monde, Espaces et systèmes*, Paris, Presse de la FNSP, 1992.

EPPLE-GASS R., «Dreyeckland oder Zukunftsraum Regio: Zum Europabewusstsein in der Region Basel», *Schweizerisches Jahrbuch für Politische Wissenschaft*, 32,, 1992, pp. 141-165.

FOUCHER M., «L'invention des frontières : un modèle géopolitique français», *Hérodote*, 40, 1986, pp. 54-88.

GAUDIN J-P., «Politiques urbaines et négociations territoriales. Quelle légitimité pour les réseaux de politiques publiques ? », *Revue française de science politique*, 1, 1995, pp. 31-56.

HUSSY C., *Atlas du bassin genevois et de la région lémanique*, Genève, Association de l'Encyclopédie de Genève, 1994.

JOUVE B., *Urbanisme et frontières : le cas franco-genevois*, Paris, L'Harmattan, 1994.

JOYE D., BUSSET TH., SCHULER M., «Clivages et différenciations géographiques de la Suisse», *in* P. Hugger (éd.), *Les Suisses, Modes de vie, traditions, mentalités*, t. 2, Lausanne, Payot, 1992, pp. 661-676.

LE GALÈS P., THATCHER M. (éd.), *Les réseaux de politique publique, Débat autour des «policy networks»*, Paris, L'Harmattan, 1995.

LERESCHE J.-P., *La Franche-Comté réinventée, La décentralisation en pratique (1982-1986)*, Berne, P. Lang, 1991.

LERESCHE J.-P., «L'Etat et la coopération transfrontalière : un mode complexe d'adaptation à l'Europe» *in* J.-P. Leresche et R. Levy (éd.), *La Suisse et la coopération transfrontalière : repli ou redéploiement ?*, Zurich, Seismo, 1995, pp. 19-47.

LERESCHE J.-P., «Enclavement et désenclavement : la Suisse et la coopération régionale transfrontalière», *Revue internationale de politique comparée*, 3, 1995, pp. 485-504.

LERESCHE J.-P., JOYE D., BASSAND M. (éd.), *Métropolisations : interdépendances mondiales et implications lémaniques*, Genève, Georg, 1995.

MÉNY Y. (éd.), *La réforme des collectivités locales en Europe*, Paris, La Documentation Française, 1984.

MULLER P., «Entre le local et l'Europe, la crise du modèle français de politiques publiques», *Revue française de science politique*, 2, 1992, pp. 275-297.

OEPR-ROREP, *A l'heure de l'Europe de 1993 : Propositions pour une approche stratégique de la politique régionale en Suisse*, Berne, P. Lang, 1992.

PAPADOPOULOS Y., *La Suisse : un "Sonderfall" pour la théorie politique ?*, Lausanne, UNIL, Coll. Travaux de science politique, 2, 1991.

RAFFESTIN C., «Eléments pour une théorie de la frontière», *Diogène*, 134, 1986, pp. 3-21.

RAFFESTIN C., GUICHONNET P., HUSSY J., *Frontières et sociétés : le cas franco-genevois*, Lausanne, L'Age d'Homme, 1975.

RATTI R., *Regioni di frontiera*, Lugano, 1991.

RICQ C. et al., *Les régions frontalières et l'intégration européenne*, Livre blanc de l'Assemblée des régions d'Europe, Saragosse, 1992.

SAINT-OUEN F., «La coopération régionale transfrontalière, Expression du fédéralisme en mouvement» *in* M. Méheut (éd.), *Le fédéralisme est-il pensable pour une Europe prochaine ?*, Paris, Editions Kimé, 1994, pp. 113-128.

SCHULER M., *Délimitation des agglomérations en Suisse 1980*, Berne, IREC/OFS, 1984.

SCHULER M., *Hintergrÿnde zu den Entwicklungstendenzen im Grenzraum D-CH*, Rapport de recherche, Berne, OFAT, 1984.

SCIARINI P., «La Suisse dans la négociation sur l'Espace économique européen : de la rupture à l'apprentissage», *Annuaire suisse de science politique*, 32, 1992, pp. 297-322.

SMITH A., «Les idées en action : le référentiel, sa mobilisation et la notion de *policy network*» *in* A. Faure, G. Pollet, P. Warrin (éd.), *La construction du sens dans les politiques publiques, Débats autour de la notion de référentiel*, Paris, L'Harmattan, 1995, pp. 103-124.

VASSEUR J.-F., «Le cadre européen des politiques régionales d'aménagement du territoire» *in* F. Rangeon, *Les politiques régionales*, Paris, PUF, 1993, pp. 131-145.

La coopération inter-régionale dans la transition politique en Europe centrale et orientale

par *Jacek Wódz*

Depuis 1989, le grand changement politique survenu en Europe centrale suscite beaucoup d'intérêt parmi les hommes d'affaires, les personnalités politiques, ou encore des journalistes occidentaux. Dans un certain sens, c'est un «nouveau monde» qui apparaît sur la carte du continent. La disparition du bloc soviétique a fait naître dans cette partie de l'Europe de nouvelles opportunités mais aussi de nouveaux défis.

Le premier problème qui se pose, lorsque l'on veut étudier le sort des régions et de la coopération inter-régionale dans cette partie du continent, consiste à savoir de quoi l'on parle exactement. Il convient de déterminer, en effet, s'il s'agit de l'Europe centrale, de l'Europe centrale et orientale ou des ex-pays de l'Est.

L'Europe centrale est une notion historique, liée étroitement à l'idée de la création d'une zone d'influence germanique (Hobsbawm, 1993-1994). Largement oublié après la Seconde Guerre mondiale, ce concept vient de renaître, notamment au début des années 90, sous la forme d'une coopération inter-régionale aux frontières orientales de l'Allemagne. L'Europe centrale et orientale correspond, quant à elle, à une vision géopolitique chère à certains auteurs français, englobant des territoires de l'Europe centrale, la partie européenne de l'ex-URSS et les Balkans. Il n'est que de considérer l'exemple de l'ex-Yougoslavie ou la situation des nouveaux pays indépendants dans les territoires de l'ex-URSS pour voir combien les problèmes des régions y sont complexes. Enfin le concept des ex-pays de l'Est (de moins en moins utilisé, sauf dans des recherches en provenance de l'ancienne soviétologie américaine) est une donnée purement politique qui englobe les pays satellites de l'ex-URSS.

Dans ce chapitre, nous allons essayer d'analyser le problème de la coopération inter-régionale en Europe centrale et dans une certaine partie de l'Europe orientale. Pour différentes raisons, il nous est impossible de parler de l'ex-Yougoslavie, de la Moldavie, des Pays baltes, des régions frontalières entre l'Ukraine et la Biélorussie et de bien d'autre régions de la partie occidentale de l'ex-URSS. Nous centrerons notre attention surtout sur les pays du groupe de Visegrad (Deszczynski, Szczepaniak, 1995).

Avant d'aborder le sujet central de cet article, nous souhaiterions évoquer quelques traits caractéristiques de l'Europe centrale et orientale, en soulignant notamment le fait que les frontières des États y ont été établies au XXe siècle par deux sortes d'arrangements internationaux, à savoir le traité de Versailles et la conférence de Yalta, sans que l'avis des peuples concernés ait été sollicité. À la suite de ces deux arrangements, l'Europe centrale et orientale a connu d'énormes vagues d'émigration et le déplacement de grandes masses de populations.

En conséquence de ces deux processus, cette zone du continent se caractérise par l'existence de nombreuses minorités nationales, culturelles et religieuses. Et certaines régions situées près des frontières étatiques connaissent différents problèmes quant à leur autodéfinition (Wodz,1994).

Ces divers éléments compliquent fortement le développement de la coopération inter-régionale, d'autant plus qu'en Europe centrale et orientale, il existe des régions frontalières, des régions proprement transfrontalières, et enfin des régions à caractère transfrontalier.

En deux mots, les régions frontalières sont situées près de la frontière étatique et, en général, se caractérisent par un certain chauvinisme provenant du temps du totalitarisme, quand les frontières ont été fermées. Les régions transfrontalières sont de vieilles régions historiques, coupées en deux (ou en trois) par les frontières des États, mais elles gardent les traits culturels d'une région transfrontalière, comme par exemple en Haute-Silésie (Wódz,1990). Toutefois, cela ne signifie pas la fin des complications pour la définition des régions en Europe centrale et orientale. Il ne faut pas oublier que presque cinquante ans de régime soviétique, sur une grande partie de l'Europe centrale et orientale, ont laissé des traces importantes. L'économie planifiée, la fermeture des frontières, un sentiment de méfiance à l'égard des voisins, et bien d'autres éléments du système totalitaire ont fait que toute forme de coopération transfrontalière n'y est pas facile.

Une des conséquences de la «révolution pacifique» de 1989-1990 a été une renaissance du sentiment d'appartenance régionale (Wódz, 1994), à la suite de laquelle nous observons actuellement de nombreuses revendications identitaires dans des régions qui se révoltent contre l'État centralisé. Voilà pourquoi l'on parle, en Europe centrale et orientale, d'une «question régionale». L'éveil du sentiment d'appartenance régionale se traduit dans de multiples cas par l'émergence de problèmes sociaux et politiques, aussi bien intérieurs qu'internationaux. Au plan interne, on assiste au bouleversement des structures de l'État par des revendications autonomistes, alors que dans le cas des régions où résident des minorités nationales, culturelles ou religieuses s'affirment des enjeux internationaux.

Tout cela nous permet de constater que le retour à la démocratie en Europe centrale et orientale signifie l'ouverture de nouvelles opportunités pour la coopération inter-régionale. Mais en même temps, ce retour soulève pour les acteurs politiques de nombreuses difficultés. Étant donné cet état de fait, la représentativité de notre analyse ne pourra pas être considérée de la même manière que dans les études des régions en Europe occidentale. A l'analyse structurelle, il faut substituer une description de la dynamique politique, économique et sociale, qui rend possible la coopération inter-régionale.

Pour terminer cette introduction, il faut souligner qu'en Europe centrale et orientale on observe actuellement un processus de formation d'une conscience régionale (certains auteurs parlent d'une «identité régionale inachevée»). La coopération inter-régionale peut jouer un rôle important dans la dynamique de ce processus.

I. Facteurs institutionnels, forces politiques et acteurs sociaux

En Europe centrale et orientale, l'héritage du système totalitaire a fait place à un certain vide politique. Au début des années 90 sont apparues, dans cette partie du continent, de multiples initiatives de coopération inter-régionale. On peut ainsi trouver des accords pluri-étatiques, des accords bilatéraux entre deux États, des implantations de modèles de coopération inter-régionale provenant de l'Europe occidentale, des initiatives provenant des régions elles-mêmes, ou enfin des institutions issues de communes ou de regroupements de communes.

Avant de passer à la description de ces différents modèles, il convient de souligner une des caractéristiques de l'Europe centrale et orientale. Ici, par rapport à la réalité politique de l'Europe occidentale, davantage d'initiatives concernant les régions émanent du pouvoir central. C'est là l'héritage de l'État centralisé, et même souvent très centralisé, qui existait dans cette partie de l'Europe depuis la fin de la Seconde Guerre mondiale. Il ne faut donc pas s'étonner que, même dans un domaine tel que la coopération inter-régionale, le signal de départ soit souvent donné par l'État. Ceci se vérifie, notamment, pour les accords pluri-étatiques, tels que la création du groupe de Visegrad, ou l'Initiative centre-européenne, qui ont créé des facilités d'échanges de marchandises entre les pays concernés[1]. Dans chaque cas, les cadres institutionnels sont institués par des accords pluri-gouvernementaux, mais ils s'appliquent à l'ouverture de relations inter-régionales qui sont facilitées par l'abolition des entraves existantes, ou par l'encouragement des échanges, principalement entre les régions frontalières.

Les accords bilatéraux entre États, qui ouvrent la coopération inter-régionale essentiellement entre des régions frontalières, sont assez fréquents, en particulier entre les nouveaux États issus de l'éclatement de l'URSS. Nous pouvons citer à titre d'exemple des accords entre la Lituanie et la Pologne. Ce type d'accord reflète la réalité socio-politique de ces pays. La société civile y est peu développée, les structures étatiquse sont fortement centralisées et dans la conscience sociale de leurs citoyens, tout ce qui passe par leurs capitales est plus important, voire plus stable, plus sérieux, même si, dans le contenu de ces accords, il est question d'arrangements concernant uniquement certaines régions frontalières. Tel est l'exemple de la coopération relative à la langue lituanienne dans la région frontalière de Hojuy (en voïvodie de Suwlki), où à la minorité lituanienne en Pologne. L'accord bilatéral entre ces deux États porte sur l'échange d'enseignants dans les régions frontalières.

Le troisième cas de figure (l'implantation de modèles provenant de l'Europe occidentale) est surtout fréquent aux frontières de l'Allemagne et de ses voisins du Sud-Est et de l'Est (Charpentier, Engel, 1992) avec les «eurorégions». Mais il faut souligner aussi une

---

1. Le groupe de Visegrad associe la Tchécoslovaquie, puis la République Tchèque et la Slovaquie, la Hongrie et la Pologne. L'Initiative centre-européenne rassemble les mêmes pays ainsi que l'Autriche, l'Italie et la Slovénie. Il a contribué au règlement du contentieux entre l'Italie et la Slovénie permettant l'adhésion de cette dernière au Conseil de l'Europe.

tentative de créer une «quasi-eurorégion» des Carpates, entre la Pologne, l'Ukraine, la Slovaquie et la Roumanie. Dans le cas des eurorégions, l'initiative est toujours venue de l'Allemagne. Et les cadres institutionnels ont été créés par les instances régionales elles-mêmes. Il en va de même pour la «quasi-eurorégion» des Carpates; toutefois, dans ce dernier cas, ces cadres restent très flous. Nous analyserons le problème du fonctionnement de ce type de régions un peu plus loin. Mais nous tenons à souligner ici que, vu l'importance des facteurs politiques en Europe centrale et orientale, les eurorégions y sont présentées souvent comme une tentative d'élargissement de la zone d'influence allemande.

Quant aux initiatives venant des régions elles-mêmes (quatrième cas de figure), elles sont de plus en plus fréquentes. Il faut voir dans cette évolution la présence de la dynamique régionale et une ouverture vers de nouvelles formes de coopération. On peut distinguer, à ce niveau, trois types de coopération:

- Tout d'abord de grandes initiatives générales à caractère stable. Ainsi pouvons-nous citer, à titre d'exemple, le «plan de Stolpe». Il s'agit d'une initiative du Premier ministre du Land allemand du Brandebourg, M. Manfred Stolpe, qui vise à créer les cadres institutionnels d'une très large coopération entre les régions frontalières des deux côtés du fleuve Oder, constituant la frontière entre l'Allemagne et la Pologne.

- Ensuite des initiatives stables, mais limitées à des sujets de coopération bien définis. Elles sont assez fréquentes et portent souvent sur les problèmes d'échanges économiques dans la zone frontalière, sur des problèmes écologiques, sur le réseau routier, etc.

- Enfin des initiatives *ad hoc* qui peuvent se stabiliser en cas de coopération fructueuse. Il serait difficile d'énumérer les multiples cas où la coopération part de la recherche d'une solution à un problème concret. Après 1989-1990, quand les nouvelles règles de la vie politique et économique ont été établies dans les zones frontalières des anciens «pays socialistes», les instances régionales ont été très souvent confrontées à des problèmes qu'elles ne savaient pas résoudre. L'exemple de deux villes frontières, Zgorzelec (en Pologne) et Gorlitz (en Allemagne), est à cet égard très significatif. A partir de la solution du problème posé par le poste frontière, les deux villes ont ouvert une coopération qui s'est élargie, ensuite, à des régions des deux côtés du fleuve frontalier, la Neisse.

Dans ce type de coopération, il importe de souligner l'efficacité des nombreuses actions d'aide au développement apportées aux régions de ces nouvelles démocraties par des régions de l'Europe occidentale. Dans les années 1989-93, de nombreuses régions de pays de l'Europe occidentale ont proposé leur «savoir-faire» à des régions de la Pologne, de la Hongrie, de la Tchécoslovaquie, démontrant l'efficacité de la coopération inter-régionale pour la solution de problèmes concrets. Tel fut, par exemple, le cas des régions minières, qui sont entrées assez vite en coopération, comme la Haute Silésie et le nord de la France. Souvent ce type de coopération a consisté, dans un premier temps, à aider à la solution d'un problème concret. Mais, dans de nombreux cas, il a signifié l'amorce d'une coopération plus stable. On peut même dire que des coopérations inter-régionales stables se sont constituées très vite quand les partenaires occidentaux avaient déjà connu les problèmes auxquels sont confrontées actuellement des régions de l'Europe centrale et orientale. Il en va précisément ainsi des vieilles régions industrielles.

En dernier lieu, les initiatives émanant de communes ou de rassemblements de communes ne sont pas très fréquentes. Mais elles forment occasionnellement le berceau de la future coopération inter-régionale. Tel fut le cas de la coopération entre la commune polonaise et la commune tchèque dans la ville de Cieszyn (Tesin), ville transfrontalière coupée en deux par le fleuve Olza qui constitue la frontière. On peut aussi citer l'exemple des communes de la vieille région historique de Haute-Silésie, dont à peu près 90% du territoire se trouvent en Pologne et 10 % en République tchèque (Wódz, 1993), et qui ont créé le Regroupement «Communes de la Haute-Silésie». Sans demander l'avis de Varsovie ni de Prague, ces communes ont institutionnalisé leur coopération en désignant un exécutif et même un président du Regroupement. Elles s'occupent surtout de la coopération culturelle qui devient réellement de plus en plus fructueuse. Tout semble indiquer que, dans quelque temps, cette initiative des communes se transformera bientôt en une coopération plus large.

Essayons maintenant d'identifier les forces politiques et les acteurs sociaux impliqués dans la coopération inter-régionale en Europe centrale et orientale. Dans cette partie du continent, la «révolution pacifique» signifiait un changement de statut du citoyen. Mais si les libertés publiques sont apparues, les mentalités sont restées plus stables, car elles changent moins vite. Il est donc normal que, dans un premier temps, ce soient uniquement des acteurs liés à l'opposition anti-totalitaire qui aient pu avoir l'idée de créer une action sociale, politique ou économique partant du bas (dans notre cas, de la base régionale), sans demander l'agrément du pouvoir central. Il allait de soi que les premières forces politiques et les premiers acteurs de la coopération inter-régionale fussent liés avec les cercles d'opposition. Cela signifiait aussi que ce type d'action s'inscrivait dans le cadre d'un pouvoir centralisé (voire un pouvoir communiste). Cette association entre les premières tentatives d'action à la base et une prise de position politique va peser, au début des années 1990, sur la définition des acteurs de la coopération inter-régionale. Le vide politique, après le départ de la *nomenklatura* communiste, se fit alors ressentir surtout au niveau local et régional. Les acteurs de l'opposition, très souvent dépourvus d'expérience d'action politique constructive, définissaient ainsi toute coopération en termes politiques, par rapport à leurs buts politiques de lutte anti-totalitaire.

Cette remarque est importante, car dans les années 1993-1995, quand un certain pragmatisme est revenu sur la scène politique des nouvelles démocraties, les premiers acteurs de la coopération se sont sentis abandonnés, et leurs positions ont diminué sensiblement. Ils ont été remplacés par de jeunes ex-communistes, bien formés et surtout très pragmatiques.

Dans tous les pays ex-communistes de l'Europe centrale et orientale, il s'est ainsi constitué, dans les années 1990-1993, un mouvement connu sous le nom de «mouvement autogestionnaire». Dans les premières années 90, au niveau national, ont eu lieu dans ces pays de grands débats politiques et idéologiques. Les luttes entre leaders politiques et la politisation de la vie quotidienne sont vite devenues insupportables. Au niveau local, cette situation était très mal jugée. Les premières élections communales, organisées alors, ont fait apparaître sur la scène politique locale différents groupes, associations, mouvements d'action locale, qui se sont eux-mêmes définis comme «autogestionnaires», dans un sens qui voulait dire «en dehors de ces querelles politiques, des grands débats des partis politiques. Ce mouvement se limitait uniquement aux actions locales. Politiquement parlant, il était une réaction au manque de structuration des forces politiques au niveau national. C'était un rejet de l'idée d'un État centralisé, et une recherche de gens pragmatiques qui, oubliant les grands débats idéologiques, voulaient s'unir pour «faire quelque chose» pour la société locale, pour la commune. De ce mouvement proviennent actuellement en majorité les acteurs de la coopération inter-régionale. Cela explique l'apparition de deux visions différentes de cette coopération : celle qui débute par des accords pluri-étatiques ou des accords bilatéraux entre Etats, et celle qui naît à la base, c'est-à-dire au niveau régional ou communal.

Nous avons évoqué plus haut les différentes actions d'aide apportées par des régions de l'Europe occidentale à celles des nouvelles démocraties. Dans ce cas de figure, un élément important a été la formation de nouveaux cadres pour de nouvelles formes de coopération inter-régionale. Cette aide, reprise ensuite par différents organismes et associations (associations d'amitié, de jumelage et autres), mais aussi par d'importantes fondations (telle que l'Association France-Pologne et la Fondation allemande Friedrich Ebert, fondée par le SPD et subventionnée par le gouvernement fédéral), a donné comme résultat la création de modes stables de formation des élus locaux. Ce qui est caractéristique de cette forme d'aide occidentale, c'est que, pour une grande part, elle est plus proche du «mouvement autogestionnaire» que du courant des partis politiques. Au fur et à mesure que les nouvelles structures de représentation démocratique se sont créées au niveau local et régional, et que le courant «autogestionnaire» s'est établi dans les structures locales, sont apparus des groupes d'intérêt économiques (comme par exemple la Chambre de commerce de la Haute-Silésie, l'Union des communes montagnardes à la frontière polono-slovaque, etc.). Ce processus de formation de groupes d'intérêt n'est pas encore terminé, et il serait difficile de le décrire de façon définitive. Néanmoins, il est important de souligner qu'ils commencent à jouer un rôle prépondérant dans le passage d'une coopération de type politique, social ou culturel, à une coopération de type économique.

Dans cette dynamique de formation des institutions et des cadres de la coopération inter-régionale, il faut indiquer le rôle des secondes élections locales qui se sont déroulées dans différents pays de cette partie de l'Europe, au cours des années 1993-1995. Lors des campagnes qui ont précédé ces élections est apparu un élément structurant de la future coopération inter-régionale. Il s'agit de son incorporation dans les programmes de différents partis, groupements et même de comités électoraux *ad hoc*. Psychologiquement, il était très important de voir apparaître ces éléments de coopération inter-régionale, d'abord comme quelque chose d'évident, puis devenant une composante des programmes locaux ou régionaux. Cela signifie au moins que les différentes représentations politiques se sont habituées à des modes de fonctionnement incluant cette coopération.

Cette présentation des institutions, des forces politiques et des acteurs de la coopération inter-régionale en Europe centrale et orientale ne représente qu'une esquisse de la situation au milieu des années 90. En effet, la dynamique de la formation et de la structuration de cette coopération est si forte qu'elle ne nous permet pas d'en dresser ici un véritable bilan, même provisoire.

II. Coopération inter-régionale et intégration européenne

L'intégration dans l'Union européenne constitue, pour tous les pays de l'Europe centrale et orientale, un des piliers (le second étant leur entrée dans l'OTAN) de leur politique étrangère. En 1989-1990, la volonté d'intégration n'était qu'un slogan politique, souvent vide de tout contenu réel. Mais dès le début des années 90, les dirigeants de ces pays se sont rendu compte qu'à côté des déclarations politiques, il fallait rapidement instaurer différentes actions sociales ou économiques susceptibles, pour l'avenir, de rendre plus efficace la coopération avec les pays membres de l'Union. Une simple analyse géopolitique indique que les pays de la zone anciennement soviétique voisinent avec un des plus grands pays de l'Union, l'Allemagne. Il était donc évident que c'était elle qui servirait de référence. Bien sûr, les voisins de l'Autriche regardent aussi vers cet État, et les nouveaux Pays baltes vers les pays scandinaves. Nous ne parlerons pas ici de l'influence de l'Italie sur la Slovénie car, dans ce cas, les relations bilatérales ne sont pas toujours très bonnes. Mais il est important de souligner que l'Allemagne, par la réalisation de projets très concrets, joue un rôle de pionnier dans la coopération entre les pays membres de l'Union et l'Europe centrale et orientale.

En parlant de l'impact de la politique pro-européenne des pays de l'Europe centrale et orientale, il faut mentionner l'importance de l'initiative connue sous le nom de «groupe de Visegrad». En février 1991, trois pays (aujourd'hui quatre après le divorce des Républiques tchèque et slovaque) ont créé un groupe d'intérêt politique pour accélérer leur adhésion à l'Union. Il s'agit actuellement de la Hongrie, de la Slovaquie, de la République tchèque et de la Pologne. Le but principal de ce groupe ne se relie pas directement à un programme de coopération inter-régionale puisqu'il est purement politique. Néanmoins, sa réalisation passe par un encouragement à l'ensemble des actions qui rapprochent ces pays, et favorisent en même temps leur perspective de coopération avec les Etats membres de l'Union. C'est dans cette logique qu'ont été adoptées des incitations à la coopération inter-régionale.

Un aspect important de cette initiative - tous les pays membres du groupe l'ont bien compris - est que s'ils ne trouvent pas de solution à d'éventuels conflits frontaliers ou relatifs au statut des minorités (assez nombreuses dans ces pays), ils réduisent leur chance de leur demande d'adhésion à l'Union européenne. Le cas de la minorité hongroise en Slovaquie (dans la région frontalière de Komarno) est très significatif. Les deux pays concernés (la Slovaquie et la Hongrie) se sont efforcés de résoudre ce difficile problème, sachant qu'un éventuel conflit diminuerait la probabilité de succès vis-à-vis de leur politique européenne. Dans ce sens, on peut parler d'un «esprit de Visegrad», qui crée une atmosphère facilitant la coopération inter-régionale.

Dans la coopération inter-régionale organisée entre l'Allemagne et ses voisins de l'Est et du Sud-Est, le rôle le plus important est attribué aux «eurorégions». L'idée d'eurorégions avait été développée bien avant 1989-1990. Il importe donc de souligner qu'avant même de connaître la réglementation européenne à son égard, des élites démocratiques se sont souvent référées à ce modèle de coopération, en s'opposant au pouvoir central. Mais au début des années 90, l'idée d'eurorégion a très souvent été évoquée dans un contexte purement politique. Il a fallu deux ou trois ans, et une forte campagne d'information menée par les Occidentaux, pour parvenir à une compréhension exacte de ce concept.

D'après des sources allemandes datant de juin 1993[2], il existe actuellement, aux frontière sud et sud-est de l'Allemagne, huit eurorégions qui couvrent une partie importante des frontières allemandes. Trois d'entre elles sont germano-polonaises, et trois autres germano-tchèques. La septième recouvre une zone qui se répartit entre l'Allemagne, la Pologne et la République tchèque; et la huitième se partage entre l'Allemagne, l'Autriche et la Républi-que tchèque.

Il faut noter l'asymétrie juridique de ces organisations : alors qu'elles bénéficient du statut d'euro-régions de la part des insances de l'Union européenne, elles sont seulement reconnues comme associations d'unités territoriales (communes, voïvodie, landes, okres) dans la partie centrale et orientale Chaque eurorégion possède une Assemblée qui élit en son sein un Président. Bien sûr ces instances ne jouent qu'un rôle consultatif, mais en réalité leur influence est beaucoup plus importante.

Le financement de ces eurorégions qui regroupent des territoires de l'Allemagne (membre de l'Union) et des territoires d'États d'Europe centrale et orientale, situés en dehors de l'Union, mais ayant un statut d'associés à celle-ci, est assez complexe. Il provient à la fois des pays participants (mais dans ce cas le financement allemand est nettement plus important que celui des pays d'Europe centrale et orientale), des instances régionales impliquées dans la construction de l'eurorégion et du fonds spécial de l'Union (le fonds Phare-Crossborder et financement complémentaire par Interreg). Comme nous l'avons déjà mentionné, c'est l'apport allemand qui se révèle prépondérant.

---

2. Le mensuel *Deutschland*.

D'après la même source allemande, le financement du programme Phare dans les années 1995-1999 atteindra, pour ces huit eurorégions, la somme de 650 millions d'écus. A titre d'exemple, pour l'année 1995, la Pologne recevra ainsi 55 millions d'écus et la République tchèque la somme de 25 millions d'écus.

Le but principal de ces eurorégions peut être défini très largement comme le développement d'une coopération à trois niveau : social, économique et politique. L'objectif social correspond à la volonté d'instaurer des relations de bon voisinage des deux côtés de la frontière. Au niveau économique, il s'agit d'établir des formes stables de coopération transfrontalière à travers la création d'infrastructures indispensables (réseau routier, postes-frontières, etc.).

En ce qui concerne le plan politique, la situation est assez complexe. Il faut rappeler qu'il s'agit ici de relations entre l'Allemagne et des pays qui, d'abord envahis par l'Allemagne nazie, ont ensuite, après la capitulation de celle-ci en 1945, repoussé la population allemande à l'ouest de leurs frontières. Cette situation a créé des problèmes fort délicats et ces territoires sont ainsi considérés, depuis 1945, comme «politiquement fragiles». De plus, pendant longtemps, la frontière tchèque a dans les Sudètes représenté une limite entre les «deux mondes» de la démocratie occidentale et du totalitarisme. Longtemps après la guerre, une position de méfiance vis-à-vis du voisin allemand a été considérée comme une attitude de «bon citoyen». Et même si, à la frontière occidentale de la Pologne, il ne s'agissait pas de la RFA mais de la RDA socialiste, ce même phénomène d'anti-germanisme existait. Dans ce contexte, le fait qu'actuellement cette frontière soit à la fois celle de l'Allemagne réunifiée et celle de l'Union européenne joue un rôle très important dans le processus d'une adhésion future de la Pologne et de la République tchèque à l'Union.

Ces eurorégions poseraient un problème beaucoup moins grave si, à l'intérieur de la Pologne et de la République tchèque, elles n'étaient combattues par des tendances nationalistes. En effet, dans ces deux pays, pour certains groupes dits «nationalistes-patriotiques», toute tentative d'ouverture vers l'Occident, *a fortiori* par l'intermédiaire de l'Allemagne, est considérée comme une action antipatriotique mettant en danger l'identité nationale. En République tchèque, où ces tendances sont moins prononcées qu'en Pologne, la situation reste quand même complexe à cause des revendications des Allemands des Sudètes. Il s'agit d'une population allemande qui, avant 1945, représentait une minorité en Tchécoslovaquie et qui fut expropriée par les fameux décrets du président Béneš. Aujourd'hui ces personnes, ou leurs descendants, installés en Allemagne, en majorité en Bavière, demandent à être dédommagés et autorisés à revenir dans les territoires où ils habitaient avant 1945. Le problème est fort difficile, même si ces tendances sont marginales.

En conséquence, si elles veulent réaliser leur objectif politique, les eurorégions sont contraintes à mener des actions qui prennent en compte les difficultés évoquées ci-dessus. Il y a, à cet égard, plusieurs signes d'optimisme, notamment grâce à l'ouverture des frontières et à d'importants échanges entre les jeunes des deux côtés.

Un autre exemple d'eurorégion se manifeste dans les territoires des montagnes des Carpates. La tentative de créer une «quasi-eurorégion» entre la Pologne, la Slovaquie, l'Ukraine et la Roumanie prouve que, dès 1993, ce schéma était connu comme un modèle susceptible de résoudre certains problèmes des régions frontalières et transfrontalières d'une manière plus pragmatique qu'idéologique. Les créateurs de cette «quasi-eurorégion» ont surtout voulu animer l'économie régionale, et faciliter les échanges de toutes sortes. Aujourd'hui il faut dire que les difficultés que cette initiative a connues, surtout en 1994, du côté slovaque, ont été provoquées pour des raisons purement politiques, alors qu'au plan économique la satisfaction était évidente.

Il était très important de souligner que l'idée de coopération inter-régionale venue de l'Union européenne a suscité un grand enthousiasme au début des années 90. Actuellement, en cette deuxième moitié de 1995, cet élan est moins visible. Ce qui est capital, c'est que le choix du modèle de coopération inter-régionale dépend surtout de considérations pragmatiques et non plus idéologiques. Et dans cette situation, les experts des pays d'Europe centrale et orientale se demandent comment recréer, aujourd'hui, cet enthousiasme du début des années 90.

III. Les groupes d'intérêt et le leadership régional

Avant d'aborder le problème des groupes d'intérêt et du leadership régional, il nous faut revenir encore une fois aux années 1989-90 et au grand changement politique survenu en Europe centrale et orientale. Le passage d'un système totalitaire ou quasi-totalitaire à la démocratie a créé un certain vide politique, à la suite duquel la vie politique, sociale et économique s'est trouvée profondément déstabilisée dans son leadership.

Cette situation a été compliquée par le manque d'un modèle de carrière politique au niveau local et régional. Toute carrière, au temps du communisme, même si elle commençait par le bas, était fondée sur l'alignement par rapport à la logique du pouvoir central.

Jamais une focalisation sur les problèmes locaux ou régionaux ne permettait de faire carrière. Ceci était logique dans un système très centralisé, car une concentration sur le local eût mis en danger le principe du «centralisme démocratique».

De nouvelles élites se sont créées au cours des années 90, mais ce processus s'est révélé singulièrement complexe. On peut distinguer trois étapes : la première, allant du début du changement jusqu'à la première campagne électorale locale (survenue à des moments différents dans chaque pays) fut marquée par le départ de la *nomenklatura* communiste et l'affrontement, sur la scène locale et régionale, des anciens opposants au communisme. Par définition, les discours dominants mêlaient alors la concurrence politique, l'idéologie et souvent la religion.

La seconde étape, à partir des premiers mandats des élus locaux et régionaux, fut le temps de la formation des nouvelles élites, de leur diversification politique et sociale. En même temps, les premiers groupes d'intérêt se sont formés. Parmi ceux-ci, un rôle important a été joué par ceux qui se sont concentrés sur la coopération inter-régionale, essentiellement pour des motifs économiques.

La troisième étape commence en général avec les campagnes pour les secondes élections locales (c'est-à-dire en 1994 ou 1995). Lors de ces campagnes, apparaissent des groupes d'intérêt qui se présentent directement aux élections, et parmi lesquels s'affirment ceux qui sont intéressés par la coopération inter-régionale. Les chambres de commerce des grandes villes des voïvodies ou la Chambre de commerce de Haute-Silésie ont ainsi soutenu certaines listes de candidats favorables à la coopération. Plus directement, des groupes de commerçants des villes polonaises ou tchèques bénéficiant des échanges frontaliers avec l'Allemagne ont constitué des listes aux élections locales, en particulier pour peser sur le développement des infrastructures de communication. Dans cette troisième phase, il faut souligner un processus politique significatif pour la transformation de la scène politique, locale ou régionale, en Europe centrale et orientale. L'intérêt pour la coopération inter-régionale est exprimé par des forces de toutes couleurs politiques, à l'exception de l'extrême droite. Celle-ci, souvent nationaliste, traditionaliste, reste farouchement opposée à la coopération qui signifie pour elle une atteinte à l'identité nationale. Certaines tendances, liées à la hiérarchie de l'Église catholique en Pologne, n'y sont pas directement opposées mais apparaissent très réticentes en dénonçant un danger de «contagion par le consumérisme occidental».

Dans une perspective socio-politique, il faut constater que la génération des moins de 40 ans est plus ouverte que celle des plus

âgés. Les jeunes tendent souvent à institutionnaliser cette coopération. Nous avons déjà cité l'exemple de la coopération transfrontalière des communes de Haute-Silésie. L'Association des communes de Haute-Silésie a déjà créé un modèle de carrière innovant,
puisque le Président de cette Association joue un rôle social important dans la région. On peut parler de création d'un certain type de
leadership. Cet exemple n'est qu'indicatif, mais il permet de voir
dans quel sens le changement régional se produit en Europe centrale et orientale.

IV. La dynamique politique de la coopération

La coopération inter-régionale en Europe centrale et orientale constitue un des éléments importants du processus très complexe de changement socio-politique dans cette partie du continent.
Il est donc évident que cette coopération dépend de la situation
politique en Europe tout entière, de l'avenir de la Russie (le grand
voisin qui a toujours joué un rôle important en Europe centrale et
orientale) et des grandes décisions concernant l'élargissement de
l'Union européenne et de l'OTAN. Il ne faut pas oublier qu'une
stabilisation politique de l'Europe tout entière dépend en partie de
la stabilisation et du succès économique et politique en Europe centrale et orientale. C'est dans cette perspective qu'il convient d'étudier l'avenir de la coopération inter-régionale dans cette zone. Il est
normal que toute prévision relative à cette coopération soit basée
sur l'adhésion de ces pays de démocratie récente à l'Union européenne et à l'OTAN.

En ce sens, la clé pour le développement de la coopération
inter-régionale dans cette partie de l'Europe est entre les mains des
leaders politiques de l'Union européenne et de l'OTAN. Cela est
d'autant plus vrai que l'on peut constater une certaine incertitude
quant à l'avenir politique en Europe centrale et orientale, et que
ceci décourage ceux qui sont déjà engagés dans la construction
d'une telle coopération.

Cette dimension psychosociale, qui exprime une certaine
fragilité des «élites pro-européennes» au niveau local et régional, ne
peut pas être négligée dans l'analyse du phénomène considéré ici.

Toute action politique, économique et sociale qui encourage
des tendances «pro-européennes» signifie en réalité un renforcement du développement de la coopération inter-régionale. Dans
chaque pays, la situation intérieure est un peu différente, mais les
forces «pro» et «anti» européennes sont facilement identifiables. Le
renforcement de telles attitudes pro-européennes peut se traduire
au niveau local et régional par la formation de nouveaux groupes
d'intérêt et par la création de nouveaux types de leadership. Et

l'esprit pragmatique, qui est plus présent au niveau local et régional qu'au niveau national (où l'on observe une forte idéologisation de la politique), peut à son tour être renforcé par des courants pro-européens venant du champ national.

Bibliographie

CHARPENTIER J. & ENGEL C. (éd.), *Les régions dans l'espace communautaire*, Nancy, Presses Universitaires de Nancy, 1992.

DESZCZYNSKI P., SZCZEPANIAK M., *Grupa wyszechradzka* (Le groupe de Visegrad), Zeszyty Naukowe AE, éd. AE Poznan, 1995.

HOBSBAWM E., «Austria a Europa Srodkowa» (l'Autriche et l'Europe Centrale), *in Lettre Internationale*, hiver 1993-1994, p. 20-22 (version en langue polonaise).

WODZ J. (éd.), *Haute-Silésie - l'espace déchiré*, Katowice, éd. Uniwersytet Slaski, 1990.

WODZ J., «The Border Region : An Attempt at a Sociological Interpretation», *in* M. Szczepanski (éd.), *Dilemmas of Regionalism and the Region of Dilemmas. The Case of Upper Silesia*, Katowice, Edition Uniwersytet Slaski, 1996.

WODZ J., «Les régions transfrontalières en Europe Centrale», *in* J. Chevalier, (dir.), *L'Identité politique*, Paris, PUF, 1994, pp. 379-385.

WODZ K., «La revendication identitaire en Pologne», *in* J. Chevalier, *L'Identité politique*, Paris, PUF, 1994, pp. 365-378.

Les provinces canadiennes dans la concurrence inter-régionale nord-américaine[1]

par *Michael Keating*

La question des relations entre intégration économique et intégration politique a suscité, et soulève encore, bien des controverses, tant théoriques que politiques. Selon les modèles fonctionnalistes et néo-fonctionnalistes, il existe, en effet, une connexion étroite entre les deux processus. L'intégration économique qui se développe dans un secteur donné s'étend à d'autres domaines, et est susceptible d'induire, au-delà, une coopération au plan politique, qui devient nécessaire pour gérer les affaires communes. On dira alors, en simplifiant, que l'intégration économique entraîne la coopération, susceptible d'évoluer elle-même vers l'intégration politique.

Les grands penseurs du fonctionnalisme n'ont guère évoqué le thème de la coopération transfrontalière. Cependant, en suivant leur logique, on pourrait faire l'hypothèse que l'accroissement des transactions et l'extension des liens fonctionnels de part et d'autre d'une frontière amorcent une dynamique propre, impliquant, dès lors, coopération et intégration politiques.

Mais on peut aussi envisager une évolution contraire. L'ouverture des marchés renforcerait la concurrence entre les régions pour conquérir de nouveaux débouchés, attirer les investissements, occuper des positions dominantes et s'imposer dans la répartition mondiale du travail (en matière de technologie, de main-d'œuvre, ou de qualité de la vie). Comme les régions se constituent toujours

---

1. Je remercie Emmanuel Brunet-Jailly qui m'a aidé à corriger ce texte.

davantage en acteurs du marché mondial, sans la médiation des Etats, cette concurrence deviendrait de plus en plus farouche. Or les gouvernement régionaux, qui répondent aux pressions de leurs propres électorats, n'ont pas les moyens de produire des bénéfices externes ou des bien publics à un niveau trans-régional. Un cas de figure courant, à cet égard, est celui de deux régions frontalières dotées, chacune, d'un aéroport trop petit pour faire face aux exigences de leur développement économique : ni l'une ni l'autre ne peut sacrifier son propre équipement, ou collaborer également afin d'en construire un de la taille requise. Il faut alors, pour permettre cette coopération, prévoir un régime international qui établisse des cadres et donne des incitations, assurant la répartition des bénéfices entre tous les partenaires.

I. Le Canada et les États-Unis : liens économiques et politiques

La frontière entre le Canada et les Etats-Unis fournit un cas d'espèce pour examiner ces hypothèses, et ceci à plusieurs titres. Le Canada s'est construit selon un axe Est-Ouest, pour des raisons politiques qui défient la logique fonctionnelle économique de liens naturels Nord-Sud. Il se produit néanmoins des échanges considérables à travers la frontière. Et si les liens commerciaux peuvent avoir des conséquences politiques, celles-ci devraient alors être perceptibles. L'Accord de libre-échange nord-américain (ALENA), de 1993, qui a succédé à l'Accord de libre-échange (ALE) entre le Canada et les Etats-Unis, conclu en 1988, contribue au renforcement des relations économiques nord-sud. L'Etat canadien est actuellement affaibli par les projets de *province-building* ; la crise budgétaire ne peut que renforcer cette tendance ; et les provinces émergent comme acteurs importants du processus de développement économique et de restructuration des relations sociales (Courchene, 1995).

Or, l'on constate que ce processus, qui renforce le rôle des provinces canadiennes et des États américains, conduit ceux-ci à une logique de concurrence plutôt qu'à une attitude de coopération. L'ALENA n'incite pas à collaborer et ne fournit aucune opportunité aux gouvernements régionaux pour s'insérer dans la structure et parvenir à l'influencer. La réaction à l'ouverture des marchés varie d'une province à autre, au gré des aspirations et des stratégies des leaders politiques. Le Québec poursuit une politique d'insertion de son économie provinciale dans le grand marché nord-américain, tout en gardant ses spécificités culturelles. L'Ontario, pour sa part, a gardé, au moins jusqu'en 1995, une position plus protectionniste.

La frontière entre le Canada et les Etats-Unis, longue de 4 500 kilomètres, sépare deux Etats, deux nations et, en quelque sorte, deux modèles de société. Cependant leurs populations part- agent le même mode de vie, le même système économique et, sauf dans le cas du Québec, la même langue. Le Canada compte 29 mil- lions d'habitants, et 80 % d'entre eux résident à moins de 300 kilomètres de la frontière américaine. Les Etats-Unis, avec une population dix fois plus nombreuse et une économie dix fois plus forte, ont sur la population canadienne une influence inéluctable. La construction et la survie du Canada résultent d'efforts politiques pour imposer des institutions et des politiques communes face aux pressions du Sud. Et la contradiction entre cette mobilisation pour établir un axe Est-Ouest et la logique économique Nord-Sud est un thème constant de l'histoire canadienne, depuis la Confédération de 1867, et même avant. Au cours du XIX⁰ siècle, les Etats-Unis représentaient une menace politique et militaire (avec leur doctrine de *manifest destiny* et leurs ambitions continentales). Au XX⁰ siècle, le danger est plutôt économique et culturel. Face au poids de leurs voisins, les Canadiens ont peur de perdre leur indépendance économique et d'être absorbés dans une culture homogène nord- américaine. Ils redoutent que leur société plus collectiviste, avec son Etat-providence, soit menacée par les valeurs américaines et par le modèle individualiste du capitalisme sauvage.

Le Canada ne s'est pas construit sans de sérieuses tensions régionales, et le régionalisme reste encore un de ses clivages poli- tiques les plus importants. Les gouvernements du XIX⁰ siècle ont unifié le pays par les chemins de fer (en évitant de passer par le territoire américain) (McIlwraith, 1991) et les tarifs douaniers, et ceux du XX⁰ n'hésitent pas à faire de la propagande nationale[2]. Les provinces de l'Ouest n'ont cessé de se plaindre de leur exploitation par des gouvernements nationaux dominés, selon elles, par l'On- tario et le Québec. Les provinces maritimes du nord-est déplorent leur pauvreté relative et réclament des subventions. Et le Québec, pour sa part, cherche à être reconnu comme une société distincte.

La frontière, marquée par le fleuve Saint-Laurent, les Grands Lacs et, à l'ouest, le 49⁰ parallèle, sépare des régions natu- relles, proches les unes des autres au plan topographique et économique. L'unité des provinces maritimes canadiennes et des Etats américains de la Nouvelle-Angleterre apparaît ainsi à l'évi- dence. La région des Grands Lacs se caractérise, des deux côtés de la frontière, par des concentrations importantes de population, l'existence de grandes villes et le développement d'industries manu-

---

2. De nos jours des campagnes publicitaires à la télévision exaltent les vertus du Can- ada et les actions de l'Etat canadien.

facturières, surtout métallurgiques. Les provinces des prairies partagent avec les zones voisines américaines une agriculture extensive et, au plan politique, des traditions de populisme, de droite et de gauche. Dans l'Ouest, il y a également une forte ressemblance entre les structures économiques de la Colombie-Britannique et celles des Etats de Washington et de l'Oregon.

Le développement économique, au Canada et aux Etats-Unis, a été marqué par la concurrence entre les régions, les villes et les collectivités locales pour attirer les investissements publics et privés, devenir des nœuds de communication (ferroviaires, routiers ou aériens), et se doter d'infrastructures culturelles et économiques. Cet esprit de *boosterism* est reconnu comme étant de la responsabilité des collectivités locales. Et les entrepreneurs (surtout les sociétés d'exploitation foncière) exercent une influence importante. Les politiques de développement des provinces et des Etats, et notamment les subventions que ceux-ci accordent aux entreprises, ne sont soumises à aucune limitation de la part des gouvernements fédéraux canadien et américain. En général, les Etats américains laissent eux-aussi les mains libres à leurs municipalités. En revanche, les gouvernements provinciaux canadiens, surtout dans l'Ontario, imposent des restrictions aux activités économiques des collectivités locales, en particulier en matière de subventions aux entreprises. Il y a, de ce fait, une surenchère d'offres de subventions, de la part des provinces et des Etats, ainsi qu'entre municipalités, pour attirer et conserver les grands investissements.

Il existe au Canada une tradition de protectionnisme provincial. L'Ontario interdisait, par exemple, la vente des vins, spiritueux et bières produits dans les autres provinces[3]. On trouve aussi des restrictions à la libre circulation des ouvriers de certaines industries, comme le bâtiment. Les marchés publics sont souvent réservés aux entreprises de la province. Ce n'est qu'en 1995 qu'un accord inter-provincial a allégé quelques-unes de ces contraintes pesant sur le commerce intérieur canadien. Il y a, en revanche, moins de restrictions entre Etats américains, grâce à la clause constitutionnelle sur le commerce inter-Etats (*Interstate commerce clause*).

En dépit de leurs efforts pour construire un marché Est-Ouest, les Canadiens constituent, avec les Américains, les plus grands partenaires commerciaux du monde. 78 % de leurs

---

3. Les règles internationales (GATT, OMC, etc.) interdisant les restrictions aux importations en provenance de l'étranger, on pouvait, dans l'Ontario, acheter les vins et les bières provenant de tous les pays du monde, à l'exception des autres provinces du Canada. En 1995, l'accord sur le commerce interprovincial a supprimé quelques-unes de ces restrictions.

échanges, sur un total s'élevant à 421 milliards de dollars canadiens en 1994, se font avec les Etats-Unis (Statistique Canada, 1994). Or le commerce extérieur est un enjeu plus crucial pour le Canada que pour son voisin. Il représente, en effet, 41 % de son PIB, contre seulement 16 % de celui des Etats-Unis. Et les échanges avec ces derniers correspondent à 32 % de son PIB (Eurostat, 1994), dont 24 % pour le seul secteur de l'industrie automobile. Or le Pacte automobile de 1965 stipule que, pour chaque voiture qu'elles importent au Canada, les grandes entreprises sont obligées d'en construire une sur le territoire national. Il en résulte une industrie automobile canadienne importante, presque totalement intégrée à celle des Etats-Unis, et un commerce entre les deux pays reposant quasiment pour moitié sur des échanges entre succursales des mêmes grandes entreprises (Ghandi, 1991).

II. Les défis de la mondialisation

A partir des années 1980, le contexte des rapports entre le Canada et les Etats-Unis s'est modifié de manière significative. La concurrence mondiale et le départ d'industries vers les Etats du sud des Etats-Unis, ou vers le Mexique et l'Asie, provoquèrent une crise dans les villes industrialisées de la région des Grands Lacs et du Nord-Est américain (connues désormais comme la «ceinture de rouille»). La recherche d'avantages compétitifs remplaça le souci d'équilibre territorial de la part des gouvernements nationaux et infra-nationaux. Les gouvernements provinciaux, les Etats et (surtout aux Etats-Unis) les collectivités locales se lancèrent alors dans des guerres de subventions (*incentive wars*) pour attirer les investissements, ou simplement pour assurer la présence, sur leur territoire, des grandes entreprises déjà installées[4].

En 1988, le gouvernement canadien conservateur négocia un accord de libre-échange avec les Américains. Ce fut le grand enjeu des élections fédérales de cette année-là. Les opposants (parti libéral, parti néo-démocrate, syndicats, nationalistes canadiens) accusèrent le Premier ministre Brian Mulroney de vouloir subordonner le Canada aux Etats-Unis et aux exigences des grandes entreprises multinationales. Ils soutenaient l'idée que, si l'on perdait le contrôle des leviers économiques, l'autonomie politique serait menacée. Selon les adversaires du libre-échange, l'Etat-providence canadien était menacé par la concurrence des produits des entreprises américaines (surtout dans les Etats du Sud), qui bénéfi-ciaient de charges

---

4. Par exemple, dans les années 1980, la ville de Detroit, avec une base imposable déjà faible, a accordé 250 millions de dollars de subventions à General Motors pour la construction d'une usine Cadillac ; et elle a donné 50 millions de dollars à Pepsi Cola pour qu'elle reste sur place.

sociales moins élevées. À l'axe historique Est-Ouest allait se substi-tuer un axe Nord-Sud, qui romprait l'équilibre économique et poli-tique du Canada et imposerait une nouvelle carte des régions d'Amérique du Nord.

Les débats sur le libre-échange ont eu une dimension régio-nale importante. Dans les provinces de l'Ouest, la politique tarifaire canadienne était souvent considérée comme un moyen de protéger les industries de l'Ontario et du Québec, en garantissant à celles-ci un marché pour leurs produits à prix élevés, pendant que les pro-vinces occidentales étaient obligées de livrer leurs produits primai-res à bon marché aux provinces industrialisées. La *National Energy Policy* (NEP) du gouvernement Trudeau obligea ainsi l'Alberta à vendre du pétrole aux autres provinces à des prix inférieurs au niveau mondial, alors que les Albertans étaient obligés de payer des primes, par rapport aux prix mondiaux, pour les biens industriels en provenance de l'Ontario. L'Alberta était donc favorable au libre-échange, alors que l'Ontario restait un des principaux centres d'op-position à cet accord.

Au Québec, le problème du libre-échange fut abordé, dans une perspective plus politique, comme moyen de poursuivre le pro-jet de construction nationale (*nation-building*), commencé avec la révolution tranquille des années 1960. Les deux partis politiques régionaux (le parti libéral du Québec et le parti québécois) se con-sacrèrent à une stratégie d'insertion de la province dans l'économie nord-américaine et dans le nouvel ordre mondial libre-échangiste. Pour le parti québécois, l'objectif était l'indépendance nationale et une association économique avec les Etats-Unis, dans laquelle ceux-ci serviraient de contre-poids au Canada. Le parti libéral du Québec visait, quant à lui, à une autonomie plus grande de la province, au sein d'une fédération souple, à géométrie variable, en nouant des liens importants avec l'extérieur. Mais toute la société du Québec ne soutenait pas le libre-échangisme. Les syndicats y restaient op-posés (bien qu'en général ils soutiennent l'indépendance). Et l'opinion publique montrait des réticences mais, dans l'ensemble, moins d'opposition à son encontre que dans les autres provinces (Martin, 1995).

Le gouvernement conservateur de Brian Mulroney était le produit de la coalition de quelques nationalistes québécois, qui avaient décidé de donner une chance supplémentaire à un fédéra-lisme rénové, et de gens de l'Ouest, déçus par les politiques natio-nales des gouvernements Trudeau. En ce qui concerne les politi-ques publiques, ses principales réalisations furent l'Accord sur le libre-échange (soutenu par les gouvernements du Québec et de l'Al-berta) et l'Accord du lac Meech (reconnaissant le Québec comme société distincte dans la fédération). Cette coalition était fragile parce qu'à l'exception de leur entente sur le libre échange, les Québecois et les habitants de l'Ouest s'opposaient sur presque toutes les grandes questions politiques, en particulier sur la place du Québec dans la fédération. L'Accord de libre-échange est effectivement entré en vigueur, mais celui du lac Meech ne put aboutir, tout comme celui de Charlottetown, intervenu ultérieurement. Le parti conservateur échoua aux élections de 1993. Il ne gagna que deux sièges au Parlement fédéral, alors que les Québécois optaient pour le Bloc québécois (nationaliste). L'Ouest vota massivement pour le *Reform Party* (parti populiste de droite, opposé aux aspirations du Québec).

Avant les élections de 1993, le gouvernement conservateur conclut les négociations sur l'Accord de libre-échange Nord-Américain (ALENA), qui englobait le Mexique. Le nouveau gouvernement libéral, en dépit de quelques réserves initiales, accepta l'ALENA, et la perspective de son extension aux autres pays de l'Amérique latine.

Ce traité transforme les enjeux des politiques de développement régional et local, mais ses effets demeurent parfois contradictoires et ambigus.

Dans un sens, il impose une logique fonctionnelle de coopération régionale, en supprimant le facteur de division que représentent les frontières. Il permet ainsi aux régions de se définir en fonction de critères économiques et de proximité. Il est vrai que cela ne fit que renforcer les tendances des trois dernières décennies. Dès 1988, 80 % des échanges entre le Canada et les Etats-Unis se réalisaient en franchise de droits de douane. L'industrie automobile était presque totalement intégrée, depuis l'*Auto Pact* des années 1960. Et plus de la moitié du commerce entre les deux pays résultait de transactions internes aux entreprises (Gandhi, 1991). En revanche, le libre-échange eut des répercussions notables sur les PME, et provoqua des restructurations importantes. En conséquence, selon les principes de l'avantage comparé, il était permis de penser que les régions et les localités qui avaient un développement complémentaire de part et d'autre de la frontière risquaient d'être amenées à coopérer. Et l'on pouvait ainsi faire l'hypothèse, à l'instar des théories fonctionnalistes de l'intégration européenne, que cela aurait éventuellement des effets sur la politique (*spillover*) et sur les politiques publiques dans chaque pays.

Mais, par ailleurs, le libre-échange accentue la concurrence, non seulement entre les entreprises, mais aussi entre les régions, pour attirer les investissements et conquérir les marchés. Et il renforça effectivement la tradition nord-américaine de concurrence territoriale et de *boosterism*. Or c'est cette logique qui s'imposa, au détriment de celle de la coopération.

Celle-ci fut aussi contrecarrée par l'attitude anti-libre-échangiste de certains gouvernements provinciaux, notamment des dirigeants néo-démocrates de l'Ontario, entre 1990 et 1995. Paradoxalement, le libre-échangisme, en donnant aux acteurs économiques et politiques un sentiment d'insécurité et d'incertitude, a découragé la coopération transfrontalière. La méfiance fut, de plus, amplifiée par les politiques publiques menées par certains Etats et administrations municipales américains qui ont, en effet, cherché à exploiter au mieux la liberté du commerce pour attirer les investissements. Faisant valoir les subventions offertes et des coûts sociaux plus bas qu'au Canada, ils tentaient ainsi de démontrer aux entreprises qu'elles avaient intérêt, pour fournir le marché canadien, à localiser leur production aux Etats-Unis.

La structure de l'ALENA elle-même n'encourage pas la coopération. Elle ne comporte pas de chapitre social ; seuls quelques accords minimes réglementant les conditions de travail et le respect de l'environnement y ont été insérés, à la demande insistante des démocrates américains. Il y a donc un risque constant de *dumping* social. Les Etats du sud des Etats-Unis offrent ainsi aux entreprises un contexte favorable (*pro-business climate*), alliant la faiblesse des impôts avec l'absence de syndicats et une réglementation très réduite des conditions de travail. Et comme il n'y a pas de système juridique spécifique à l'ALENA, si l'un des pays membres porte plainte contre un autre pour concurrence déloyale, la question est réglée par un tribunal tripartite, selon les lois du pays mis en accusation.

En outre, le traité de l'ALENA ne définit pas clairement de restrictions aux subventions, et, de toute façon, celles-ci ne s'appliquent qu'aux gouvernements fédéraux ; elles ne concernent nullement les Etats, les provinces ou les collectivités locales. Cet état de choses n'a donc fait qu'accentuer la tendance au transfert des politiques de subventions de l'échelon national à celui des gouvernements infra-nationaux, en renforçant la concurrence entre ceux-ci.

L'ALENA n'a pas non plus d'institutions communes, autonomes, à la différence de l'Union européenne. On n'y trouve pas l'équivalent de la Commission européenne, compétente pour prendre des initiatives et assurer la cohérence des politiques publiques. Il n'offre pas de mécanisme politique comparable à celui du Parlement européen, pour prendre en compte les intérêts des citoyens et des divers groupes sociaux. Il n'y a pas d'incitation à la coopération, comme celle qui peut être développée par les fonds structurels et les programmes transfrontaliers communautaires.

Enfin, les traditions et les valeurs contrastées du Canada et des Etats-Unis ne favorisent pas davantage la coopération. Le Canada reste attaché à l'interventionnisme et à l'Etat-providence, avec des entreprises publiques importantes et des citoyens qui attendent que le gouvernement se préoccupe de leur bien-être. Les Etats-Unis gardent, pour leur part, leurs traditions libérales et individualistes, où les lois du marché sont prépondérantes.

Ce contexte général entraîne des conséquences différentes selon les stratégies adoptées par les gouvernements des provinces canadiennes et des Etats américains. A cet égard, l'examen des cas particuliers de l'Ontario et du Québec permet d'illustrer deux types de réactions bien tranchés. Notre souci d'offrir une perspective complète sur la question traitée nous conduira, ensuite, à consacrer quelques développements aux autres provinces.

III. L'Ontario, dans la région des Grands Lacs

L'Ontario est la seule province canadienne qui touche aux Grands Lacs. De l'autre côté, on trouve sept Etats américains. C'est l'automobile qui domine le commerce transfrontalier, surtout entre l'Ontario et le Michigan. Elle représente à elle seule 30 % des exportations et 40 % des importations totales de la province, et son importance, dans le commerce bilatéral avec les Etats-Unis, est encore plus grande. Mais les retombées politiques sont faibles, en dépit de l'intégration totale de ce secteur. La coopération est assurée par les grandes entreprises multinationales et leurs réseaux de sous-traitants.

S'il y a bien certaines questions communes aux gouvernements, comme l'environnement, la gestion des eaux des Grands Lacs et la sécurité, les Etats américains sont, pour la plupart, considérés avant tout comme des concurrents. Si un phénomène peut illustrer cette situation, ce sont bien les déplacements de l'autre côté de la frontière pour les achats de biens de consommation[5]. Dans les années 1980, beaucoup de Canadiens se rendaient ainsi dans les Etats américains frontaliers pour faire leurs achats, afin de bénéficier de prix de détail plus bas et d'éviter les impôts canadiens. Le dimanche (quand les magasins étaient fermés en Ontario), il y avait jusqu'à quatre heures d'attente pour rentrer au Canada. Le gouvernement fédéral et les provinces, et en particulier l'Ontario, réunirent une commission pour étudier le problème — sans demander, bien entendu, la coopération des Etats voisins.

---

5. *Cross-border shopping* ou, en français canadien, «magasinage aux Etats-Unis».

Mais à partir de 1995, la chute du dollar canadien a renversé les enjeux, et ce sont aujourd'hui les consommateurs américains qui ont intérêt à aller en Ontario. Et quand le Michigan a sollicité la coopération de cette province pour régler le problème... il n'a pas été bien reçu !

Dans les années 1980, on vit naître une série de tentatives de coopération politique entre les Etats de la région et l'Ontario (Tableau 1).

Tableau 1
Accords entre l'Ontario et les États américains

Accords généraux

1985, Great Lakes Charter.

1988, Declaration of Partnership and MOU of Cooperation between Ontario and Michigan.

May 1989, The Great Lakes Border Compact : Declaration of Friendship and Cooperation between the Great Lakes States and Ontario and Quebec.

Dec. 1989, Ontario-Michigan Declaration of Partnership and MOU between MITT and Michigan Department of Commerce.

Sept. 1991, Ontario-New York Declaration of Partnership and Memorandum of Understanding and Cooperation.

Energie

May 1989, Agreement with New York State on energy.

Environnement

April 1983, MOU on Cooperation in Combatting Acidification of the Environment with State of New York.

Aug. 1983, MOU on Cooperation in Cooperation in Combatting Acidification of the Environment with State of Minnesota.

Jan. 1984, MOU between Ministry of the Environment and Department of Environmental Conservation, State of New York.

Dec. 1985, MOU on Transboundary Air Pollution with State of Michigan.

Dec. 1985 Ontario-Michigan Letter of Intent on Shared Areas of Concern.

Dec. 1985, Ontario-Michigan Letter of Intent on Environmental Quality.

1987, Declaration of Intent by the US Environmental Protection Agency, Environment Canada, New York State Department of Environmental Conservation and Ministry of the Environment relating to the Niagara River Toxics Management Program.

April 1988, Ontario-Michigan Letter of Intent on Notification and Consultation Procedures for Unanticipated or Accidental Discharges of Pollutants into Shared Waters of the Great Lakes and Interconnected Channels.

April 1988, Ontario-Michigan Joint Notification Plan of Accidental Discharges of Pollutants into Shared Waters of the Great Lakes and Interconnected Channels or for Unanticipated Discharges of Airborne Pollutants.

June 1988, MOU on the Control of Toxic Substances in the Great Lakes Environment.

March 1989, MOU between the Canadian Centre for Occupational Health and Safety and the Ministry of the Environment with the Michigan Department of Natural Resources.

Finances
Jan. 1988, MOU on Cooperation and Enforcement Matters between the Ontario Securities Commission and the United States Securities and Exchange Commission.

Services d'urgence
April 1988, MOU betwen Province of Ontario and State of Michigan with respect to Great Lakes Forest Fire Compact.
Jan. and Feb. 1990, Letter of Agreement between Province of Ontario and State of Ohio for Emergency Services.
April 1987, Letter of Agreement between Province of Ontario and State of Michigan for Emergency Services.

Transports
April 1988, MOU on Maritime Commerce between the Province of Ontario and the State of Michigan.
Feb. 1983, MOU on Bus Safety Inspection Reciprocity between the Province of Ontario and the State of New York.
March 1982, MOU between the New York State Department of Motor Vehicles and the Ontario Ministry of Transportation for the Exchange of Traffic Violation Information.
1988, Agreement between the Province of Ontario and the State of New York regarding Gasoline and Tobacco Tax Information.

La Conférence des gouverneurs des Etats des Grands Lacs (*Conference of Great Lakes Governors* - CGLG) regroupe les sept Etats américains pour discuter des problèmes communs et faire du *lobbying* auprès du Congrès et du gouvernement fédéral. En 1985, elle prit contact avec le gouvernement de l'Ontario. Le Premier ministre de la province assista au congrès annuel de la CGLG et reçut les gouverneurs à Toronto. L'Ontario envisagea même la possibilité d'adhérer à la Conférence. Toutefois, craignant d'être isolé au sein d'une instance essentiellement tournée vers des préoccupations politiques américaines, il préféra finalement envisager l'établissement d'une organisation distincte. Mais ce projet est resté sans issue, après la déception engendrée par la visite, en 1991, de Bob Rae, alors Premier ministre de l'Ontario, au congrès de la CGLG à Duluth : les discussions tardives des gouverneurs américains ne lui laissèrent qu'une heure pour son intervention — alors même que plusieurs participants étaient obligés de rentrer chez eux...

En 1989, une déclaration d'amitié et de coopération entre les Etats des Grands Lacs, l'Ontario et le Québec a donné lieu au *Great Lakes Border Compact*, toujours à un niveau général.

D'autres initiatives bilatérales de coopération politique, à cette même période, furent favorisées par les relations personnelles qui se nouèrent entre les Premiers ministres canadiens successifs, David Peterson (libéral) et Bob Rae (néo-démocrate), et leurs homologues américains du parti démocrate. David Peterson et le gou-

verneur James Blanchard, du Michigan, étaient ainsi particulièrement proches, et en 1988, ils signèrent une déclaration de partenariat. En 1991, Bob Rae et le gouverneur Mario Cuomo, de l'Etat
de New York, adoptèrent également une déclaration générale de
partenariat et de coopération, incluant des chapitres sur le tourisme et l'éducation.

Ces actions de coopération générale n'ont pas eu, dans l'ensemble, de suites importantes. Il n'y avait ni la volonté politique, ni
les ressources requises pour la mise en œuvre de politiques communes. Les fonctionnaires, notamment, dans les ministères, s'y
intéressent peu. Dans les Etats américains, il n'y a pas, au sein du
gouvernement, de services consacrés aux questions extérieures.
L'Ontario, en revanche, dispose d'une direction des affaires internationales, rattachée au ministère du Commerce et de l'Industrie.
Le leadership politique joue un rôle important. Or David Peterson
et Bob Rae, bien qu'ils aient établi des liens de partenariat avec
leurs voisins, s'avéraient hostiles à l'ALE et à l'ALENA, et envis-
ageaient avec réticences l'ouverture de leurs marchés. Les tentatives de D. Peterson et de J. Blanchard pour régler les guerres de
subventions aux investisseurs (*subsidy wars*) échouèrent devant la
résistance des ministères fonctionnels, et l'opposition des intérêts
privés et municipaux aux Etats-Unis. Ainsi, au lieu d'encourager la
coopération transfrontalière, l'ALE et l'ALENA ont renforcé l'esprit
de compétition. Et les efforts de B. Rae pour régler la question des
guerres de subventions, en négociant avec la CGLG, restèrent sans
issue. Les départs de leaders politiques, comme J. Blanchard et
D. Peterson, et, plus récemment, ceux de M. Cuomo et de B. Rae,
ont marqué un nouveau recul des initiatives bilatérales. Toutefois,
avec l'élection de Mike Harris (conservateur et néo-libéral) comme
Premier ministre de l'Ontario, en 1995, on pourrait retrouver une
certaine affinité politique avec les gouverneurs républicains élus
dans les années 1990, de l'autre côté de la frontière.

La coopération ne passe pas non plus par les bureaux que
certains Etats américains ont ouverts à Toronto. Quelques-uns
d'entre eux se sont regroupés récemment dans une délégation de la
CGLG. Leur tâche principale consiste à attirer des investissements
de l'Ontario vers les Etats-Unis, activité considérée, bien entendu,
sans complaisance par le gouvernement ontarien. Pour sa part, en
1991, l'Ontario a fermé ses délégations à l'étranger, y compris aux
Etats-Unis. Il agit maintenant en coopération avec le gouvernement
fédéral pour les missions de commerce et pour faire venir les investisseurs.

En revanche, les accords sectoriels, portant sur des questions
spécifiques, ont davantage réussi. La Charte des Grands Lacs

(*Great Lakes Charter*), signée en 1985 entre l'Ontario et les Etats riverains, recouvre des questions de niveaux et de dérivation des eaux. L'Accord de la rivière Niagara règle également des problèmes concernant les eaux partagées entre le Canada et les Etats-Unis. La plupart de ces accords sectoriels se rapportent à des questions d'environnement, préoccupation évidemment commune à tous les gouvernements de l'éco-système des Grands Lacs. Il existe aussi un accord entre l'Ontario et le Michigan relatif à la qualité de l'air et au contrôle de la pollution aérienne. Un autre, sur la qualité de l'eau des Grands Lacs, associe les provinces et les Etats aux gouvernements fédéraux canadien et américain. Certains protocoles existent enfin pour les services d'urgence et les transports, et pour l'énergie, entre l'Ontario et l'Etat de New York. En revanche, on rencontre très peu d'initiatives de coopération dans le domaine du développement économique, à l'exception d'un accord sur la promotion touristique en Europe.

IV. Le Québec et ses voisins

Depuis les années 1960, le gouvernement du Québec est très actif en matière d'affaires étrangères. Cela répond à trois exigences : le processus de construction nationale (*nation building*) par la projection de la province dans le monde comme moyen de légitimation de ses aspirations nationales, la recherche de soutiens externes à la culture québécoise et à la langue française, et la satisfaction des besoins économiques. Or, si le renforcement de la culture et de la langue justifie les liens existant entre le Québec et la France, pour les questions économiques, le partenaire privilégié reste le voisin américain.

Le modèle québécois de développement économique repose sur un partenariat entre le gouvernement et les entreprises. La priorité fut d'abord d'édifier de grandes entreprises, dans le secteur public comme dans le secteur privé, pour combattre l'influence des établissements anglo-canadiens, et devenir enfin «maîtres chez nous». On s'efforça ensuite d'ouvrir l'économie, de favoriser les exportations et de renforcer les liens économiques avec les Etats-Unis, ou d'autres pays. L'objectif était de contrebalancer le modèle est-ouest canadien, et de réduire la dépendance de la province vis-à-vis de l'Ontario. Un vaste programme d'exploitation des ressources hydro-électriques du nord du Québec, mené par l'entreprise publique Hydro-Québec, fut mis en route ; sa rentabilité devait être assurée par les exportations d'électricité vers les États de New York et de la Nouvelle-Angleterre.

Dès le XIXe siècle, le Québec avait pris des initiatives en matière extérieure. Puis un bureau fut établi à New York en 1940.

Mais les grandes actions datent de la Révolution tranquille des années 1960 (Thérien et *al.*, 1993). En 1993, le Québec était représenté par 29 délégations permanentes à l'étranger, dont 6 aux Etats-Unis. Les bureaux de New York, comme ceux de Londres, Bruxelles et Mexico, ont le statut de délégation générale ; les autres sont de simples délégations (Gouvernement du Québec, 1991). Il est significatif que les efforts se soient concentrés, aux Etats-Unis, sur New York, la capitale économique, plutôt que Washington (où le Québec ne maintient qu'un bureau de tourisme). La coordination des opérations québécoises à l'étranger est assurée par le ministère des Affaires internationales, créé en 1988 pour remplacer, dans le domaine extérieur, celui des Affaires intergouvernementales (chargé désormais des seules affaires intra-canadiennes) (Gobeil, 1988). Entre 1964 et 1993, le Québec a signé 110 accords de coopération et de collaboration avec des Etats américains, en matière d'économie, d'environnement, de technologie, d'investissement et de commerce. La plupart ressortissent de la coopération économique : dans ce domaine, 67 sur 90 traitent de la question de la réciprocité en matière d'immatriculation des véhicules de commerce. Les engagements du Québec ne se limitent pas aux Etats limitrophes ; 38 accords seulement concernent des Etats frontaliers (l'Etat de New York se situant en tête avec 19). Il y a 11 ententes multilatérales, dont 8 avec des Etats frontaliers et 3 avec le gouvernement fédéral américain.

C'est surtout pendant les années 80 que le Québec est intervenu très activement en matière de relations extérieures, aussi bien vis-à-vis des Etats-Unis que du reste du monde, et cela quel que fût le parti au pouvoir. Les gouvernements du parti libéral du Québec se montrent aussi motivés que ceux du parti québécois lorsqu'il s'agit de poursuivre des initiatives à l'étranger. Dans toutes les phases de cette politique, les Etats américains sont restés les partenaires privilégiés (Tableaux 2 et 3).

Si l'on ne prend pas en compte les ententes purement techniques sur l'immatriculation des véhicules, il est évident que, pour le Québec comme pour l'Ontario, c'est le problème de l'environnement qui est prépondérant. Sur les 19 accords conclus avec l'Etat de New York, 11 concernent cette question et 5, les transports. Il n'y pas d'accord de coopération dans le domaine du développement économique, sauf pour les exportations d'énergie.

En 1983, les gouvernements du Québec, de l'Ontario et de certains Etats frontaliers américains ont lancé une étude sur le transport ferroviaire à grande vitesse — l'entreprise québécoise Bombardier détenant les droits nord-américains pour le TGV français. Mais ni ces études, ni les études conjointes de l'Ontario et du Québec dans les années 90 n'ont abouti à des propositions fermes.

Tableau 2

Accords entre le Québec et les États américains (1964-1993)

Année	Economie	Environnement	Culture/ Communication
1964	1		
1965			
1966	1		
1967	2		
1968	2	2	
1969	1	1	1
1970			
1971	1		
1972	4	1	1
1973	1		
1974			
1975			
1976			
1977			
1978	1		
1979			
1980			
1981		1	
1982	2	1	
1983	3	1	
1984	20	2	1
1985	11	2	
1986	3		
1987	1		
1988	4	1	
1989	6	3	1
1990	5		1
1991	2		
1992	21	5	
1993	4		

Tableau 3
Ententes internationales du Québec (1964-1992)

	1964-69		1970-79		1980-89		1990-92		TOTAL	
	S	V	S	V	S	V	S	V	S	V
Afrique & Moyen-Orient	2	1	9	6	76	47	6	6	93	60
Amérique latine & Antilles					24	21	6	6	11	8
Europe			6	4	35	25	20	19	61	48
Etats-Unis d'Amérique	6	1	8	1	57	35	35	19	106	56
France	10	10	12	7	28	21	7	7	57	45
Organisations multilatérales			5	1	10	5	7	7	22	13
Ententes multilatérales	1	1			6	4	3	2	10	7
TOTAL	19	13	40	19	243	162	88	70	390	264

S : Signées.
V : En vigueur.
Source : Gouvernement du Québec.

Le Québec réalise aussi un effort substantiel de *lobbying* auprès des gouvernements et des assemblées législatives des Etats et de l'opinion publique américaine. Le but de son action est de combattre les lobbies protectionnistes aux Etats-Unis et, en même temps, de protéger ses propres avantages commerciaux. Sa politique énergétique, par exemple, qui dépend des exportations vers les Etats voisins, est farouchement critiquée par ses concurrents américains (qui s'en prennent aux subventions et aux garanties accordées par le gouvernement à Hydro-Québec), ainsi que par les écologistes.

V. Les autres régions

Depuis 1993, une réunion annuelle rassemble les gouverneurs des six Etats de la Nouvelle-Angleterre et les Premiers ministres des provinces de l'est du Canada (Québec, Nouvelle-Ecosse, Nouveau-Brunswick, Terre-Neuve et l'Ile du Prince Edouard). Le NEG/ECP (*New England Governors/Eastern Canadian Premiers*) possède une commission permanente de coordination et des commissions spécialisées dans les domaines de l'environnement, de l'énergie, de la pêche, de l'agriculture et des forêts

(Lubin, 1988). Son fonctionnement est assuré par le bureau de la Conférence des gouverneurs de la Nouvelle-Angleterre, à Boston, et par le secrétariat des Premiers ministres de l'est du Canada, à Halifax. Le NEG/ECP sert au règlement de certains problèmes dans ses domaines de compétences, mais il n'a pas provoqué la formation de liens plus profonds, ni permis la mise en place de programmes communs.

Les régions canadiennes de l'Ouest sont moins actives dans le domaine des relations transfrontalières. Les rapports de la Colombie-Britannique avec ses voisins américains sont marqués par les querelles sur la pêche et sur les conditions d'accès au marché américain des produits forestiers. Les arrangements pour la gestion de la pêche relevant largement de la responsabilité du gouvernement fédéral (Rutan, 1988), la Colombie-Britannique préfère agir en coopération avec Ottawa, plutôt que de faire des démarches auprès de ses voisins.

Conclusion

Entre le Canada et les Etats-Unis, les échanges commerciaux ainsi que les mouvements de personnes sont extrêmement importants. Et le gouvernement fédéral canadien a décidé de poursuivre une stratégie d'insertion du pays dans le grand marché nord-américain, en privilégiant les liens économiques Nord-Sud.

Toutefois, l'hypothèse selon laquelle l'intégration économique suscite la coopération politique, par une logique fonctionnelle, n'est pas validée. Le *spillover* se limite à des accords bien précis, touchant certains problèmes communs comme l'environnement, l'énergie, les transports ou les services d'urgence. En matière de développement économique, c'est la concurrence qui s'impose, plutôt que la coopération. Il n'y a pas de répercussions politiques générales.

La coopération politique, là où elle existe, dépend de la volonté des leaders politiques, et elle suit une logique purement politique. Ainsi, au Québec, l'établissement de relations étroites avec les voisins est lié à l'effort de construction nationale, qui passe par l'insertion de la province dans le grand marché continental, sans privilégier les rapports transfrontaliers. En revanche, alors que les provinces atlantiques sont traditionnellement favorables à un gouvernement fédéral fort qui protège leurs intérêts, l'Ontario et la Colombie-Britannique considèrent la coopération politique avec beaucoup de réticences.

Le libre-échangisme favorise l'intégration économique et la rationalisation de la production. Il a de fortes répercussions sur les stratégies des grandes entreprises mais, en l'absence d'incitations spécifiques à la coopération politique, il n'encourage en aucune manière les accords entre gouvernements. Au contraire, il favorise la concurrence entre les territoires et une politique de surenchères de leur part. On est loin de l'expérience européenne, où les rapports entre le politique et l'économique sont plus étroits, et où l'Union fournit des incitations précises aux initiatives transfrontalières.

L'évolution observée au cours des années 90 renforce ces conclusions. Le résultat incertain du référendum, au Québec, en 1995, laisse supposer qu'on y souhaite fortement, sinon l'indépendance, du moins une autonomie plus grande. Même en l'absence de changements constitutionnels, l'indépendance fonctionnelle du Québec va augmenter par le transfert, à son profit, de compétences du gouvernement fédéral, et grâce à une politique active de projection nationale dans tout le territoire de l'Amérique du Nord. Le budget fédéral de 1995 confirme d'ailleurs la réalisation d'importants transferts de compétences vers les provinces, sans qu'un amendement constitutionnel soit nécessaire (Courchene, 1995). En même temps, le parti libéral fédéral, au pouvoir depuis 1993, a abandonné son opposition au libre-échange et à l'insertion de l'économie canadienne dans un grand marché continu. Les conservateurs, qui gouvernent l'Ontario depuis 1995, ont fait de même. Toutefois, ce consensus n'a pas transformé fondamentalement les enjeux de la coopération inter-régionale. La stratégie du gouvernement Harris, dans l'Ontario, repose sur des options néo-libérales ; elle ne favorise pas les grands programmes de planification ou de coopération.

On peut donc prévoir qu'il y aura moins de mercantilisme, moins de protectionnisme, mais pas plus de coopération.

Bibliographie

COURCHENE T., *Celebrating Flexibility. An Interpretative Essay on Canadian Federalism*, C.D. Howe Institute Benefactors Lecture, Montréal, C.D. Howe Institute, 1995.

DUCHACEK I., LATOUCHE D., STEVENSON G., *Perforated Sovereignties and International Relations*, New York, Greenwood, 1988.

EUROSTAT, *Basic Statistics of the Community,* 31ᵉ édition, Luxembourg, Statistical Office of the European Communities, 1994.

GANDHI P., «St. Lawrence Borderlands : The Free Trade Agreement and Canadian Investment in New York and Vermont», *in* Borderlands Project, *Borderlands. Essays in Canadian-American Relations*, Toronto, ECW Press, 1991.

LUBIN M., «New England, New York, and their Francophone Neighborhood», *in* I. Duchacek, D. Latouche, G. Stevenson, *Perforated Sovereignties and International Relations*, New York, Greenwood, 1988.

MARTIN P., «When Nationalism Meets Continentalism : The Politics of Free Trade in Quebec», *Regional and Federal Studies*, 5.1, 1995.

MCILWRAITH T.F., «Transport in the Borderlands, 1763-1920», *in* Borderlands Project, *Borderlands. Essays in Canadian-American Relations*, Toronto, ECW Press, 1991.

GOUVERNEMENT DU QUEBEC, *Le Québec et l'interdépendance. Le monde pour horizon*, Québec, 1991.

GOUVERNEMENT DU QUEBEC, Ministère des Affaires internationales, *Rapport annuel*, 1992-1993, Québec, 1993.

RUTAN G., «Micro-Diplomatic Relations in the Pacific Northwest: Washington State-British Columbia Interactions», *in* I. Duchacek, D. Latouche, G. Stevenson, *Perforated Sovereignties and International Relations*, New York, Greenwood, 1988.

STATISTIQUE CANADA, *Le commerce international de marchandises du Canada, Décembre 1994*, Ottawa, 1994.

THERIEN J.-P., BELANGER L., GOSSELIN G., «Québec : An Expanding Foreign Policy», *in* A.-G. Gagnon (éd.), *Quebec. State and Society*, 2e édition, Scarborough, Nelson, Canada, 1993.

Impression : EUROPE MEDIA DUPLICATION S.A.
F 53110 Lassay-les-Châteaux
N° 4680 - Dépôt légal : Octobre 1996